Dorothy

# Paradies

### Roman

### Aus dem Amerikanischen
### von Kurt Baudisch

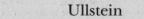
### Ullstein

*Für Janet und Max Lilienstein*

871142

Ullstein Taschenbuchverlag
Der Ullstein Taschenbuchverlag ist ein Unternehmen der
Econ Ullstein List Verlag GmbH & Co. KG, München
Deutsche Erstausgabe
2. Auflage 2002
© 2002 für die deutsche Ausgabe by
Econ Ullstein List Verlag GmbH & Co. KG, München
© 1995 by Dorothy Garlock
This edition published by arrangement with Warner Books, Inc., New York,
New York, USA. All rights reserved
Dieses Werk wurde vermittelt durch die
Literarische Agentur Thomas Schlück GmbH, Garbsen.
Titel der amerikanischen Originalausgabe: Almost Eden
(Warner Books, Inc., New York).
Übersetzung: Kurt Baudisch
Redaktion: Henrike Lohmeier
Umschlagkonzept: Lohmüller Werbeagentur GmbH & Co. KG, Berlin
Umschlaggestaltung: Init GmbH, Bielefeld
Titelabbildung: Pino Daeni,
Literary Agency Thomas Schlück GmbH, Garbsen
Gesetzt aus der New Baskerville
Satz: hanseatenSatz-bremen, Bremen
Druck und Bindearbeiten: Elsnerdruck, Berlin
Printed in Germany
ISBN 3-548-25304-0

# Kapitel 1

*Die Legende beginnt – 1811 in Missouri*

Jason Picket war wie hypnotisiert. Er nahm kaum wahr, was er sah, spürte aber, welche Bedeutung diese zufällige Begegnung für sein elendes Leben haben könnte.

Er packte die Zügel und konnte sich von dem Anblick nicht losreißen.

Sie stand neben dem Stamm einer ausladenden Ulme, und ihre kleine vollkommene Gestalt verschmolz mit dem dichten Laub der Weinstöcke, die am Baum emporrankten. Ein brauner Rock aus grobem Leinen wirbelte um die Waden ihrer nackten Beine.

Ihr Gesicht, schön wie eine Kamee, war von prachtvollem, blauschwarzem Haar umrahmt. Selbst aus dieser Entfernung konnte er ihre klaren grünen Augen und ihren roten Mund erkennen. Eine fast übernatürliche Aura umgab sie.

»Mein Schicksal hat sich gewendet«, murmelte er.

Wenn allein schon bei ihrem Anblick sein ermattetes Blut in Wallung geriet, was würde erst geschehen, wenn die gelangweilten jungen Kerle in New Orleans sie zu Gesicht bekämen? Jason lachte leise bei dem Gedanken, wie es wäre, mit ihr am Arm zu erscheinen. Jeder reiche Dandy im Umkreis von einhundert Meilen würde sich um ihn reißen. Mit seinem Geschick beim Kartenspielen würde er ihnen die Taschen leeren.

O Gott! Er geriet in Erregung, sein Herz pochte erneut heftig in seiner Brust, und sein Geschlecht schwoll in seinen engen Hosen an bis er es fast nicht mehr aushalten konnte. Sie wäre in New Orleans eine Menge Geld wert.

Nach einer Nacht, in der er sich unruhig im Bett hin und her gewälzt hatte, war er nun entschlossen, das westlich von St. Charles am Missouri gelegene Anwesen seines Halbbruders zu verlassen. Seine Frau Callie und die beiden Söhne sollten bei Jefferson bleiben. Der Einfaltspinsel Jefferson würde schon dafür sorgen, dass sie nicht verhungerten.

Jason war sich wie ein Narr vorgekommen, als er herausgefunden hatte, dass Hartley van Buren ein Agent von Aaron Burr war und ihn benutzt hatte, um zu seinem Bruder zu gelangen, bevor dieser Thomas Jefferson den Beweis für Burrs Verrat überbringen konnte. Burr, der sich heimlich mit General James Wilkinson, dem Befehlshaber des Heeres und Gouverneur des Territoriums Louisiana, verschworen hatte, hatte geplant, dort die Macht zu übernehmen. Hartleys Vorhaben war gescheitert, und nun war er tot. Jetzt gab es nichts mehr, was Jason hier in dieser gottverlassenen Ödnis halten konnte.

Zuerst hatte er geglaubt, es sei völlig sinnlos gewesen, sich in diese Wildnis zurückzuziehen. Aber jetzt erkannte er, dass es sich doch gelohnt hatte. Er hatte ein Juwel gefunden. Würde dieses Mädchen einige gute Umgangsformen lernen, so konnte es ihn in New Orleans reich machen. Er hatte nicht die Absicht, diese abscheuliche Gegend ohne sie zu verlassen. Er hatte sie schon einmal gesehen und wusste, dass sie Maggie hieß und die Tochter eines Siedlers war, der sich abrackerte, um seine Familie auf seinem kleinen Stück ungerodeten Landes durchzubringen.

Sie war allein. Sie gehörte ihm.

Jason zog die Zügel so ruckartig an, dass sein Pferd sich aufbäumte. Um das Tier zu besänftigen, musste er seinen Blick von dem Mädchen abwenden, und als er wieder in ihre Richtung schaute, war sie verschwunden. Er fluchte und riss wütend am rechten Zügel, um das Tier zu bestrafen. Das Pferd lief im Kreis herum. Maggie konnte nicht weit gekommen sein, überlegte er. Wahrscheinlich hielt sie sich hinter einem Busch oder Baum verborgen und beobachtete ihn. Er lächelte listig und beschloss, eine andere Taktik anzuwenden. Er stieg ab, ging um sein verschrecktes Tier herum, tätschelte es und sprach leise mit ihm. Dabei suchte er die ganze Zeit mit den Augen den Waldrand ab.

Jason konnte sie sich gut in einem wunderschönen grünen Kleid mit bauschigem Rock vorstellen, der ihre schmale Taille betonte. Er würde ihr Haar hochnehmen und oben mit einem Band zusammenbinden. Mit ihrer ungewöhnlichen Schönheit würde sie alles wettmachen, was er aufbieten musste, um sie zu bekommen. Sein Herz pochte wild. Er zwang sich, nicht die Selbstbeherrschung zu verlieren, wandte langsam den Kopf und sah, dass sie sich ihm wie ein kleines, scheues Tier näherte. Plötzlich blieb sie stehen und stand still wie ein Reh, das Gefahr wittert. Dabei stützte sie sich mit einer Hand gegen die raue Borke eines Baumes.

»Hallo, Maggie«, sagte er leise. »Ich glaube, du hast mein Pferd erschreckt.«

Erst sah er sie an, dann wandte er seinen Blick ab, behielt aber ihr Bild im Gedächtnis.

Es umgaben sie die üblichen Geräusche des Waldes. Der Wind bewegte die Blätter über ihren Köpfen. Von fern rief ein Ziegenmelker, und ganz in der Nähe schalten Eichelhäher einen schwarzen Vogel, der in ihrem Revier Beeren stibitzte.

»Du hast deinem Pferd wehgetan. Warum?«

Ihm stockte der Atem, als sie näher kam. Ihre Bewegungen waren so fließend, dass sie über den Boden zu schweben schien. Sie hatte nur Augen für das Pferd. Sie glitt unter den Kopf des Tieres, hob die Arme, legte ihm die Hände auf beiden Seiten an den Kopf und zog ihn zu sich herunter. Gurrend und murmelnd flüsterte sie dem Pferd etwas ins Ohr. Das Tier stand so ruhig da, als ob es den leisen Tönen lauschte.

Aus nächster Nähe übte ihre Schönheit eine noch stärkere Wirkung auf ihn aus als von weitem. Er seufzte, und in diesem Moment blickte sie auf und richtete ihre wundervollen Augen auf ihn. Ihr Blick war leicht verdüstert. Ihre Augen waren mandelförmig und tatsächlich smaragdgrün; sie leuchteten wie Edelsteine zwischen ihren langen, schönen, dunklen Wimpern. Ihre Augen fesselten seine Aufmerksamkeit genauso wie der warme Ton ihrer Haut und ihr roter Mund, der so unschuldig aussah.

»Warum schaust du mich so an?«, fragte sie.

Jason hatte gedacht, sein prüfender Blick habe nur wenige Sekunden gedauert, aber er musste sie länger angesehen haben. Sie musterte ihn wie ein winziger scheuer Vogel, der auf und davon fliegen würde, sobald er eine plötzliche Bewegung machte.

»Ich sehe dich gern an. Du bist sehr hübsch.«

»Ich weiß.« Sie zuckte die Schultern.

»Wie alt bist du?« Er setzte sein gewinnendstes Lächeln auf.

»Ich bin kein Kind mehr«, sagte sie rasch. Hatte sie ihn vorher düster angesehen, so schaute sie jetzt stolz drein.

»Ich habe seit so vielen Jahren meine monatliche Unpässlichkeit.« Sie hielt vier Finger hoch.

»O, ich habe keinen Augenblick gedacht, du seist ein Kind«, antwortete er mit ernster Miene. »Ohne Zweifel bist du eine erwachsene Frau.«

Sie glitt zur Flanke des Pferdes und trat dann hinter das Tier.

»Geh nicht hinter das Pferd!«

Sie lachte.

Plötzlich wurde Jason bewusst, dass er dieses Lachen schon einmal gesehen hatte – auf einem Bild in einer der großen Villen in New Orleans. Ein Künstler hatte das Porträt eines Mädchens gemalt, von dem er geträumt hatte. Das Bild galt als großes Kunstwerk, und viele Menschen hätten einen hohen Preis dafür gezahlt, aber der Maler weigerte sich, es zu verkaufen. Auf der Suche nach dem Mädchen reiste er mit dem Bild um die ganze Welt. Viele Jahre vergingen, und es hieß, er habe Selbstmord begangen, weil er es nicht finden konnte.

Dies war das Mädchen. Dieses wunderschöne Geschöpf der Wälder war jenes Mädchen auf dem Gemälde. Großer Gott! Wenn er sie nur nach New Orleans mitnehmen könnte!

»Geh nicht hinter das Pferd!«, rief er noch einmal warnend.

»Es tut mir nichts. Siehst du?« Maggie bewegte sacht den Schweif des Pferdes hin und her, tätschelte dem Tier das Hinterteil und die Beine, die mit so mörderischer Kraft ausschlagen konnten. Das Pferd blieb vollkommen ruhig.

Du lieber Gott! So eine wie sie war ihm noch nie begegnet. Gäbe sie einem Mann ein Zeichen, so würde er um die halbe Welt reisen, um zu ihr zu kommen. Plötzlich wirbelte sie herum. Der Rock ihres Kleides bauschte sich und entblößte vollkommene Fesseln und Waden sowie zierliche Füße, die in flachen, mit Perlen bestickten Mokassins steckten. Jason hatte noch nie eine Frau wie diese gesehen, und ihn hatte noch nie ein solches Gefühl ergriffen wie das, welches ihn überkam, als sie ihn lächelnd anblickte. Was auch immer er hergeben und tun musste, er musste sie haben.

»Hast du ein Pferd?«

»Nein.«

»Möchtest du eins haben?«

»Nein. Ich laufe gern.«

»Tanzt du, Maggie?«, fragte er, als sie wieder herumwirbelte.

»Manchmal.«

»Willst du für mich tanzen?«

»Nein.«

»Ich werde dir etwas Hübsches geben.«

»Ich tanze nicht für Geld«, antwortete sie verächtlich.

»Ich wollte dich nicht kränken.« Er verfluchte sich, als er merkte, dass er sie verletzt hatte. »Ich meinte bloß, dass du sehr schön bist und daher hübsche Sachen haben solltest.«

»Ich bin schön, aber ich möchte nichts haben.« Sie äußerte das ohne jede Eitelkeit.

»Wo hast du gelebt, bevor du nach Missouri kamst?« Jason bemühte sich verzweifelt, das Gespräch mit ihr fortzusetzen.

»Kentucky.«

»Bist du jemals in einer Stadt gewesen, die größer ist als St. Louis?«

»Ich mag Städte nicht. Die Leute dort sind voller Hass.« Sie sagte dies mit einem unglücklichen und verächtlichen Zug um den Mund.

Jason lachte. »Nicht dir gegenüber. Ich kann nicht glauben, dass dich jemand hassen würde.«

»Frauen hassen mich. In Kentucky nannten sie mich eine Hexe und sagten, man solle mich verbrennen. Pa hat uns hergebracht.«

Jason lachte erneut. »Bist du eine Hexe?«

»Ich weiß nicht.« Sie zuckte die Schultern. Ohne zu lächeln sagte sie: »Wenn ich die Männer ansah, wollten sie meinetwegen ihre Frauen verlassen.« Den Kopf schräg haltend blickte sie ihn trotzig an. »Manchmal habe ich es getan, weil die Leute gemein zu mir und zu Ma und Pa waren.«

Ihm wurde eng in der Brust, und er verspürte einen pulsierenden Schmerz im Unterleib. Er hatte nie enthaltsam gelebt, und es war eine Weile her, seit er eine Frau gehabt hatte. Obwohl er sich mit Frauen jeglicher Hautfarbe und jeden Glaubens vergnügt hatte, hatte keine ihn so entflammt wie diese kleine hinterwäldlerische Nymphe.

»Möchtest du gern New Orleans sehen und schöne Kleider aus Seide tragen? Würde es dir gefallen, wenn Männer dir zu Füßen lägen und Juwelen brächten?«

»Warum?«

»Warum? ... Weil sie deine Schönheit bewundern.«

Jason zeigte ihr einen Ring, den er aus Hartleys Bündel genommen hatte, bevor er das Anwesen verließ. »Dies ist ein schöner Stein. Sehr teuer. Sieh, wie er funkelt.« Er hielt ihn so, dass er im Licht leuchtete. »Möchtest du ihn haben?«

»Nein, ich will ihn nicht.«

»Er ist viel Geld wert.«

»Ich brauche kein Geld.«

»Aber er ist schön. Die Farbe passt zu deinen Augen. Er würde dich noch schöner machen, wenn du ein Band durch den Ring ziehen und ihn am Hals tragen würdest.«

»Ich möchte nicht noch schöner sein.«

Jasons Geduld war am Ende. Er packte sie am Arm.

»Was zum Teufel willst du dann?«, knurrte er zornig.

Sie wand sich und schlug mit der freien Hand nach ihm, doch gegen seine Stärke konnte sie nichts ausrichten. Er hielt sie mit Leichtigkeit fest und zog sie zu sich heran.

»Ich wollte das nicht tun, aber ich werde es tun, wenn es das einzige Mittel ist.« Er keuchte nicht vor Anstrengung, sondern vor Verlangen nach ihr.

Wie eine kleine Wildkatze fauchte und kratzte sie und bot ihre ganze Kraft auf, um ihm zu entkommen. Sie versuchte ihn zu beißen, und als das nicht gelang, stieß sie mit dem Kopf nach ihm. Ihr Widerstand steigerte nur seine Entschlossenheit, sie zu nehmen. Sie schürzte die Lippen und stieß einen langen schrillen Pfiff aus, bevor er seinen Mund auf ihren presste. Mit der einen Hand hielt er ihre Handgelenke hinter ihrem Rücken fest, den Daumen und Zeigefinger der anderen Hand zwängte er zwischen ihre Kiefer. Gierig drang seine Zunge in ihren Mund. Zugleich verspürte er ein brennendes Verlangen in den Lenden.

Als er kurz innehielt, um Atem zu holen, pfiff sie erneut. Jason achtete kaum darauf und nahm auch nicht wahr, dass ihr Kampf das Pferd so erschreckt hatte, dass es scheute. Aufstöhnend warf er sie zu Boden und fiel auf ihren Körper. Ihr Widerstand begann ihn zu ärgern, und er versetzte ihr einen Schlag ins Gesicht. Fast im gleichen Moment tat ihm dies Leid, aber es war zu spät, es ungeschehen zu machen. Sie würde ihm jetzt niemals zu Willen sein, es sei denn, er gebrauchte Gewalt. Mein Gott, wenn dies die einzige Möglichkeit war, sie zu haben, so sollte es geschehen.

Er zerriss ihren Rock und sah, dass sie nichts darunter trug. Dunkle Locken bedeckten ihre Scham, in die er seine Hand vergrub, während sie sich unter ihm wand. Sie stieß einen weiteren schrillen Pfiff aus und er schlug sie wieder heftig ins Gesicht. Ihr Kopf flog hin und her, aber sie schrie nicht.

»Hör auf damit!«, knurrte er wütend. Hektisch riss er an den Verschlüssen seiner Hose, um herauszuholen, was angeschwollen und steif vor Verlangen schmerzte.

Sie gab klagende, ächzende Laute von sich, als sie ihm mit aller Kraft Widerstand leistete.

»Mein Gott, du bist wunderschön! Selbst wenn du dich wie wild wehrst, bist du schön. Werde ich dorthin gelangen, wo vor mir noch nie ein Mann war?« Er lachte glücklich und jubelnd auf.

Er verlagerte seinen Körper so, dass er nun ganz auf ihr lag, und presste sein Geschlecht gegen ihren sich hin und her windenden Körper. Sie pfiff noch einmal, aber der Ton erstarb, als er seinen Mund auf ihren presste und seine Lippen ihre zusammengebissenen Zähne berührten. Er hob seinen Kopf ein wenig, damit er ihr Gesicht sehen konnte.

»Du wilde kleine ... Hure. Ich werde dir das hier bis in deinen Bauch hoch rammen!« Er bewegte die Hüften und stieß sein hartes, langes Glied gegen ihren Körper. »Ich kann es nicht erwarten, das in dir zu spüren!« Er drückte mit den Knien ihre Beine auseinander und ließ sich atemlos vor Erwartung auf sie herab. Er nahm sein vor Erregung angeschwollenes Geschlecht in die Hand und versuchte verzweifelt, ihm Eingang in ihren sich hin und her werfenden kleinen Körper zu verschaffen.

Jason traf ein dumpfer Schlag im Rücken.

Sekunden vergingen, bevor er den Schmerz spürte. Plötzlich erschlafften seine Arme, und er fiel auf die Seite, ohne zu merken, wie das Mädchen unter ihm wegglitt. Etwas Warmes, Nasses lief aus seinem Mund. Seine Finger krümmten und streckten sich ... als ob sie etwas suchten. Ein Fuß stemmte sich gegen seine Brust und warf ihn auf den Rücken. Er spürte, wie eisige Kälte seine Beine hochkroch und dann seinen ganzen Körper erfasste. Ihm war kalt ... kalt.

»Hilf ... mir –« Jason blickte in ein grimmiges, düsteres Gesicht mit wilden Augen und wütend verzogenem Mund.

Der Teufel! Der Teufel war gekommen, um ihn zu holen!

Das war Jason Pickets letzter Gedanke, bevor ein Messer seine Kehle durchschnitt.

Baptiste Lightbody blickte auf den verstümmelten Körper des Mannes hinab, den er gerade getötet hatte. Jason Pickets Hose stand offen, seine Geschlechtsteile waren der Sonne ausgesetzt. Light konnte sich vor Wut kaum beherrschen und hätte sie ihm am liebsten abgeschnitten. Stattdessen spuckte er auf sie.

»Verdammter Hund!« Er spuckte ein zweites Mal, diesmal auf das ruhige, leblose Gesicht. Er wischte sein Messer ab und steckte es wieder in die Scheide an seinem Gürtel, dann rollte er die Leiche mit dem Fuß auf den Bauch und zog die dünne Stahlklinge heraus, die zwischen den Schulterblättern steckte. Daraufhin rollte er Jason Picket zurück auf den Rücken und ließ ihn so liegen.

Light wandte sich von dem Toten ab und breitete die Arme aus. Maggie stürzte ihm entgegen. Es kam weder ein Klagelaut von ihren Lippen noch stand eine Träne in ihren Augen. Sie umschlang seinen Hals, und er hob sie hoch und barg das Gesicht in der weichen Biegung ihres Halses. Ein Zittern durchlief seinen Körper und sie spürte die verzweifelte Angst, die er um sie empfunden hatte.

»Mir geht es gut«, flüsterte sie in sein Ohr. »Ich wusste, dass du kommen würdest. Ich habe auf dich gewartet.«

»Mon Dieu, mein kleiner Liebling!« Er stellte sie

wieder auf die Füße und strich ihr das zerzauste Haar aus dem Gesicht. Mit den Fingern berührte er vorsichtig ihre geschwollenen Blutergüsse. Er fluchte auf Französisch. »Hat er dir Gewalt angetan, meine Süße?« Seine dunklen Augen sahen sie ängstlich an. »Ist er in dich eingedrungen?«, fragte er leise.

Maggie schüttelte heftig den Kopf, und er umarmte sie erneut und hielt sie lange fest.

»Oui, chérie. Du bist eine starke Frau, ma petite.« Seine Stimme bebte vor Zärtlichkeit. Sie stand ruhig da, während er mit den Händen den Schmutz und die Blätter von ihrem Rock und aus ihrem Haar strich. Er legte die Hände auf ihre Schultern und schaute sie prüfend an. Seine dunklen Augen blitzten zornig.

»Ich würde ihn immer wieder töten.«

Mit ihren Fingern berührte sie die Falten zwischen seinen zusammengezogenen Brauen und strich ihm sanft über das Haar.

»Jetzt geht es mir wieder gut, Light.« Ihre singende Stimme dämpfte seinen Zorn.

»Woher wusstest du, dass ich hier vorbeikommen würde?«

Sie lächelte, doch die geschwollene Seite ihres Mundes verzog sich dabei nur. Sie zuckte die Schultern.

»Ich habe dich gerufen, Light. Ich wusste, dass du kommen würdest.«

»Du hast darauf gewartet, dass ich komme«, wiederholte er leise und küsste zärtlich die verletzte Seite ihres weichen roten Mundes. »Es genügt mir, das zu wissen. Mon Dieu, mein Liebling! Ich muss gut auf dich aufpassen. Du bist mir sehr teuer geworden!« Er nahm ihr Gesicht zwischen beide Hände und küsste sie immer wieder, wobei er ihre aufgeplatzte Lippe sanft mit der Zunge berührte.

»Macht es dich glücklich, bei mir zu sein, Light?«

»Sehr glücklich, meine Schöne.«

Sie lachte leise und froh, und dies klang wie Musik in seinen Ohren. Sie umarmte ihn und drückte ihn fest an sich. In diesem Augenblick überkam ihn eine große Freude, die seine Sorgen zerstreute.

»Sei nie wieder so närrisch, meine Elfe«, rügte er sie behutsam. »Wenn du allein bist, darfst du einem Mann nicht so nahe kommen, dass er über dich herfallen kann.«

»Er hat dem Pferd wehgetan, Light.«

Sie hielt ihre Handfläche an sein Gesicht. Er drückte die Lippen dagegen. Sie lächelte und blickte ihm so lange in die Augen, bis sich seine düstere Miene entspannte. Sie liebte diesen ruhigen Mann, der lautlos und immer wachsam durch den Wald glitt. Obwohl die kupferfarbene Haut und das glatte schwarze Haar die indianische Herkunft verrieten, gebrauchte er oft französische Kosenamen und sprach immer mit Akzent.

»Komm, mein süßer Schatz«, sagte er leise. »Wir müssen diesen Ort verlassen. Zuerst habe ich die schmerzliche Pflicht, meinem Freund mitzuteilen, dass ich seinen Halbbruder getötet habe. Dann muss ich deinem Pa sagen, dass ich dich mit zu meinem Berg nehmen werde.«

»Dein Berg? Wo befindet er sich, Light?«

»Westlich von hier, chérie. Ich habe ihn in meinen Träumen gesehen – es ist ein leuchtender Berg, wo die Bäume in den Himmel wachsen und glasklare Bäche im Sonnenlicht glitzern. In der Nacht sind die Sterne so nah, dass du fast nach ihnen greifen und sie berühren kannst. Es ist ein friedliches, ruhiges, von Menschen unberührtes Land. Ich möchte zu meinem Berg reiten, ein festes Haus bauen und dort leben.«

»Wirst du mich mitnehmen, Light? Ich möchte dorthin gehen, wo ich singen und tanzen kann und wo die Leute mich nicht für eine Fremde halten. Ich möchte dorthin gehen, wo mich kein Mann finden kann außer dir, Light.« Maggie stellte sich auf die Zehenspitzen und küsste seine Wange.

Light schaute lange auf sie herab. Es hatte ihn unwiderstehlich zu dem feenhaften Mädchen hingezogen, seit er sie zum ersten Mal mit ihrer Familie am Missouri gesehen hatte. Light war an ein einsames Leben gewöhnt. Er hatte gegen die Liebe zu einer anderen Frau angekämpft, aber die kleine Waldfee hatte sein Herz erobert. Wenn er ihr in die Augen sah, so schien es ihm, als ob sie in seine Seele schaute und er in ihre. Es war für ihn undenkbar, dass jemand sie erbeuten und ihren Geist brechen könnte. Er musste sie für immer schützen.

»Du bist meine Frau, ma petite«, sagte er, und die Worte waren ein Gelöbnis. »Komm. Wir reiten zuerst zu Jefferson und dann zu deinem Pa.«

# Kapitel 2

»Ist das nicht Light, der auf Jasons Pferd angeritten kommt?«, fragte Jefferson und trat aus dem Haus.

Jeffersons Freund, Will Murdock, kniff die Augen zusammen und beobachtete die sich nähernden Reiter. Light ritt Jasons Pferd, und Maggie saß auf der gefleckten Stute, die Light bevorzugte. Will bemerkte Jeffersons starres Gesicht und ahnte Schlimmes.

Light hielt kurz vor ihnen. Er warf Will die Zügel zu, glitt vom Pferd und hielt Maggie die Hände entgegen, um sie von seiner Stute zu heben. Er drehte sich um und blickte Jefferson in die Augen.

»Ich habe deinen Halbbruder getötet.«

Beide Männer starrten ihn fassungslos an. Light stand mit gespreizten Beinen und sah Jefferson mit durchdringendem Blick an. Maggie stand neben Light, mit beiden Händen umklammerte sie seinen Oberarm.

Jefferson blickte dem Mann, der ihm eher ein Bruder gewesen war als sein wirklicher Verwandter, mit Entsetzen ins ausdruckslose, düstere Gesicht. Es dauerte eine Weile, bis er die Bedeutung der Worte erfasste.

Jason war tot!

Light hatte ihn getötet!

»Ich kenne dich, Light«, sagte Jefferson langsam. »Du hättest ihn nicht ohne triftigen Grund getötet.«

»Ich habe ihn getötet, während er auf meiner Frau lag. Ich wusste nicht, wer er war, als ich mein Messer warf. Hätte ich es gewusst, so hätte ich es trotzdem geworfen.« Zornesröte stieg dem Scout ins Gesicht. »Aber ich wusste, wer er war, als ich ihm die Kehle durchschnitt«, sagte er ruhig trotz der Wut, die ihn wieder erfüllte.

»Er wollte Maggie Gewalt antun?« Jeffersons Blick richtete sich auf das Mädchen. Sie wandte ihm ihr Gesicht zu. Es war geschwollen und blutunterlaufen, die Lippe war aufgeplatzt und blutete noch. Er wusste, dass das, was Light sagte, wahr war, ohne einen weiteren Beweis zu sehen. Light log nicht!

»Ich war auf dem Wege hierher, als ich ihren Pfiff hörte. Er war im Begriff, sie zu vergewaltigen.« Lights Stimme bebte vor Zorn.

Maggie ergriff seine Hand und rieb besänftigend seinen Arm. Er blickte auf sie hinab, und seine Miene entspannte sich. Er legte eine Hand hinter ihren Kopf und zog sie an sich.

»Es tut mir Leid«, sagte Jefferson langsam. »Diese Seite von Jason kannte ich nicht.«

»Er liegt dort drüben, auf dem Trail nach St. Charles. Ich habe ihn nicht hergebracht, weil ich meine Hände nicht besudeln wollte.«

»Ich verstehe.« Nach kurzem Schweigen stieß Jefferson einen tiefen Seufzer aus. »Ich werde es seiner Frau sagen. Dann werden wir ihn holen.«

»Ich spanne den Wagen an.« Will entfernte sich und führte Jasons Pferd fort.

»Ich werde es Madame mitteilen«, sagte Light.

»Nein, mein Freund. Ich werde es tun. Jason war kein guter Ehemann und Vater. Callie ist nun wieder frei.« Jefferson legte Light eine Hand auf die Schulter. »Will und ich denken, dass nun, wo Hartley tot ist, die Ermittlungen gegen Burr zu Ende sind. Tom Jefferson hat eine Geldbörse bei mir gelassen, die ich dir übergeben sollte, sobald wir unseren Auftrag beendet haben. Welche Pläne hast du, Light?«

»Ich reite westwärts und nehme Maggie mit.«

»Es wird eine gefährliche Reise.«

»Oui.« Light sprang auf den Rücken seines Pferdes und zog Maggie hinter sich hinauf.

»Werden wir euch sehen, bevor ihr fortgeht?«

»Oui«, sagte Light und ritt davon.

Die Sonne breitete ihre Strahlen fächerartig am östlichen Horizont aus, als Light bei der Heimstätte der Gentrys ankam. Er ritt auf seinem Pferd und führte eine kleine Stute mit sich. Er hatte ein Steinschlossgewehr unter dem Arm, ein Tomahawk hing an seinem Gürtel, und der Griff eines langen Jagdmessers ragte oberhalb seines Mokassins aus dem linken Hosenbein hervor. Sein Haar war im Nacken zusammengebunden, und er trug einen flachen Lederhut mit runder Krempe.

In einem neuen Hemd aus Rehleder und Hosen aus Hirschleder, mit Mokassins an den Füßen, wartete Maggie im Hof neben ihren Eltern. Krampfhaft hielt sie ein Bündel fest, das mit einem langen dünnen Riemen zusammengeschnürt war.

Nachdem Light die Gentrys begrüßt hatte, nahm er Orlan, Maggies Vater, zur Seite.

»Hast du noch immer die Absicht, bis ganz zu den Bergen zu reiten?«, fragte Orlan, obwohl er die Antwort kannte. Er hatte mehrere Stunden lang mit dem Scout über dessen Pläne gesprochen.

»Oui. Ich bin ein Mann des Waldes, Monsieur.«

»Zwischen hier und dort scheint es viele Wälder zu geben. Auch viele Indianer.«

»Das stimmt. Glauben Sie, dass Maggie hier, wo sie von Frauen verachtet und von Männern, die sie entehren wollen, begehrt wird, sicherer und glücklicher wäre, Monsieur?«

»Nein«, antwortete Orlan traurig. Und fragte sich, warum Gott ihm dieses außergewöhnliche Kind geschenkt hatte.

»Ich werde sie lieben und mit meinem Leben schützen, M'sieur. Das schwöre ich Ihnen.«

»Wirst du sie heiraten?«

»Wir werden unsere Gelöbnisse sprechen.«

Maggie, die neben ihrer Mutter stand, sah ängstlich zu ihnen herüber. Als das Gespräch mit Light beendet war, trat der Vater zu ihr und legte ihr eine Hand auf die Schulter. Er räusperte sich, bevor er sprach.

»Wenn du noch immer die Absicht hast, mit Light mitzugehen, so hast du meinen Segen. Er wird dir ein guter Ehemann sein. Er schwört es. Wir beide wissen, dass es nicht deine Schuld war, wenn du keine leichte Zeit mit den Leuten hattest. Geh von hier in ein neues Land«, – die Worte blieben in seiner Kehle stecken – »und ... Gott wird mit dir sein.«

»Ich danke dir, Pa.« Maggie küsste ihn auf die Wange.

»Kümmere dich jetzt um deinen Mann, Tochter.«

»Das werde ich tun, Pa. Ich bin Lights Frau. Ich gehe, wohin Light geht. Sorge dich nicht um mich, Ma.« Sie küsste ihre Mutter auf die Wange. »Er wird auf mich Acht geben. Ich werde glücklich sein.«

Light legte eine Decke auf den Rücken der Stute und hob Maggie hinauf. Er band ihr Bündel an einen Traggurt, den er unter dem Bauch des Pferdes befestigt hatte. Er nahm die Zügel von Maggies Stute, stieg auf sein eigenes Pferd, und sie ritten davon.

Maggie drehte sich um und warf einen letzten Blick auf ihre Eltern. Ihre Augen strahlten, um ihren Mund spielte ein glückliches Lächeln. Sie winkte und rief ihnen zu:

»Good bye, Ma. Good bye, Pa. Bye! Bye!«

Der Tag war mild, im leichten Wind rauschte das Laub des hohen Waldes. Weymouthskiefern, Hemlocktannen und Eichen ragten siebzig Meter in die Höhe. Gedämpftes Sonnenlicht fiel auf den mit dichtem Laub bedeckten Waldboden. Ein Marder, der durch das Gebüsch vor ihnen schlich, hielt kurz inne und fletschte seine scharfen Zähne. Eine Stille wie in einer Kathedrale umgab sie ringsum und wurde nur durch das Knacken der Zweige unter den Hufen ihrer Pferde unterbrochen.

Maggie war überglücklich. Ihr Herz sang. Sie spitzte den Mund, um ein fröhliches Lied zu pfeifen. Es war wie der erste Tag ihres Lebens. Bis jetzt hatte sie nur existiert. Sie und ihr Mann ritten in die weite Wildnis jenseits des großen Flusses. Das Unbekannte jagte ihr keine Angst ein ... weil sie mit Light zusammen war.

Sie waren auf dem Wege zu Lights Berg.

Er drehte sich um und lächelte.

Die Sonne strahlte, als sie zu einer Lichtung im Wald kamen. Der Wind blies ihr ins Gesicht und bewegte den Rand des Strohhutes, den sie auf Geheiß der Mutter trug. Sie atmete tief den Duft des grünen Grases und der hoch aufragenden Bäume sowie den schlammigen Geruch des Flusses ein.

Sie hielten auf einem Felsvorsprung und schauten westwärts, wo sie den Weg sahen, den der große Missouri sich durch die Wildnis gebahnt hatte. Es war Mittag. Maggie glitt von ihrem Pferd, und mit Light zusammen ging sie zum Felsrand. Light wandte sich zu ihr und blickte mit ernster Miene in ihr erwartungsvolles Gesicht.

»Ich habe dich zu diesem Ort Gottes gebracht, um hier unsere Treue zu schwören. Ich sagte deinem Pa, dass wir heiraten werden. Hier will ich dir meine Liebe geloben. Es wird für mich heiliger sein, als wenn wir vor einem Mann Gottes stünden.«

»Wir heiraten hier, Light?«

»Ja, chérie. Möchtest du, dass wir nach St. Charles reiten und einen Priester suchen?«

»Nein, wir heiraten hier.«

Light nahm ihr den Hut ab und warf ihn auf den Boden. Er legte ihre Hand auf sein Herz und schaute ihr ernst in die Augen.

»Ich, Baptiste Lightbody, nehme dich, Maggie Gentry, zur Frau. Ich schwöre, dich zu ehren, zu lieben und zu beschützen, solange ich lebe.« Er blickte zum Himmel. »Gott sei mein Zeuge.«

Während Maggie seinen Worten lauschte, hatte ihr Gesicht einen feierlichen Ausdruck, und ihre Augen spiegelten die Bedeutung des Augenblicks wider. Seit sie den Mann zum ersten Mal gesehen hatte, hatte sie gewusst, dass dieser Moment kommen würde. Er war ihr Herz, ihre Seele, ihr Gefährte.

»Heißt das, dass ich wirklich deine Frau bin? Wie Ma und Pa?«

»Ja, mein Schatz. Ich habe geschworen, dich zu lieben und zu beschützen. Du und ich werden unzertrennlich sein. Wir werden zusammen sein, solange wir leben.«

»Für immer«, sagte sie feierlich. »Ich verspreche all das, was du versprochen hast, Light. Ich verspreche dich zu ehren, dir zu gehorchen und dir eine gute Frau zu sein.« Sie blickte zum Himmel, wie er es getan hatte. »Gott sei mein Zeuge.«

Sie schauten einander in die Augen, das kleine Mädchen und der dunkeläugige Scout, und sprachen ihre Gelübde so feierlich, als wären sie wirklich in einer großen Kathedrale.

Sie umschlang seinen Hals. Er drückte sie fest an sich und küsste sie ehrfürchtig. Sie sah ihn so bewundernd an, dass er in seinem Glück plötzlich Angst hatte, es könnte etwas geschehen, was sie voneinander trennen würde. Er würde alles tun, um diesen kostbaren Schatz, dieses wunderbare kleine Geschöpf, das nun sein Weib war, vor allem Bösen zu schützen.

»Werden wir zusammen schlafen, Light?«

»Oui, mein Liebling. Jede Nacht.«

»Das wird mir gefallen.« Sie schmiegte sich noch enger an ihn.

»Wir werden unser Hochzeitsmahl hier zu uns nehmen.« Ein Lächeln erhellte sein Gesicht, das gewöhnlich von ernsten Falten durchzogen war. »Annie Lash hat uns Pasteten mitgegeben.«

Maggie klatschte in die Hände. »Und Ma hat hart gekochte Eier, Maisbrot und Süßigkeiten aus Ahornzucker eingepackt.«

Die ersten beiden Nächte, in denen er und seine Braut zusammen waren, liebkoste und küsste Light sie nur und unterdrückte sein heftiges Verlangen, um sie nicht zu erschrecken.

Maggie liebte es, ganz nah bei ihm zu sein. Jedes Mal, wenn er die Arme nach ihr ausstreckte, kam sie freudig zu ihm, um sich an seinen sehnigen, warmen Körper zu schmiegen. Noch nie hatte sie sich so sicher und geborgen gefühlt wie hier in ihrer privaten Welt.

Als sie in der dritten Nacht am grasbewachsenen Flussufer lagen, drehte sich Maggie um und blickte Light in der beginnenden Dunkelheit direkt in die Augen. Als sie ihm mit den Fingern sanft durch das dicke, dunkle Haar und über die gerade Nase strich, nahm sein Gesicht einen entspannten und weichen Ausdruck an.

»Möchtest du nicht mit mir schlafen?«

»O, chérie. Ich wusste nicht, ob du wusstest ...«

Maggie lachte. »Natürlich weiß ich es. Ich habe gesehen, wie sich welche paarten.«

»Mon Dieu! Wo?«

»Als wir in der Nähe von St. Charles kampierten. Ein Mann und eine Frau waren im Wald. Sie zog ihren Rock hoch, und er ließ seine Hosen herunter. Ich beobachtete sie. Damals glaubte ich nicht, dass ich es gern haben würde. Aber nun möchte ich so mit dir zusammen sein.« Sie nahm seine Hand und legte sie auf ihren Unterleib. »Möchtest du das mit mir tun, Light?«

»Süßer Schatz.« Light lachte. Er drehte sie um und beugte sich über sie, um sie wieder und wieder zu küssen.

Maggie hatte die Augen geschlossen und kam sich vor wie in einem warmen Paradies ohne Zeit und Raum. Light hörte einen Augenblick auf, sie zu küssen, und berührte zärtlich lächelnd mit dem Finger eines ihrer Lider, damit sie beide öffnete und er ihr tief in die Augen sehen konnte. Sie warf ungeduldig den Kopf hin und her, als die Leidenschaft sie erfasste. Sie umschlang seinen Hals noch fester und zog seinen Kopf zu sich herab, damit sich ihre Lippen wieder vereinten.

Langsam streifte er ihre Hosen herunter und das Hemd hoch, um ihre Brüste zu entblößen. Ein Schauer durchrann ihn. Er drückte sie an sich und küsste sie leidenschaftlich. Seine Hand zitterte, als er sie um ihre Brust legte und sie langsam zu streicheln begann. Maggies Hände fuhren über seinen Körper. Sie fühlte das harte Glied zwischen seinen Beinen und keuchte. Erregt von seiner steifen Länge umfasste sie es mit der Hand.

Light stöhnte vor Verlangen und hielt ihre Hand dort fest, während er mit seiner anderen Hand die feuchte Hitze zwischen ihren Schenkeln berührte. Plötzlich wusste er, dass er nicht länger warten konnte. Er nestelte am Band um seine Taille, um sein schmerzendes, pulsierendes, angeschwollenes Glied aus der Enge der Hose zu befreien.

Light verschloss ihren Mund mit seinem, als er in

sie eindrang. Dann hielt er inne. Er wartete, bis der Schock des Eindringens verebbte und er spürte, dass ihre Scheide nachgiebiger wurde. Maggie klammerte sich an ihn, als sich gleichsam ein Feuer in ihrem Bauch entzündete. Sie begann sich zu bewegen und merkte, dass sie selbst vor Lust keuchte.

Für beide wurde die süße Qual immer intensiver und erreichte schließlich ihren Höhepunkt. Maggie wimmerte, während Light sich plötzlich heftig und ruckartig bewegte.

Mehrere Minuten lang lagen sie ruhig da, Light immer noch in ihr. Dann zog er sich zurück, lag an ihrer Seite und hielt sie fest umschlungen.

»Ich bin dein und du bist mein, Light.«

»Oui, mein süßer Schatz. Ich bin dein.«

Sie reisten eine Woche lang, ohne eine Menschenseele zu sehen. Dann trafen sie auf eine Gruppe von Osage-Indianern. Light sagte, wer er war, und sie wurden herzlich begrüßt. Light erklärte Maggie, dass die Osage von ihnen gehört hatten und dass sie die Schwester seiner Mutter, Nowatha die Heilerin, kannten. Die ganze Nacht saßen alle um ein Feuer herum und aßen Streifen von Wildbret, Fisch und gekochten Mais.

Die Jäger waren völlig verdutzt, als Light das Essen zubereitete, während seine Squaw neben dem Feuer saß. Nach dem Mahl rauchten sie und unterhielten sich in einer Sprache, die Maggie nicht verstand. Sie rollte sich auf einer Decke zusammen und schlief ein.

Als sie erwachte, waren sie und Light wieder allein. Für etwas Schießpulver und Tabak hatte er von den

Osage einen Bogen und einen Köder mit Pfeilen eingetauscht. Sie hatten Light auch eine schwarze Lederpeitsche gegeben, die sie gefunden hatten, als sie auf einen Maultiertreiber stießen, der von Delaware-Indianern getötet worden war.

Nach einem aus Tee und harten Keksen bestehenden Frühstück zeigte Light Maggie, wie man mit der Lederpeitsche ausholte und dann zuschlug. Er ließ sie üben, während er das Lager abbrach und die Pferde für den Weiterritt vorbereitete.

»Du musst jeden Tag üben«, sagte er ernst. »Es kann passieren, dass wir überfallen werden. Du musst wissen, wie du dich verteidigen kannst.«

Jeden Abend in den folgenden Wochen übte Maggie mit der Peitsche und dem Messer. Die Stille des Waldes wurde vom Knallen der Peitsche unterbrochen, als sie nach und nach lernte, wie man die lange, sich windende Schlange aus rohem Leder beherrschte. Sie konnte schließlich mit der Peitsche so genau zuschlagen, dass sie mit ihr Zweige, Unkräuter und Blüten abhieb.

»Es ist eine zusätzliche Waffe, chérie«, erklärte Light.

Er lehrte sie, mit Pfeil und Bogen umzugehen, aber sie hatte nicht die Kraft, den Pfeil genügend weit zu schießen, und Lights Steinschlossgewehr war so schwer, dass sie es nicht hochheben, geschweige denn mit ihm zielen konnte. Das Gewehr war ein Produkt aus den Kolonien. Es hieß Kentuckybüchse und war über anderthalb Meter lang. Light war einer der wenigen Männer im Westen, die ein fast zweihundert Meter entferntes Ziel treffen konnten. Trotzdem benutzte er lieber sein Messer, und an manchen Abenden veranstalteten er und Maggie zum Vergnügen Wettkämpfe.

Die folgenden Wochen waren eine himmlische Zeit für Maggie. Sie ritten durch die Wildnis, wobei sie überflutetes Flachland und Indianerdörfer umgingen. Tiefer Wald umgab sie, und manchmal fragte sich Maggie, woher Light wusste, welchen Weg sie einschlagen mussten, aber er war ein Trapper und konnte die Zeichen der Wildnis lesen.

Eines Tages ließ Light Maggie nachmittags an einem kleinen Bach an einer geschützten Stelle allein, damit er das Gebiet vor ihnen auskundschaften konnte. Sie lag ruhig da und lauschte. Keine Stimme drang zu ihr. Sie wandte den Kopf, um noch besser horchen zu können. Sie hörte noch immer nichts, nur die Geräusche der Natur.

Ein goldfarbener Adler schwebte vom Himmel herab. Der riesige Vogel setzte sich auf den abgestorbenen kahlen Ast eines Baumes, der vor langer Zeit von einem Blitz getroffen worden war. Der Blitz war vom Himmel gefahren und hatte dem Leben des hundertjährigen Baumes ein Ende gesetzt. Der Adler nahm auf dem Ast eine Haltung ein als sei er der Gebieter über alles, was er überblickte.

»Du denkst, ich sei tot. Du bist gekommen, um mir die Augen auszuhacken.« Maggie lachte leise. »Aber ich bin nicht tot.« Sie hob eine Hand und bewegte die Finger.

Die großen Klauen lösten ein Stück tote Rinde ab. Es platschte, als es in den Fluss fiel. Der Vogel schüttelte sein Gefieder und wandte ihr den Kopf zu.

»Vor einer Weile ist eine Eidechse vorbeigekommen. Hast du sie gesehen? Sie wäre ein guter Bissen für dich.«

Der goldfarbene Adler hielt den Kopf schräg und blickte auf Maggie hinunter.

»Fang ja nicht das Kaninchen dort unter dem Strauch. Hörst du mich? Das ist das Abendessen für mich und Light.«

»Orrr!«, rief der Adler, schüttelte erneut sein Gefieder und saß dann stockstill. Seine gelbgeränderten Augen starrten auf sie herab.

Maggie griff langsam und vorsichtig über den Kopf nach hinten und zog einen Pfeil aus dem Köcher. Sie legte ihn auf die Bogensehne und wartete. Sie wollte den Adler nicht töten, sondern nur erschrecken, falls es ihm in den Sinn kommen sollte, sich auf das Kaninchen zu stürzen.

Sie wartete.

Auch der Adler wartete.

Plötzlich ließ der große Vogel sich vom Ast fallen. Er bekam gerade so viel Luft unter seine weiten Schwingen, dass sie ihn trug. Mit gespreizten Klauen stieß er außer Sichtweite nieder und stieg dann mit einer großen Schlange im mächtigen Schnabel empor.

»Good bye«, flüsterte Maggie und beobachtete den majestätischen Vogel, bis er nicht mehr zu sehen war.

Die Sonne hatte im Zenit gestanden, als Light angehalten und den Arm ausgestreckt hatte, damit Maggie nicht weiterritt. Während sie lauschten, waren zwei Hirsche aus dem Dickicht vor ihnen hervorgebrochen. Irgendetwas musste sie erschreckt haben. Light war abgestiegen und hatte in einiger Entfernung die Pferde hinter einen Busch geführt. Er hatte an einer Stelle, die durch dichte Weiden verdeckt war, das Bündel von seinem Pferd geworfen und Maggie herbeigewunken, damit sie dort blieb, während er, aufmerksam nach beiden Seiten spähend, vorsichtig auf dem Waldpfad weiterging. Sein Steinschlossgewehr trug er geladen und gespannt unter dem Arm. In seinem Gürtel steckte sein Tomahawk.

Maggie hatte mit ihrem an ihrer Wade befestigten Messer unter den Weiden gewartet. Sie trug jetzt einen Bogen und einen Köcher mit Pfeilen auf dem Rücken. Abgesehen von dem zusammengedrehten langen Haar, das ihr bis zu den Hüften reichte, sah sie wie ein Junge aus.

Sie waren auf dem richtigen Kurs. Light hatte am Morgen mit seinem messingbeschlagenen Kompass die Richtung kontrolliert und eine zerknitterte Karte hervorgeholt und gleichfalls zu Rate gezogen. Sie waren bis zu dieser Stelle dem Fluss gefolgt und hatten ihn dann verlassen, um querfeldein zu reiten.

Die Osage hatten Light erzählt, dass sich vor ihnen ein großes Lager der Delaware befand, die General Mad Anthony Wayne über den Mississippi getrieben hatte. Die Delaware waren den Osage nicht gut gesonnen, da diese Manuel Lisa, einem bedeutenden Händler in St. Louis, auf Grund eines Abkommens mit der Regierung Felle liefern durften.

Wäre Light allein gewesen, so hätte er das Lager am helllichten Tage umgangen, aber das Leben war ihm jetzt teurer, und daher war er vorsichtig. Er und Maggie waren auf dem Weg in das unbekannte, unerforschte, kartografisch nicht aufgenommene weite Gebiet jenseits der Barriere des Mississippi. Die Expedition von Lewis und Clark war von ihrer Erkundungsreise mit Berichten über wildreiche jungfräuliche Gebirge zurückgekehrt.

Als nun Maggie neben dem kleinen Bach lag, der in den Missouri floss, schien es ihr, als ob Light schon lange fort wäre. Aber nach dem Schatten zu urteilen, den der tote Baum auf das Wasser warf, war erst eine Stunde vergangen.

Light war nicht mehr als zwei Meter entfernt, als Maggie ihn schließlich hörte. Sie drehte sich mit Pfeil und Bogen im Anschlag um.

»Light! Du warst schon in der Nähe, als ich dich hörte.« Sie ließ den Bogen sinken.

»Dann war ich also gut, ma petite, denn du hast ein feines Gehör.«

Light ließ sich neben ihr zu Boden fallen und streckte die Hand nach dem Wassersack aus. Sein dunkles Haar, das straff nach hinten gezogen und im Nacken von einer Lederschnur zusammengehalten war, war nass von Schweiß, der ihm auf beiden Seiten des Gesichts herablief. Er betrachtete sie zärtlich und beobachtete dann den Waldrand.

»Was hast du gesehen?«

»Delaware«.

»Freunde?«

»Nicht diese Leute, mein Schatz. Sie sind Ausgestoßene. Nicht einmal ihr eigener Stamm wird solche wie sie bei sich dulden.«

»Was werden wir tun, Light?«

»Wir bleiben hier und ruhen uns aus, bis der Mond aufgeht. Bis dahin werden sie so betrunken sein, dass sie nicht einmal eine Herde Büffel hören würden, die durch ihr Lager stampft.«

Er legte sich neben sie und streckte einen Arm aus, damit sie sich bei ihm ankuschelte. Sie schmiegte sich an ihn, und ihr Kopf ruhte auf seiner Schulter.

»Was hast du gesehen, Maggie, während du auf mich gewartet hast?«

»Einen großen goldfarbenen Adler. Er saß auf dem Ast dieses toten Baumes.«

»Du musst dich sehr still verhalten haben.«

»Ich habe meine Finger bewegt, damit er wusste, dass ich nicht tot bin.« Sie lachte. Und spürte mit der Hand, die auf Lights Brust lag, dass auch er lachte. »Da war ein Kaninchen unter einem Strauch nicht weit von hier. Ich wollte es fangen und für dich braten – aber du hattest mir gesagt, ich solle bleiben, wo ich bin. Ich tue, was du sagst, Light.«

»Du bist mein süßer Liebling.« Er beugte sich herab und küsste ihre Lippen.

Ein Kuss war niemals genug. Eifrig setzten sie ihre Liebkosungen fort. Maggies Hand streichelte seine glatte Brust unter dem rehledernen Hemd und glitt dann unter das Zugband seiner Hosen.

»Was machst du da, meine Liebe?« Er hielt die Luft an und zog seinen Bauch ein, damit ihre Hand weiter vordringen konnte.

»Hast du es gern, wenn ich das tue, Light?«, murmelte sie, während sie mit den Fingern durch die Haare in seinem Schoß fuhr. »Macht es dich glücklich?«

»Mon Dieu! Meine Süße –« Er stieß die Worte heiser hervor. »Oui, es macht mich sehr glücklich.«

»Gefällt dir das?« Ihre kleinen Finger bewegten sich auf seinem anschwellenden Glied auf und ab.

»Sehr, mein Schatz.«

»Mir auch, Light.« Sie bedeckte sein Gesicht mit schnellen feuchten Küssen, knabberte an seinen Lippen und leckte sie dann mit der Zunge.

»Ich sollte dir deinen kleinen runden Popo versohlen, mein Liebling«, sagte er mit rauer Stimme und rollte sie auf den Rücken. »Es ist helllichter Tag.«

»Wir haben es doch schon öfter bei Tageslicht getan.«

»Wirklich? Wann?«

»Das weißt du doch. Du hältst mich zum Narren, Light.« Sie lachte.

Im Schutze der Weiden entblößten sie ihre Körper wie zwei Kinder im Garten Eden. Als sie beide bereit waren, glitt er über sie und suchte in sie einzudringen, während sie in atemloser Erregung wartete. Er legte sich zwischen ihre Beine und presste sich in ihre feuchte Enge. Dort blieb er heftig atmend und genoss den wunderbaren Moment. Sie küssten sich, bewegten sich miteinander, vereinigten ihre hungrigen Körper.

Maggie spürte ihn hart und tief in sich und empfand den überwältigenden Wunsch, ihm alles zu geben. Er war ein Teil von ihr, er war ihre Welt, ihr Universum, und sie zitterte mit all der Liebe, die sie ihm zu schenken hatte. Sie streckte die Arme aus und strich ihm mit den Fingern durch das dichte, dunkle Haar über den Schläfen. Lächelnd öffnete sie die Lippen.

»Ich werde immer da sein, wo du bist, Light.«

# Kapitel 3

»Ein Boot kommt den Fluss herauf, Jeff.«

Will Murdock nahm seinen Hut ab und wischte sich den Schweiß von der Stirn. Holzhacken war eine sehr ermüdende Arbeit. Er und Jefferson waren seit zwei Tagen damit beschäftigt, und der Haufen wuchs, aber nach Wills Meinung nicht schnell genug.

Jefferson kniff die Augen zusammen, als er gegen die Sonne blickte. Das lange, schmale Flachboot, das vier Männer stakten, fuhr mit Leichtigkeit gegen die schwache Strömung dicht am Ufer entlang. Der Mann am Steuerruder war barhäuptig; das braune Haar, das ihm bis zur Schulter reichte, war heller als sein kurz geschnittener Bart.

»Kennst du die?«, fragte Will.

»Drei von ihnen habe ich unten in der Gegend von St. Charles gesehen.«

Will nahm seinen Vorderlader und folgte Jefferson zur Sandbank, wo das Boot festgemacht wurde.

»Hallo«, rief Jefferson.

»Wie geht's?«, antwortete der Mann am Steuerruder. Er gab einem stämmigen dunkelhaarigen Mann ein Zeichen, dann sprangen sie vom Boot und kamen über die Sandbank zu der Stelle, an der Jeff und Will warteten.

»Ich suche Jefferson Merrick«, sagte der bärtige Mann. Von nahem sah Jefferson, dass der Bart von grauen Haaren durchzogen war; er schätzte, dass der Mann einige Jahre älter war als er.

»Ihr habt ihn gefunden.«

»Eli Nielson.« Der Mann reichte Jefferson die Hand. »Paul Deschanel«, sagte er und zeigte auf den untersetzten Mann neben ihm.

Jefferson schüttelte beiden die Hand und stellte Will Murdock vor.

»Ich habe gehört,« sagte Nielson, »dass ein Mann namens Baptiste Lightbody ein Freund von Ihnen ist und dass ich von Ihnen erfahren könnte, wo wir ihn finden.«

»Light ist ein Freund von mir.« Jefferson blickte dem Mann in die Augen und sagte nichts weiter.

»Wissen Sie, wo ich ihn finden kann?«

»Kommt drauf an.«

»Ich bringe eine Ladung flussaufwärts nach Bellevue. Ich hörte, er sei der beste Scout in der ganzen Gegend.«

»Das stimmt. Light ist der beste Waldläufer, Spurenleser und Scout westlich des Mississippi.«

»Zur Hälfte ein Osage?«

»Haben Sie etwas gegen die Osage?«

»Nein. Wo kann ich ihn finden?«

»Er ist vor einer Woche fortgeritten.«

»Flussaufwärts?«

»So sagte er.«

»War er allein?«

»Als er mein Anwesen verließ, war er allein.«

»Wie lange wird er fort sein?«

»Das sagte er nicht.«

Eli Nielson blickte Jefferson fest in die dunklen Augen. »Ich schätze, das ist alles. Vielen Dank.«

»Gern geschehen.«

Eli und Paul gingen zurück zum Boot. Eli fluchte leise. »Wir haben ihn um eine Woche verpasst.«

»Gib es auf, mon ami.«

»Nicht ums Verrecken.«

»Was wirst du jetzt tun?«

»Flussaufwärts fahren.«

»Mon Dieu, Eli. Diesen Kerl in der Wildnis finden zu wollen gleicht der Suche nach einer Nadel im Heuhaufen.«

»Du musst nicht mitkommen, Paul.«

Paul fluchte eine ganze Weile auf Französisch und sagte dann: »Was wollen wir dort machen?«

»Kommt drauf an.«

Sobald Will sah, dass das Boot wieder losfuhr, sprach er aus, was beide Männer sich im Stillen gefragt hatten.

»Was wollte er wirklich von Light?«

»Wenn ich das wüsste. Ich kann mir nicht vorstellen, dass Light sich von dieser Mannschaft anheuern lassen wollte.«

Will lachte. »Maggie auf ein Boot mit solchen Typen zu bringen, wäre so, als würde man eine Lunte an ein Pulverfass legen.«

»Er wird Light nicht einholen.«

»Nimmst du an, dass er das versuchen wird?«

»Daran habe ich keinen Zweifel.«


Light war über die Anwesenheit von Delaware-Indianern in dieser Gegend etwas beunruhigt. Er wollte das Gebiet sicher passieren, um Osageland zu erreichen. Wenn er seine Karte richtig las, so würde er nach einigen Tagen an eine Stelle gelangen, wo der

Fluss abrupt eine Biegung nach Nordwesten machte. Er beabsichtigte, den Fluss dort zu überqueren und direkt nach Westen zu den Bergen zu reiten.

Nachdem sie das Lager der Delaware umgangen hatten, ließ er Maggie jeden Morgen zunächst in einem Dickicht versteckt zurück. Danach ritt er schnell durch den dichten Wald zu einer höher gelegenen Stelle, von der aus er das offene Gelände unter ihm überblicken und mit seinem kleinen Fernrohr, einem Geschenk von Jefferson Merrick, absuchen konnte. Eines Tages wurde er für seine Wachsamkeit belohnt. Er sah, wie zwei Krieger mit federnden Schritten den Weg entlang liefen, den er und Maggie zurückgelegt hatten; sie folgten den Spuren ihrer Pferde.

Die Krieger waren zu Fuß. Light nahm an, dass sie nach der Entdeckung der Pferdespuren eine Gruppe von Jägern verlassen hatten, und nun vorhatten, die Tiere zu stehlen. Ein Krieger der Delaware, der ein Pferd besaß, pflegte bei den Leuten seines Stammes beträchtliches Ansehen zu genießen.

Light schob das Fernrohr zusammen, steckte es in sein Lederhemd und eilte dorthin zurück, wo Maggie wartete. Ohne ihr etwas von seiner Besorgnis zu erzählen, drängte er darauf, im höher gelegenen Terrain weiter zu reiten.

Am späten Nachmittag verdunkelte sich der Himmel durch Gewitterwolken, die von Südwesten heranzogen. Als Light und Maggie zu einer Lichtung kamen, benutzte Light sein Fernrohr erneut, um das Land vor und hinter ihnen aufmerksam zu betrachten. Obwohl die Indianer nicht zu sehen waren, bedeutete das nicht, dass sie nicht da waren.

Die Delaware würden ihnen tage-, wenn nicht wochenlang in der Hoffnung folgen, die Pferde erbeuten zu können.

Auf der einen Seite der Kuppe, auf der Light und Maggie standen, ging es zum Fluss hinunter, auf der anderen lag weites, offenes Gelände.

Light suchte sorgfältig das Ufer ab, wo der Fluss eine scharfe Biegung machte, und bemerkte oberhalb der Sträucher, die die Felswand säumten, ein dunkles Loch, das aussah wie eine kleine Höhle. Er gab Maggie ein Zeichen, und sie ritten dorthin. Schlehdornbüsche wuchsen üppig am Flussufer, und Light fand, wie er erwartet hatte, auf einem teilweise mit Büschen bewachsenen Felsvorsprung den Eingang zu einer Höhle.

Light forderte Maggie durch einen Wink auf anzuhalten. Er stieg ab und gab ihr die Zügel. Er schleuderte einen großen Stein in die Öffnung, wartete ein paar Sekunden und warf dann weitere Steine hinein. Daraufhin ging er zurück, um Maggie seine Büchse zu geben, sammelte eine Hand voll trockenen Grases und drehte es zu einer Fackel zusammen. An einem Feuerstein, den er aus seiner umgebundenen Tasche holte, schlug Light mit seinem Messer einen Funken.

Im Fackelschein konnte er sehen, dass die Höhle ziemlich groß war. Ihr Boden war mit Sand bedeckt und die Decke hoch. Die Reste eines Feuers zeugten davon, dass ein Mensch sie vor längerer Zeit genutzt hatte. Light suchte die Höhle sorgfältig nach Schlangen ab, dann verließ er sie, um Maggie und die Pferde hereinzuholen.

Er überließ es Maggie, sich um die Pferde zu kümmern, sammelte Brennholz, bevor der Regen einsetzte, und schlug dann Gestrüpp ab, um die Höhlenöffnung zu tarnen.

Light und Maggie bildeten ein gutes Team. Schnell und ruhig schlugen sie ihr Nachtlager auf, während es donnerte und blitzte. Das kleine Feuer, das Light entzündet hatte, damit sie etwas sehen konnten, war fast rauchlos. Das bisschen Rauch stieg nach oben und verschwand. Während Maggie aus ihrem letzten Maismehl einen Brei bereitete, führte Light die Pferde zum Fluss, um sie zu tränken.

Der Regen kam urplötzlich. Es goss wie aus Kübeln. Die Regentropfen waren groß, und dazu wehte ein heftiger Wind. Light begrüßte den Regen. Er würde alle Spuren beseitigen, die sie vielleicht hinterlassen hatten, und die Delaware-Indianer würden sich, falls sie ihnen noch auf den Fersen waren, irgendwo verkriechen, bis der Regen nachließ oder aufhörte. Er und Maggie saßen mit gekreuzten Beinen auf einer Decke und aßen im schwachen Schein ihres kleinen Feuers ihr karges Mahl.

Maggie hatte ein paar getrocknete Beeren in den Brei getan. Während das Wasser für den Tee kochte, knackte sie eine Hand voll Nüsse mit Lights Tomahawk. Großzügig fütterte sie Light mit zwei Nusskernen, während sie nur einen aß.

»Was denkst du, mein Liebling, wenn du mich aus so ernsten Augen anblickst?«

»Dass du schön bist,« erwiderte sie und schob ihm einen Nusskern in den Mund.

»Ho! Ma petite!« Über sein Gesicht flog das Lächeln, das sie liebte. »Ich fürchte, dein Gehirn ist zu Wasser geworden. Du bist schön. Der Sonnenaufgang ist schön. Ein Regenbogen ist schön. Ich bin nur ein Mann.«

»Mein Mann!« Sie setzte ihm zum Scherz den Fuß auf die Brust und stieß ihn um. »Mein Mann«, wiederholte sie, legte sich auf seine Brust und küsste ihn. »Sag es.«

»Mein Mann«, sagte er lachend.

»Nein! Mein Mann!«

»Ach, chérie. Du bist mein Schatz.« Er zog sie an sich und gab ihr einen lauten Schmatz.

»Sag mir, was wir machen werden, wenn wir zu unserem Berg kommen, Light.« Sie lehnte den Kopf an seine Schulter und schmiegte das Gesicht an seinen Hals.

»Wir werden einen Ort finden, an dem noch niemand vorher gewesen ist. Die Bäume und das Gras werden hoch sein. Wir werden unser Haus an einem kleinen Bach errichten, chérie. Vor dem ersten Schnee werden wir die Wildgänse hören, die nach Süden fliegen. Wir werden sie auch bei ihrer Rückkehr im Frühling hören. Frühling, Sommer, Herbst und Winter. Wir werden dort zusammen leben und zusammen alt werden.«

»Aber das wird erst lange nach dieser Zeit sein.«

»Ja, meine Liebe.«

»Möchtest du, dass wir Kinder haben, Light?«

»Wir werden ein ganzes Nest voll haben, wenn wir so weitermachen wie jetzt.« Er lachte vergnügt in sich hinein.

»Ich werde dich immer am meisten lieben«, sagte sie ernst.

»Die Liebe einer Mutter zu ihrem Kind ist anders als die Liebe zu ihrem Mann, Liebling. Du wirst unsere Kinder lieben, wart nur, du wirst sehen, wie es ist.«

»Wenn meine monatliche Unpässlichkeit ausbleibt, so bedeutet das, dass ein kleines Kind in meinem Bauch heranwächst. Meine Ma hat das gesagt.«

»Das ist gewöhnlich so. Schlaf ein, mein Schatz. Wir sind hier vorläufig sicher.«

Die Sturmwolken zogen weiter, aber es regnete fast die ganze Nacht. Gegen Morgen hörte der Regen auf, stattdessen war es leicht neblig. Light verließ Maggie, die noch in ihre Decken eingehüllt schlief, und wagte sich nach draußen. In einiger Entfernung gurrten Tauben und sang ein Ziegenmelker, aber in der Nähe war kein Laut zu hören. Er war sofort auf der Hut.

Er stand so still wie der Fels hinter ihm, nur seine Augen gingen von links nach rechts und von rechts nach links. Dann nahm er eine Bewegung wahr. Er drehte den Kopf ganz langsam und sah, was seine Aufmerksamkeit erregt hatte: einen Fetzen roten Tuches, den ein Delaware um den Haarknoten auf seinem Kopf gebunden hatte. Die Farbe des Lederhemdes und der Hosen des Kriegers ging in die des Sandsteinfelsens und des toten Gestrüpps über.

Während Light den Delaware beobachtete, entdeckte dieser die frischen Schnitte an den Ästen, die Light am Abend vor der Höhle aufgetürmt hatte.

Light ließ den Blick schweifen, bis er ziemlich sicher sein konnte, dass der Krieger allein war. Dann glitt er hinter den Schlehdornbusch, drückte sich gegen die Wand und wartete.

Mit erhobenem Tomahawk bewegte sich der Delaware am Felsen entlang auf die Öffnung der Höhle zu. Light konnte hören, wie das lederne Hemd des Indianers an der Felswand schabte. Er kam zu einer Stelle, an der Light ihn durch das Gestrüpp hindurch sehen konnte. Der Mann war klein, nicht mehr jung und selbst für einen Delaware schmutzig.

Angst erfasste Light. Sollte Maggie aufwachen und zur Öffnung der Höhle kommen, so würde der Krieger sie ganz sicher mit seinem Tomahawk angreifen.

Jetzt schlich der Indianer eine Armeslänge von der Stelle entfernt, wo Light stand, zur anderen Seite der Öffnung hinüber. Im selben Augenblick stampfte und schnaubte eines der Pferde.

Sofort duckte sich der Delaware und war im Begriff, in die Höhle zu springen. Light streckte seine Hände aus und packte den Mann an der Kehle. Mit wilder Kraft erstickte er einen Aufschrei des Kriegers. Dann stellte er dem um sich schlagenden Indianer ein Bein. Die beiden stürzten zu Boden. Light würgte den Krieger, solange dessen Todeskampf dauerte.

Light kam es so vor, als ob sich der Körper eine Ewigkeit hin und her wandt. Schließlich erschlaffte er, und Light ließ ihn los. Der Delaware lag zusammengekrümmt und mit seltsam verdrehten Kopf vor seinen Füßen.

»Chérie?«

»Hier, Light.«

»Bleib drinnen. Es ist vielleicht noch einer da.«

Light ging in die Höhle, um seine Büchse zu holen, und verschwand dann im nebligen Morgen. Schnell und lautlos lief er in die Richtung, aus der der Delaware gekommen war. Dabei musterte er ständig den Boden und die verkrüppelten Büsche

auf den Felsvorsprüngen. Eine halbe Meile flussabwärts fand er den Überhang, unter dem der Delaware das Ende des Regens abgewartet hatte. Nur ein
Spurenpaar führte vom Überhang weg. Die Krieger
hatten zwei verschiedene Routen eingeschlagen, bevor sie diese Stelle erreicht hatten. Einer von ihnen
war noch immer hinter ihnen her. Light trabte los,
um zur Höhle zurückzukehren.

Maggie grübelte genauso wenig über die Tötung des
Indianers nach wie damals, als Light Jason Picket bei
dem Versuch, sie zu vergewaltigen, erstach. Bei beiden hatte es sich um schlechte Menschen gehandelt, die Böses im Schilde führten. Die Leiche des
Indianers, der am Ausgang der Höhle lag, hatte
aber dennoch Auswirkungen auf sie und die Pferde.
Vom Geruch seines ungewaschenen Körpers und
seiner schmutzigen Kleidung sowie vom Gestank des
Kots, den er ausgeschieden hatte, als er sein Leben
aushauchte, wurde Maggie schlecht.
   Der Geruch erschreckte die Pferde. Sie wieherten,
rollten die Augen und scharrten mit den Hufen.
Maggie summte ihnen leise etwas vor und beruhigte
sie teilweise, aber noch immer bewegten sie sich unruhig.
   Bei dem Kampf zwischen Light und dem Indianer
war das Gestrüpp, das die Öffnung zur Höhle ver-
deckte, heruntergetrampelt worden. Morgenlicht
drang herein. Maggie wollte am liebsten die Höhle
verlassen, um an die frische Luft zu gelangen, aber
Light hatte ihr gesagt, dass sie drinnen bleiben sollte.
   Sie flüsterte einem der Pferde etwas ins Ohr, als sie

zum Ausgang blickte und sah, dass diese durch die Gestalt eines Kriegers mit einem Tomahawk in der erhobenen Hand versperrt war. Die Pferde spürten, dass ein Fremder in der Nähe war, schüttelten die Köpfe und drängten sich aneinander.

Während sich die Augen des Indianers an das schwache Licht gewöhnten, huschte Maggie hinter die Pferde und löste den Knoten in dem Seil, mit dem sie an einen Baumstamm festgebunden waren. Als sie frei waren, piekte sie eines von ihnen mit der Spitze ihres Messers. Die Pferde rasten zum Ausgang der Höhle. Maggies erster Gedanke war, auf eines der Pferde zu springen und mit ihnen zusammen zu fliehen, aber dann entschied sie sich doch dagegen. Es war zu riskant – der Indianer könnte sie packen und herunterreißen. Während die Pferde durch das Gestrüpp stürmten, wartete Maggie mit ihrem Messer in der einen Hand und mit der Peitsche in der anderen.

In der Höhle war jetzt genügend Licht. Maggie entrollte die Peitsche, holte tief Luft und stieß einen Pfiff aus. Sie war sich nicht sicher, wie weit er außerhalb der Höhle zu hören sein würde, aber Light würde ihn hören und kommen.

Als der Indianer durch den Eingang sprang, war sie darauf vorbereitet. Sie holte mit der Peitsche aus und traf den Arm, der den Tomahawk hielt. Der Indianer, von Schock und Schmerz wie gelähmt, zögerte einen Augenblick und gab Maggie Zeit, wieder zuzuschlagen. Sie zielte nach seinem Gesicht, verfehlte es jedoch und traf seine Schulter. Der Krieger hielt den Arm vor das Gesicht, um es zu schützen, und stürzte auf sie zu. Maggie trat zurück und schlug erneut zu. Der nächste Peitschenhieb traf ihn so hart am Arm, dass er blutete. Vor Wut knurrend sprang der Indianer zurück.

Maggie wusste, dass sie um ihr Leben kämpfte, doch sie blieb ruhig. Wenn sie die Peitsche doch nur besser beherrschen würde! Der nächste Schlag war einer, vor dem Light sie gewarnt hatte. Sie ließ den langen Lederriemen zu weit ausrollen, bevor sie ihn mit einem Ruck des Handgelenks zurückholte. Der Lederriemen wickelte sich um das Bein des Indianers. Schnell ließ sie den Peitschengriff fallen und nahm das Messer in die andere Hand.

Der Indianer grinste verschlagen.

Die kleine Frau glaubte, mit einem Messer gegen ihn kämpfen zu können!

Den Krieger nicht aus den Augen lassend wechselte Maggie ihre Stellung, um ihm seitlich gegenüberzustehen. Sie packte die Klinge ihres Messers mit Daumen und Zeigefinger und wartete, bis sich der Indianer ihr bis auf wenige Meter genähert hatte. Als er nicht mehr triumphierend grinste, sondern sie böse anblickte und seinen Arm noch höher hob, um ihr den tödlichen Hieb zu versetzen, warf Maggie das Messer.

Die schmale Klinge flog schnell wie ein Pfeil und drang bis zum Griff in die Brust des Delaware ein. Maggie hielt eine Hand vor ihren Mund und beobachtete, wie das Gesicht des Indianers einen erstaunten Ausdruck annahm, während die Knie unter ihm einknickten.

Als ihm der Tomahawk aus der Hand fiel, stürzte sie an dem Mann vorbei und rannte aus der Höhle. Sie holte tief Luft und stieß erneut einen Pfiff aus.

Sofort ertönte ein ähnlicher Pfiff in ihrer Nähe. Wenige Sekunden später war Light neben ihr.

»Dort ... drinnen« – Maggie zeigte auf die Höhle. Sie rang nach Atem und konnte nicht mehr sagen.

Bange Minuten vergingen, bis Light herauskam. Er reichte ihr das gereinigte Messer und hängte ihr die zusammengerollte Peitsche über die Schulter, bevor er die Arme um sie legte und sie fest an sich drückte.

»Ist er ...?«, flüsterte Maggie.

»Tot. Du hast gut gezielt. O, chérie, ich weiß nicht, ob ich so was noch einmal überstehe. Mir wird das Herz zerspringen.«

»Mir geht es gut, Light.« Sie legte die Hände an seine Wangen und zog sein Gesicht zu sich herab. »Es waren gemeine Männer, die uns wegen unserer Pferde töten wollten, sie waren nicht wie Tiere, die nur töten, um etwas zu fressen.«

»Ich hätte dich nicht allein lassen sollen.«

»Ich bin deine Frau, Light.«

»Du bist mein Schatz.« Er drückte sie so fest an sich, dass er ihren Herzschlag spürte. Dann küsste er sie und blickte ihr in die Augen. »Du hast dich tapfer geschlagen, mein Liebling. Ich bin stolz auf dich.«

»Light ... Ich habe die Pferde freigelassen.«

»Mach dir keine Sorgen, Liebste. Sie werden nicht weit gelaufen sein.«

»Ich gehe, um sie einzufangen.«

»Wir gehen zusammen.«

Light nahm den beiden toten Indianern zwei Messer, einen Köcher mit Pfeilen und mehrere Fischhaken ab, bevor er sie in den hinteren Teil der Höhle schleifte. Obwohl er den Eingang zur Höhle wieder mit Gestrüpp versperrte, wusste er, dass dies für Wölfe kein Hindernis war, wenn sie die Leichen rochen. Es würde jedoch die Öffnung verdecken, falls ein Kriegskanu den Fluss herauf kam.

Light und Maggie ritten bis Mittag. Die Sonne kam heraus, und das Land sah wie neu aus. Light ritt am Flussufer entlang voran, bis sie eine geschützte sandige Stelle erreichten, wo am Rande des Flusses Schilf wuchs. Light hob eine Hand, und Maggie hielt an. Er saß eine Minute still und hatte ein Ohr dem Fluss zugewandt. Auch sie hörte das Geräusch, das ihn beunruhigt hatte. Im Schilf plätscherte etwas. Light stieg ab und ging am Ufer entlang. Er blieb stehen und winkte Maggie heran.

Etwa einen halben Meter vom Ufer entfernt versuchte ein junges verängstigtes Reh mit großen braunen Augen sich vom Schilf zu befreien.

»Seln Bein ist gebrochen, chérie.«

»Ach ... wie ist das geschehen?«

»Es ist vor irgendetwas dort oben erschrocken und« – er blickte zum Felsabhang – »herabgesprungen, hat sich das Bein gebrochen und sich zum Wasser geschleppt. Das geschah, bevor es regnete, es gibt keine Spuren.«

»Was werden wir tun, Light?«

Light blickte den Fluss hinauf und hinab. Er beobachtete die Gegend, ehe er sprach.

»Wir schlagen hier unser Lager auf. Wir brauchen Nahrung.«

»Du willst es töten?«

»Ja. Schnell. Wenn ich das nicht tue, wird es langsam sterben. Lass unsere Bündel dort auf der Anhöhe. Führ die Pferde zum Fluss, um sie zu tränken, und mach sie danach auf der grasbedeckten Stelle dort drüben fest.«

Maggie führte die Pferde vom Fluss weg. Sie wollte nicht sehen, wie das Reh getötet wurde. Die Pferde folgten ihr wie Haustiere. Sie nahm ihnen die Decken ab und löste die Gurte, an denen die Bündel befestigt waren. Danach führte sie sie zum felsigen Ufer. Leise flüsternd forderte sie sie auf, ihr zu folgen, und führte sie flussaufwärts.

Als sie zurückkehrte, hatte Light seine Kleidung abgelegt und war mit dem Messer zwischen den Zähnen nackt in den Fluss gewatet.

Während Light das Tier zerlegte, entzündete Maggie ein Feuer aus Zedernspänen und Zedernknorren. Es brannte mit klarer, heißer Flamme und rauchte kaum. Sie befestigte große Fleischstücke an einem grünen Weidenstock und hängte ihn über das Feuer. Weitere Fleischstücke bereitete sie vor, um sie in die heiße Asche zu legen, damit sie über Nacht gar wurden. Light schleppte den Rest des ausgeweideten Tieres zum Fluss und warf ihn in die Strömung.

Immer noch nackt watete er über den Schilfgürtel hinaus und warf unter Verwendung einer Schnur einen Haken aus, an dem er ein Stück Leber als Köder befestigt hatte. Der Haken hatte kaum das Wasser berührt, als auch schon ein riesiger Hecht daran hing. Innerhalb kurzer Zeit hatte Light einen Barsch und einen kleinen Wels gefangen. Am Flussrand kniend reinigte er seinen Fang auf einem flachen Felsen.

Nachdem Light sich im trüben Wasser gewaschen

hatte, zog er sich an. Maggie, die an den sauberen Teich zu Hause und an die klaren Bäche dachte, in denen sie seit Beginn der Reise gebadet hatten, weigerte sich, in das trübe Wasser einzutauchen. Sie zog ihre Hosen und ihr Hemd aus und wusch sich am Ufer.

Nachdem sie sich an Fleisch und Fisch satt gegessen hatten, lagen sie auf einer Decke im weichen Sand. Als der nächtliche Nebel in Schwaden aufzusteigen begann, deckte Light Maggie und sich mit einer zweiten Decke zu, um die feuchte Kälte abzuhalten. Alles war ruhig und friedlich.

Light lag dicht neben Maggie. Sie hatte den Kopf an seine Schulter und einen Arm über seine Brust gelegt. Den ganzen Tag hatte er sich vorgestellt, wie sie gegen den Indianer gekämpft haben musste. Er bekam Magendrücken, wenn er nur daran dachte, dass sie in Todesgefahr geschwebt hatte. Er umschlang sie noch fester.

Zwei Angreifer waren tot, und das war nur der Beginn ihrer Reise. War es dumm von ihm gewesen, sie in die Wildnis mitzunehmen? Aber hätte er sie zurückgelassen, so hätte es ihm und ihr das Herz gebrochen. Eine ganze Weile überlegte er, ob er sie nicht nach St. Charles zurückbringen und dort ein Stück Land bewirtschaften sollte. Wie lange würde er imstande sein, zu pflanzen, zu pflügen und Schweine zu züchten? Wie lange würde es dauern, bis Maggie wegen ihrer »seltsamen« Art wieder als Hexe bezeichnet werden würde? Neue Leute würden in die Gegend ziehen. Würden sie Maggie genau so verbrennen wollen, wie die Leute in Kentucky?

»Mein Schatz, schläfst du?«

»Ich habe an das Reh gedacht, Light. Es hat mich traurig gemacht, dass du es töten musstest.«

»Es starb, damit wir essen konnten. Wenn wir es nicht getötet hätten, so hätten es die Wölfe getan, damit sie etwas zu fressen haben. So ist die Natur, meine Liebste.«

»Ich weiß. Ich werde versuchen, nicht mehr daran zu denken.«

»Hör zu, chérie. Du bist heute beinahe getötet worden.«

»Aber ich wurde nicht getötet. Ich wusste, was ich tun konnte.«

»Wir werden noch viele weitere Male solchen Gefahren begegnen. Wir sollten daran denken, nach St. Charles zurückzukehren.« Light sprach die Worte leise und hielt den Atem an, während er auf ihre Antwort wartete.

Sie kam nach langer Zeit. Maggie lag ganz still, dann stützte sie sich auf, um in sein Gesicht zu blicken, auch wenn sie nur dessen Umrisse erkennen konnte.

»Du willst mich nicht mehr zu deinem Berg mitnehmen? Bin ich dir eine Last, Light?«

»O, chérie! Du bist mein Leben, meine Freude. Aber ich fürchte, ich könnte nicht in der Lage sein, dich zu schützen.«

»Ich kann helfen, Light. Ich werde mit dem Bogen und der Peitsche und dem Messer üben.«

»Wenn wir zurückgehen, so kannst du bei deiner Ma und deinem Pa und bei Biedy Cornick sein, die Pie für dich bäckt. Du kannst Callie und Annie Lash besuchen. Wenn der Winter kommt, wirst du in Sicherheit und im Warmen sein, und du wirst dich an gebratener Gans und süßem Pudding satt essen können.«

Maggie schwieg lange. Nur ihre Finger bewegten sich und streichelten seine Wangen.

»Aber du wärst nicht dort.«

»O ... mein Schatz. Ich sehne mich nach meinem Berg.«

»Ich wünsche das, was du dir wünschst, Light. Ich bin deine Frau. Wir haben es einander versprochen. Und ... wenn der Winter kommt auf deinem Berg, werden wir eine Gans braten und einen süßen Pudding bereiten.«

»Es wird eine lange Reise sein.«

»Ich fürchte mich nicht.«

»Wir haben noch nicht einmal die Hälfte des Weges zurückgelegt«, sagte Light mit einem tiefen Seufzer.

»Es macht mir nichts aus.« Maggie schmiegte ihren kleinen Körper an seinen. »Ich gehöre zu dir.«

Während seine Frau neben ihm schlief, starrte Light in die neblige Nacht. Der Missouri floss vorbei; er kam aus dem fernen Land, das er so sehr sehen wollte.

Von Männern, die mit der Expedition von Lewis und Clark zurückgekehrt waren, hatte er erstaunliche Geschichten über schneebedeckte Gipfel, grüne Wiesen und glitzernde Bäche gehört. Sie hatten nie zuvor solche Biber gesehen wie in den Bächen, die von den Bergen herabflossen – Biber, die nie jemand gejagt hatte, saßen da und sahen dich an, sagten sie. Und die Berge waren zerklüftet und unglaublich schön.

»Ich liebe dich«, sagte er flüsternd zu der Frau, die

sich an ihn kuschelte. »Wir werden zusammen auf unseren Berg steigen. Sollten wir unterwegs sterben, so werden wir doch zusammen sein.«

# Kapitel 4

Die Morgendämmerung kam rasch.

Hoch über dem Fluss stießen zwei Habichte im Liebesspiel herab und umkreisten einander. Klatschende Geräusche waren zu hören, von den Fischen im Fluss, welche jenseits des Schilfgürtels übermütig aus dem Wasser sprangen. Immer, wenn er zuerst aufwachte, lauschte er zunächst nur.

Light reckte den Kopf, um prüfend über das trübe Wasser und dann den Fluss hinauf und hinab zu blicken. Die Pferde standen schlafend nahe dem Felsen. Zufrieden, dass alles so zu sein schien, wie es sein sollte, sah er auf das Gesicht der Frau herab, die sich Wärme und Schutz suchend an ihn schmiegte. Schon allein ihr Anblick bereitete ihm große Freude.

Jeden Tag lernte er eine neue und erstaunliche Seite von Maggie kennen. Sie war nicht nur springlebendig und von schneller Auffassungsgabe, sondern auch mutiger als jede Frau, die er je gekannt hatte. Sie hatte sich ruhig gegen einen Delaware behauptet, der zwei Mal so groß war wie sie. Stimmte es wohl, dass sie eine Hexe war? Ihn hatte sie jedenfalls ganz gewiss verhext.

Er lachte leise und schwelgte in seinem Glück, mit dem er nie gerechnet hatte. Er hatte seine erste Frau, Little Bird, mit der ganzen Hingabe, zu der ein Jüngling fähig ist, geliebt. Als sie getötet wurde, war seine Trauer groß gewesen. Die Liebe aber, die er jetzt empfand, die Liebe eines Mannes zu diesem wilden Kind, erfüllte sein ganzes Herz. Light gab ihr einen Kuss auf die Stirn und spürte die Süße ihres Körpers. Maggie bewegte sich, die Decke rutschte herab und gab den Blick auf ihre weichen, nackten Brüste frei. Sie bildeten einen interessanten Kontrast zum schwarzen, seidigen Haar, das ihr wirr über die Schultern hing und sich zwischen den weichen, weißen Hügeln ihres Busens ringelte.

Der Anblick erregte seine Sinne. Aber der Verstand siegte über sein Verlangen, Maggie zu umschlingen und dem »süßen schmerzenden Gefühl« nachzugeben, wie sie die körperliche Liebe bezeichnete. Die grünen Blätter in den Wipfeln der Eichen begannen sich zu verfärben, und bald würde das Laub herabfallen. Er und Maggie mussten jeden Tag mit gutem Wetter nutzen, wenn sie die Flussbiegung erreichen und eine Bleibe zum Überwintern errichten wollten.

»Wach auf, mein Schatz.« Sein Flüstern drang an ihr Ohr, während seine Hand ihre Brust streichelte. »Es ist ein schöner Tag.«

»Ich bin wach. Du hast mich angesehen.«

»Woher weißt du das? Deine Augen waren geschlossen.«

»Ich kann dich auch mit geschlossenen Augen sehen«, flüsterte sie, und er glaubte ihr.

Sie schlang die Arme um seinen Hals. Sie bot ihm die Lippen zum Kuss, und er küsste sie langsam und innig. Er streichelte ihren Arm und ihre Schulter und küsste immer wieder ihr Haar.

Nach einer Weile hob Light den Kopf und blickte in ihr von vielen zerzausten Löckchen umrahmtes

Gesicht. Ihr Lächeln verzauberte ihn. Kam dieses feenhafte Geschöpf von einer anderen Welt? Aus einer anderen Zeit? Light fühlte sich wie im Paradies. Er betrachtete sie lange und küsste dann ihr Gesicht ein weiteres Mal. Langsam schüttelte er den Kopf.

»Ich möchte am liebsten bei dir liegen bleiben, bis die Sonne untergeht. Aber es wäre dumm, chérie. Wir müssen noch viele Meilen zurücklegen, bevor der Schnee kommt.«

Maggie streckte sich ganz aus und hielt seinen Hals weiterhin umschlungen.

»Möchtest du nicht bleiben und mit mir schlafen? Ich möchte bei dir sein ... so wie jetzt, Light.« Ihre Finger bewegten sich über den Beweis seines Verlangens.

Ihre Offenheit erstaunte, erregte und amüsierte ihn. Noch nie hatte er von einem Mann vernommen, dass seine Frau ihn gebeten hatte, mit ihr zu schlafen. Light hielt sich für den glücklichsten Mann der Welt. Zögernd entzog er sich ihrer suchenden Hand.

»Wir werden auf unserem Berg lange kalte Winter haben, mein Liebling. Wir werden den ganzen Tag und die ganze Nacht auf unseren Decken liegen und uns lieben, wann immer du willst. Aber jetzt, meine Waldfee, müssen wir unser Lager abbrechen und weiterreiten.«

Er zog ihr die Decke weg und stand auf. Maggie sprang auf und griff nach der Decke. Light drehte ihr lachend den Rücken zu und hielt die Decke so, dass sie sie nicht erreichen konnte.

»Nein, nein, Süße. Zieh dich an. Jemand außer deinem Mann sieht dich.«

»Wer? Wer?« Maggie drehte sich rasch um, wobei sie die Arme vor den nackten Brüsten verschränkte.

»Ein Eichhörnchen. Dort oben.« Light zeigte auf einen Ast und lachte aus vollem Halse.

»Pah, Mr Eichhörnchen«

Maggie breitete ihre Arme aus, verbeugte sich vor ihrem Mann nackt wie an dem Tag, an dem sie geboren wurde, und begann zu tanzen. Sie wippte in den Knien, wiegte sich und hüpfte auf der Sandbank zu dem Lied, das sie sang.

»Eichhörnchen auf dem hohen Baum,
Eichhörnchen auf dem hohen Baum,
Eichhörnchen auf dem hohen Baum.
Was soll ich tun, mein Schätzchen?«

Wie gebannt beobachtete Light seine Kindfrau. Sie tanzte mit einer solchen Unschuld. Er war verblüfft über ihren weißen nackten Körper, die Symmetrie ihrer Brüste, ihres runden Popos, ihrer schlanken Beine. Ihr roter Mund lächelte. Ihr dunkles zerzaustes Haar floss um ihre weißen Schultern. Sie war so vollkommen, dass Light zu der Überzeugung kam: Keine Frau auf dieser Welt konnte ihre Gefühle so offen zum Ausdruck bringen wie seine Maggie. Dann flog sie in seine Arme.

Erst die Wärme ihres Körpers, ihre Umarmung und ihr zum Küssen bereiter Mund überzeugten ihn, dass sie eine Frau aus Fleisch und Blut war. Er hob sie hoch und wirbelte sie herum, bevor er sie wieder auf die Füße stellte. Dann küsste er leidenschaftlich den Mund, den sie ihm anbot, und gab ihr einen Klaps auf den nackten Hintern.

»Zieh dich an, meine süße nackte Nymphe!« Er strich mit den Händen über ihr Haar und die Brüste und sagte: »Gehorch mir.«

»Ich tue, was du sagst, Light, zumindest ... jetzt.« Ihr melodisches Lachen ertönte hinter ihm.

Er zögerte, sie gehen zu lassen, obwohl er ihr befohlen hatte, sich anzuziehen. Er wandte sich ab, als sie rasch in ihre Hosen stieg und sich ihr Hemd über den Kopf streifte.

In froher Stimmung aßen sie Wildbret und tranken Tee aus ihrem einzigen Becher. Als sie fertig waren, packte Light sorgfältig ein, was von Fleisch und Fisch übrig geblieben war. Es reichte für mehrere Tage. Sie würden keinen Hunger leiden müssen; im Wald gab es Dutzende Arten von wilden Früchten, angefangen von Persimonen bis zu wilden Kirschen, sowie riesige Weinstöcke voller reifender Weintrauben. Light wusste, wo er wilde Erbsen, Zwiebeln und essbare Wurzeln suchen musste, die sie für dicke Suppen brauchen konnten. Die Wildnis servierte allen ein festliches Mahl, die wussten, wo die nötigen Zutaten zu finden waren.

Als ihre Bündel gepackt waren und Light begonnen hatte, ihren Pferden die Gurte umzulegen, stiegen Scharen von Wasservögeln auf und kreisten laut schreiend über dem Fluss.

»Irgendetwas kommt näher.« Light schaute flussabwärts und scharrte danach hastig mit den Füßen Sand über die Überreste ihres Lagerfeuers.

Er schulterte die Bündel und gab Maggie durch ein Zeichen zu verstehen, dass sie die Pferde führen sollte. Mit ihr zusammen eilte er die Uferböschung hinauf und suchte Schutz im Wald.

»Wer kommt, Light?«

»Bleib hier«, war seine einzige Antwort. Er ließ die Bündel fallen. Dann nahm er sein Fernrohr, kehrte zum Waldrand zurück und hockte sich unter dem Blätterdach hin.

Maggie band die Pferde an und schlich durch den Wald, um sich neben Light hinzuknien. Wenn ihr Mann in Gefahr war, wollte sie bei ihm sein. Den Köcher mit den Pfeilen trug sie auf dem Rücken, den Bogen über der einen Schulter und die zusammengerollte Peitsche über der anderen. Ihr Messer steckte in der Scheide an ihrer Hüfte. Ihre grünen Augen sahen ihn fragend an, als er zu ihr herabblickte.

»Ich bleibe bei dir, Light«, erklärte sie.

Light runzelte die Stirn. »Wenn ich dich irgendwo lasse, Maggie, gehe ich davon aus, dass ich zurückkehre und dich dort finde.« Er blickte wieder durch das Fernrohr.

»Ich werde mir das merken.« Sie lächelte ihm verführerisch zu.

»Du Schlingel!«

»Wer kommt?«

»Ein Flachboot. Drei Männer, soweit ich erkennen kann. Zwei an den Staken, einer am Steuerruder.«

Das Flachboot, das sich näherte, war von einem Meister des Bootsbaus gefertigt worden. Light sah das sofort. Es war lang und schmal und nach der Art zu urteilen, wie es durch das Wasser glitt, leicht. Beide Längsseiten waren von einer Reeling gesäumt. Eine niedrige, am hinteren Ende offene Kajüte befand sich in der Bootsmitte, wo auch ein Mast aufragte. Es war ein solides Wasserfahrzeug, das mit

Hilfe eines Segels, aber auch durch Staken oder Rudern fortbewegt werden konnte.

Der Mann am Steuerruder stand mit gespreizten Beinen auf dem Deck. Er war breitschultrig und hatte schmale Hüften. Sein schulterlanges Haar glänzte rötlich, und der kurz geschnittene Bart war dunkelbraun. Zwei Männer stakten das Boot außerhalb des Schilfgürtels durch das Wasser.

»Runter«, sagte Light plötzlich. Einer der Männer hob ein Fernrohr ans Auge und beobachtete damit das Flussufer.

»Sind sie Delaware, Light?«

»Nein.«

»Warum fürchten wir sie?«

»Es ist besser, wenn wir uns vergewissern, wer sie sind, bevor wir uns sehen lassen, Liebling.«

Kaum hatte Light das gesagt, ertönte ein gellender Schrei hinter ihm.

Light drehte sich um und sah, wie zwei Delaware mit erhobenen Tomahawks aus einem Dickicht wilder Rosen hervorsprangen. Die Krieger waren sich ihres Erfolges offensichtlich so sicher, dass sie ihr Siegesgeheul erschallen ließen, bevor der Kampf überhaupt begonnen hatte.

Light hatte keine Zeit, sein Gewehr anzulegen und zu schießen, aber er reagierte schnell, wich zurück und gebrauchte den Gewehrkolben, indem er ihn dem einen Krieger ins Gesicht schmetterte. Knochen splitterten, und aus der gebrochenen Nase und der Wunde an der Wange schoss Blut. Mit einem lauten Schmerzensschrei fiel der Mann nach hinten und hielt sich eine Hand vors Gesicht.

Maggie war wie eine Katze aufgesprungen und

duckte sich, als der zweite Krieger mit dem Tomahawk ausholte, um ihren Kopf zu treffen. Da der Indianer so nahe war, dass sie ihr Messer nicht auf ihn
werfen konnte, stieß sie es ihm in die Seite und wich
zurück. Vor Schmerz und Schreck zögerte der Indianer eine Sekunde. Das reichte Light, der seine lange
Büchse umdrehte und schoss. Blut quoll aus der
Brust des Kriegers, als die Kugel in seinen Körper
drang und ihn zurückschleuderte.

Der andere Krieger, der immer noch vor Schmerzen heulte, nahm die Beine in die Hand und verschwand im Busch. Light ließ seine Büchse fallen
und setzte ihm nach. Mit Leichtigkeit holte er ihn
ein. Gnadenlos stieß er dem Delaware von hinten
sein Messer ins Herz. Er beugte sich über den getöteten Krieger, um sein Messer herauszuziehen, und
eilte dann wieder dorthin, wo er Maggie zurückgelassen hatte.

Die kleine Lichtung war mit Ausnahme des toten
Indianers leer. Lights Atem stockte. Eine würgende
Angst befiel ihn.

Sein kostbarer Schatz war nicht mehr da!

»Maggie!«, schrie er markerschütternd. »Mag...
gie!« Er hob sein Gewehr auf und rannte halb blind
vor Angst und Schrecken durch das Unterholz dorthin, wo sie die Pferde gelassen hatte.

Er erreichte die Lichtung und fand Maggie. Die
Arme in die Hüften gestemmt stand sie da und sah
zwei Kriegern nach, die auf ihren Mustangs davon-
ritten.

»Sie haben uns die Pferde weggenommen, Light.
Schlägt das nicht dem Fass den Boden aus?«

»Zum Teufel mit den verdammten Pferden!« Der

Wortschwall, der folgte, war eine Mischung aus Französisch und Osage. Bei den Worten, die er hervorstieß, schüttelte er Maggie. Danach zog er sie an sich und umarmte sie heftig. »Mon Dieu, chérie! Du hast mir Angst eingejagt. Nach dem, was geschehen ist, rühr dich nie wieder vom Fleck!«

Maggie schmiegte sich kurz an ihn, dann blickte sie ihn an und streichelte seine Wangen, als ob sie ein aufgeregtes Tier beruhigen würde.

»Wenn ich das getan hätte, wäre ich nun mit den Pferden fort.«

»Mon Dieu, das stimmt, mein Schatz.«

»Was werden wir ohne unsere Pferde machen?«, fragte Maggie traurig.

»Ich weiß es nicht. Ich hoffte, ich würde auf ein paar Leute vom Stamm meiner Mutter treffen und einen Tauschhandel mit ihnen machen können. Wir werden ohnehin zähere Pferde für unseren Ritt durch die Prärie benötigen.«

»Wir werden es schon schaffen, Light. Mach dir keine Sorgen.« Maggie lächelte ihm aufmunternd zu.

»Nur gut, dass wir den Pferden nicht die Bündel aufgepackt hatten«, antwortete er, um sie in ihrem Optimismus zu bestärken.

»Was nun, Light?«

Wir wollen sehen, wer sich auf dem Flachboot befindet, das den Fluss hinauf fährt. Es sind nur drei Männer, um die wir uns in dem Fall Gedanken machen müssen. Gott allein weiß, wie viele Delaware sich zwischen hier und der Flussbiegung befinden.«

Seit dem gestrigen Sonnenuntergang wusste Eli Nielson, dass weiter stromaufwärts ein Mann sein musste und dass dieser mit leichtem Gepäck reiste. Nur ein einzelner Mann würde ein Reh so zerlegen, dass er sich bloß das nahm, was er verbrauchen konnte, bevor das Fleisch verdarb, und den Rest des Tierkörpers flussabwärts treiben ließ. Nach der Entdeckung des Rehs waren Nielson und Deschanel sowie ein Deutscher namens Krüger mit dem Flachboot so lange flussaufwärts gefahren, bis es dunkel wurde und sie gefährliche Hindernisse oder eine wilde Strömung nicht mehr hätten sehen können.

Bei Tagesanbruch hatte Nielson den Platz am Steuerruder eingenommen, während Otto Krüger, wahrscheinlich der beste, aber auch übellaunigste Zimmermann weit und breit, sowie Paul Deschanel, Nielsons Freund und Gefährte, zu den Staken griffen.

»Du glaubst, dass er es ist?«, fragte Paul, während er seine Stake aus dem schlammigen Grund des Flusses zog.

»Er könnte es sein. Merrick hat gesagt, er habe St. Charles vor einer Woche verlassen.«

»Falls er es ist, mon ami, wirst du ihn vor Einbruch der Dunkelheit sehen, das heißt, wenn die Delaware nicht auf den Gedanken kommen, uns zu überfallen ... oder ihn.«

»Ich war mir sicher, dass er nicht landeinwärts reiten würde. Merrick hat zwar nichts gesagt, aber es wäre logisch, dem Fluss zu folgen, wenn er zu den Bluffs will.«

»Mon Dieu. Merrick hat nicht erwähnt, dass er zu den Bluffs will.«

»Ein vorsichtiger Mann.«

Paul grunzte eine Antwort.

»Trapper, die vor zwei Tagen den Fluss herabkamen, haben keine Weißen gesehen«, sagte der Deutsche mit starkem Akzent.

»Sie haben vielleicht gedacht, er sei ein Indianer.«

»Eh bien!« Paul nahm eine Hand von der Stake, um seine Pelzmütze abzunehmen. »Ist er etwa keiner?«

»Ist er ein Wilder?«, fragte Krüger und drehte den Kopf auf dem dicken Hals.

Eli sah durch sein Fernrohr und antwortete nicht.

»Wenn er genügend Grips hat, macht er um die Delaware einen großen Bogen«, knurrte Paul und stemmte sich gegen die Stake. »Sollte er ihr Gebiet durchqueren, so kommt er auf der anderen Seite womöglich ohne Haare heraus. Mon ami, die Delaware sind gemeine Hurensöhne.«

»Wenn er plant, vor dem Winter die Bluffs zu erreichen, so wird er den Weg am Fluss entlang gewählt haben.« Eli hob das Fernrohr erneut ans Auge.

»Wer weiß schon, mon ami, warum ein Franzose etwas tut.« Grinsend sah Paul Eli über die Schulter an. »Ein Franzose mit Osageblut ist« – er machte eine abwertende Geste – »verrückt wie ein Fuchs. Dein Wissen über Baptiste Lightbody geht dir seit fünf Jahren im Kopf herum.«

Der große scharfsichtige Mann musste das wohl zugeben, doch er ließ sich nichts anmerken.

Waren denn nur fünf Jahre vergangen, seit ihm Sloan Carroll aus Carrolltown oben am Ohio mitgeteilt hatte, er habe etwas Geschäftliches mit ihm zu besprechen? Was Carroll ihm eröffnete, veränderte sein Leben. Von diesem Tag an hatte er sogar ein anderes Bild von sich selbst.

Einige Monate nach seinem Besuch bei den Carrolls wurde seinem Stolz ein weiterer Schlag versetzt. Sloans Tochter, Orah Delle, hatte ihm gesagt, sie werde nach Virginia ins Haus der Vorfahren ihres Vaters zurückkehren, um Musik zu studieren. Der Gerechtigkeit halber musste man wohl hinzufügen, dass die Dame seines Erachtens nicht geahnt hatte, dass er jede Nacht in seinem Bett von ihr geträumt hatte und nur deswegen so oft wie möglich bei den Carrolls zu Besuch war, weil er sie sehen wollte.

Vor fünf Jahren war er so jung und unerfahren gewesen, dass er nicht zu erkennen vermochte, dass die schöne Orah Delle sich zu ihm nur genauso liebenswürdig verhalten hatte wie zu allen Bekannten ihres Vaters.

Eli Nielson hatte gehört, welche Gewinne man bei der Beförderung von Frachten den Mississippi hinauf erzielen konnte. Das war einer der Gründe, weshalb er das Ohiotal verlassen und den Ohio herab bis zum Mississippi und dann nach St. Louis gekommen war, wo er Gewehre, Schießpulver, Werkzeuge, Decken und Tabak mit der Absicht gekauft hatte, sie flussaufwärts, vielleicht sogar bis zu der französischen Siedlung Prairie de Chien, zu transportieren.

Er hatte durch das, was er mal hier, mal da aufschnappte, erfahren, dass Baptiste Lightbody ein weithin bekannter Scout war, den Zeb Pike anzuheuern versucht hatte. Er schien keine engen Verbindungen zu anderen Männern zu haben als zu denen, die ihm Sloan genannt hatte, nämlich Jefferson Merrick und Will Murdock. Auf Grund dieser Information hatte Nielson Jefferson Merrick aufgesucht und befand sich jetzt hier in dieser Wildnis.

In diesem Land fühlte Eli sich wunderbar. Er würde diese Fahrt nie bedauern, ganz gleich, wie sie ausging. Er beabsichtigte, den Rest seines Lebens in diesem Land jenseits des großen Flusses zu verbringen.

Aufgeschreckte Scharen von Wasservögeln stiegen auf, als sich das Flachboot den Gruppen näherte, die im Schilf am Ufer Futter suchten. Auf einer Sandbank wusch ein Waschbär einen zappelnden Flusskrebs und bemerkte das Flachboot nicht, bis dessen Geruch ihn so überraschte, dass er seine Mahlzeit losließ. Der Krebs flüchtete ins Wasser und der Waschbär ins Gebüsch.

Während die beiden Männer schweigend das Boot stakten, beobachtete der dritte das Flussufer. Nachdem Paul und Eli das Flachboot von Krüger gekauft hatten, hatte sich dieser ihnen in St. Louis angeschlossen. Der Deutsche hatte beträchtliche Spielschulden im Saloon gemacht und war deswegen in Bedrängnis geraten. Mit dem Geld von Eli hatte er seine Schulden bezahlt und anschließend den Saloonbesitzer bewusstlos geschlagen. Als er daraufhin die Stadt eilig verlassen musste, hatte er sich ihnen angeschlossen. Da Krüger sich darüber im Klaren war, dass der Barmann und seine Kumpane in St. Louis auf seine Rückkehr lauerten, war er mit den beiden Männern den Missouri hinauf zum Anwesen von Jefferson Merrick gefahren.

Die morgendliche Stille wurde abrupt durch den

gellenden Schrei unterbrochen, den angreifende Delaware auszustoßen pflegten. Bevor sich die Männer auf dem Boot von ihrer Überraschung erholen konnten, hörten sie einen Schuss. Eli suchte das obere Ufer ab und entdeckte nichts. Er setzte das Fernrohr ab und schwang das Steuerruder herum, um das Boot zur Sandbank zu lenken.

»Leg an! Leg an!«

»Verdammt!«, knurrte Krüger.

Paul fluchte auf Französisch und stemmte sich kräftig gegen die Stake, um zu tun, wie ihm geheißen war.

Sobald das Flachboot den sandigen Boden nahe der Sandbank berührte, griffen die drei Männer zu den Gewehren und duckten sich hinter die Kajüte. Das Flachboot trieb langsam im Schilf.

»Mag... gie!« Der Ruf war weithin über den Fluss zu hören. »Mag... gie!«

»Maggie?«, fragte Paul. »Vielleicht ist das seine Squaw oder sein Pferd. Wenigstens war er es nicht, auf den geschossen wurde«, sagte Paul grinsend zu seinem Freund, wobei seine Zähne im Kontrast zu seinem schwarzen Bart weiß aufblitzten. »Du könntest es schwer ertragen, mon ami, wenn du diesen weiten Weg zurückgelegt haben solltest, um den Bastard tot vorzufinden.«

Eli antwortete nicht. Seine Augen waren starr auf den schmalen Streifen oberhalb der Sandbank gerichtet. Die Minuten verrannen. Plötzlich kam ihm ein Gedanke: Wenn der Mann dort oben Lightbody war, so hatte er den Angriff vielleicht nicht überlebt oder war verwundet. Eli legte die Hände als Trichter an seinen Mund und rief laut.

»Lightbody!« Nach einem Augenblick der Stille schrie Eli erneut: »Lightbody!«

Paul hockte auf dem Deck und schüttelte den Kopf.

»Mon Dieu! Du verdammter Schwede! Eines Tages wird man dich noch abknallen.«

# Kapitel 5

Light schaute durch das Gestrüpp hindurch auf den Fluss. Er hatte gesehen, wie das Flachboot an der Sandbank anlegte und die Männer hinter der Kajüte in Deckung gingen. Er war verblüfft, dass der Mann dort seinen Namen gerufen hatte.

»Er hat deinen Namen gerufen, Light. Kennst du ihn?«

»Ich glaube nicht.« Er sah sie an. »Knöpf dein Hemd bis zum Hals zu, Liebling. Und bleib in der Nähe.«

»Sind es schlechte Menschen?«

»Ich weiß es nicht. Aber wir müssen es riskieren. Wir haben nur die Wahl zwischen ihnen und den Delaware.«

Light stellte sich so, dass ihn die Männer auf dem Boot sehen konnten, und hielt sein Gewehr über den Kopf. Die Sonne glänzte auf dem Haar des hoch gewachsenen Mannes, der zurückwinkte. Light und Maggie ließen ihre Bündel zurück und gingen Hand in Hand zum sandigen Ufer hinab.

Die Männer sprangen vom Boot, und einer von ihnen machte es an einem verkrüppelten Baum fest, der am Rande des Flusses wuchs. Sie standen wartend mit den Gewehren in der Hand da und sahen dem näher kommenden Paar entgegen. Light hatte seine lange Büchse geladen. Maggies Peitsche hing zusammengerollt über ihrer Schulter.

Plötzlich überlief Light ein siedendheißer Schauer. Diese Männer – dessen war er sich sicher – hatten in ihrem ganzen Leben noch keine Frau wie Maggie gesehen. Waren sie redliche Männer wie seine Freunde in St. Charles oder waren sie von derselben Sorte wie Jeffs Bruder Jason? Würde er in der Lage sein, Maggie zu beschützen, wenn sich die drei Männer auf ihn stürzten? Er musterte die Männer, während sie sich ihnen näherten.

Der eine, der gerufen hatte, führte offensichtlich den Befehl. Light wusste das instinktiv. Der Bootsführer, ein breitschultriger Mann mit einem hageren, kantigen Gesicht, schien Anfang dreißig zu sein.

Der dunkelhaarige Mann schien etwas älter. Sein Haar war von grauen Strähnen durchzogen. Er hatte einen mächtigen Brustkasten, und seine Beine glichen Baumstämmen. Light vermutete, dass er kein Führertyp war, sondern ein Mann mit festen Überzeugungen, der für das kämpfte, was er für richtig hielt. Da er seine Pelzmütze lässig aufgesetzt hatte, schien er ein fröhlicher Geselle zu sein.

Der dritte Mann war genauso groß wie der mit hellem Haar, aber viel massiger. Die Hand, mit der er sein Gewehr hielt, war so groß wie ein Schinken. Er trug keinen Hut und war kahl, sein Kopf glänzte wie eine geschälte Zwiebel. Auf Grund von Intuition und Erfahrung konnte Light aus seinem Gesicht lesen, was für einen Charakter er hatte. Der kahle Kopf war zu klein für einen Mann seiner Größe, sein Gesicht war hager und hatte einen verschlagenen Ausdruck, seine Augen glichen denen eines Wiesels. Dies war ein Mann, bei dem Vorsicht geboten war.

Maggie spürte, wie die Männer sie mit den Augen

verschlangen, und sie hasste es. Männer starrten sie immer an. Sie schaute jeden kurz an und wandte dann die Augen ab, blieb aber auf der Hut, um auf jede Bewegung reagieren zu können.

Sie ließ Lights Hand los, falls plötzliches Handeln erforderlich sein sollte, und hakte die Finger hinten in seinen Gürtel, wo er sein großes Jagdmesser trug. Die andere Hand hielt sie an das Messer, das in der Scheide an ihrer Hüfte steckte.

Maggie war beunruhigt. Da sie jede Veränderung im Verhalten ihres Mannes spürte, wusste sie, dass er nervös war und diesen Männern nicht traute.

Light blieb in gebührendem Abstand von den Männern stehen. Er studierte das ruhige Gesicht und die zusammengekniffenen Augen jenes Mannes, der ihn mit seinem Namen gerufen hatte. Der Mann blickte ihn an und nicht Maggie, wie es die anderen beiden taten.

»Wie kommt es, dass Sie meinen Namen kennen?«, fragte Light.

»Baptiste Lightbody?«

Light nickte.

»Jefferson Merrick sagte, Sie seien der Beste.«

»In welcher Beziehung?«

»Der beste Waldläufer, der beste Jäger, der beste Lotse.«

Light zuckte die Schultern. »Merrick ist mein Freund.«

»Wir haben Ihren Schuss gehört.«

»Delaware.«

Der Mann nickte. »Es wäre besser, wenn wir uns davonmachten. Sie sind überall an diesem Flussabschnitt.«

»Warum haben Sie meinen Namen gerufen?«

»Ich schätzte, es sei ein einzelner … Weißer, der das teilweise zerlegte Reh den Fluss hinabtreiben ließ.«

»Ich bin ein Osage.«

»Ein Franzose und Osage«, sagte der Mann und fügte hinzu: »Baptiste ist ein französischer Vorname.«

»Was wollen Sie von mir?«, fragte Light ungeduldig.

»Sie sind zu den Bluffs unterwegs. Das sind wir auch. Merrick sagte, Sie seien der beste Scout im Territorium. Und wir könnten einen zusätzlichen Mann an den Staken gut gebrauchen.«

Light hatte nicht die Absicht, zu den Bluffs zu gelangen, dementierte das Gesagte jedoch nicht.

»Was ist mit Ihrer Besatzung geschehen?«

»Zwei Männer desertierten in der ersten Woche. Zwei weitere nahmen vor einer Woche unser Kanu und hauten in der Nacht ab. Natürlich werden sie es nicht schaffen. Sie waren dümmer als erlaubt ist. Was zählt, ist der Verlust eines guten Kanus. Wir dachten, Sie seien in Bedrängnis und bräuchten Hilfe.«

Lights dunkle Augen begegneten den blauen Augen des anderen Mannes und hielten dem Blick stand. Der Mann kam ihm irgendwie bekannt vor. Light bemerkte, dass der Glatzkopf Maggie noch immer anstarrte.

»Wir hatten zwei Zusammenstöße mit Delaware. Sie wollten die Pferde, und diesmal gelang es ihnen, sie sich zu schnappen.«

»Ich habe gehört, dass sie Gefangene machen, wenn sie können.«

»Tod durch Martern ist ein Ritual bei den Delaware.«

»Das entspricht nicht ganz meiner Vorstellung von Vergnügen«, sagte der untersetzte Mann und blickte beunruhigt in den Wald.

»Ich bin Händler. Ich heiße Eli Nielson«, stellte sich der Anführer der Gruppe vor. »Ich fahre mit einer kleinen Ladung den Fluss hinauf. Ich plane, Felle zu kaufen und dann hinunter nach St. Louis zu bringen.«

Er würde es mit zwei Mann Besatzung kaum bis zu den Bluffs schaffen. Light behielt seine Bedenken jedoch für sich. Er schaute den glatzköpfigen Mann, der ungeniert lüsterne Blicke auf Maggie warf, direkt an.

»Ich werde jeden töten, der meine Frau anfasst, ... und ich werde nicht warten, bis er mir gegenübersteht.«

Eli Nielsons Augen huschten über Maggies Gesicht bevor er zurück zu Light schaute.

»In Ordnung. Ich stamme aus Kentucky, aus dem Gebiet am Ohio. Wir denken genauso über unsere Frauen. Das ist Paul Deschanel.« Er zeigte auf den kleinen stämmigen Mann.

»Sehr erfreut.« Paul Deschanel nahm seine Pelzmütze ab und verbeugte sich leicht.

»Und Otto Krüger.« Der Glatzkopf blickte kurz zu Light und starrte dann wieder Maggie an.

»Wir wollen unsere Bündel holen. Da die Delaware wissen, dass wir nun zu Fuß sind, werden sie zurückkommen.«

Eli nickte. »Ich werde Ihnen helfen.«

Light zögerte, ihm den Rücken zuzuwenden.

Wenn sie ihn töten und sich Maggies bemächtigen wollten, so war das jetzt der richtige Moment. Er drehte sich nervös um und war darauf vorbereitet, wenn nötig sofort zu handeln. Er packte Maggie am Arm und ließ sie vorangehen. Er schaute zu Boden und etwas nach rechts, wo er den Schatten des Mannes sehen konnte, der hinter ihm ging. Als sie bei den Bündeln ankamen, war Nielson noch einige Schritte zurück.

»Merrick erwähnte nicht, dass Sie eine Frau bei sich haben.«

»Maggie ist meine Frau. Sie geht, wohin ich gehe.«

Nielson sah Maggie forschend an. Die einzige Veränderung seines Ausdrucks bestand darin, dass er die Augen zusammenkniff und eine Sekunde lang seine Brauen zuckten.

Light wusste, dass dieser Mann wahrscheinlich den gleichen Gedanken hatte wie er, als er vor fast einem Jahr Maggie zum ersten Mal erblickte, nämlich dass sie eine mehr als nur hübsche Frau war. Die Kombination ihrer Schönheit mit ihrem jugendlichem Feuer spiegelte sich in ihren klaren grünen Augen wider und machte sie sehr begehrenswert.

Sie schaute Nielson mit einer Mischung aus naiver Neugier und der jahrhundertealten Weisheit einer Frau an. Light beobachtete, wie sich die Miene des Mannes unter Maggies prüfendem Blick entspannte. Plötzlich lächelte sie.

Wenn Maggie lächelte, stand die Welt still.

»Es wird in Ordnung sein, Light. Du wirst sehen.« Sie schob eine Hand in seine Armbeuge und rüttelte ihn sanft am Arm. »Du wirst sehen«, wiederholte sie.

Nielson war nur einige Zentimeter größer als Light

und etwas schwerer, aber in seinen Segeltuchhosen und schweren Stiefeln schien er viel größer zu sein. Light war glatt rasiert; Nielson hatte einen kurz geschnittenen Bart. Es ließ sich nicht sagen, wer von den beiden Männern der ältere war.

Light war verblüfft, dass Maggie diesen Mann akzeptierte. Worauf war es zurückzuführen, dass sie ihm traute? Gewöhnlich war sie gegenüber jedem Mann misstrauisch.

»Wir müssen weg von hier. Diese verdammten Delaware machen mich nervös.« Nielson sprach leise zu Light, da er Maggie keine Angst einjagen wollte. Er bückte sich und schulterte eines der Bündel.

»Gehen Sie voraus. Wir kommen nach.«

Nielson nickte, nahm eine Rolle Decken unter den Arm und ging zum Boot hinab.

Light wartete, bis Nielson es erreicht hatte. Dann sprach er.

»Chérie, du musst dich vor allen Männern und besonders vor dem ohne Haare in Acht nehmen.«

»Ja, Light. Dieser Mann ist schlecht. Jener«, sagte sie mit einem Nicken des Kopfes auf das Boot hinweisend, »ist anders.«

»Woher weißt du das?«

Maggie zuckte die Schultern. »Keine Ahnung.«

»Komm. Erleichtere dich im Gebüsch. Auf dem Boot wirst du dich nicht so gut zurückziehen können.«

Nielson betrat das Boot und verstaute das Bündel und die Rolle Decken in der Kajüte. Als er sich umdrehte, war Paul da.

»Verlassen wir diese Stelle?«

»Sobald sie an Bord sind.«

»Da fällt mir ein Stein vom Herzen. Wo sind sie?«

»Sie werden gleich kommen.«

»Du hast dir Lightbody angesehen. Was nun?«

»Er ist nicht so, wie ich dachte.«

»Mon Dieu, Eli. Du wusstest, dass er ein Osage ist.«

»Ich hätte nicht gedacht, dass er so zivilisiert ist.«

»Er hat genug französisches Blut in sich, um diese Frau durch Süßholzraspeln dazu zu bringen, mit ihm zu gehen.«

»Sie ist ... anders.«

»Sie ist attraktiv. Otto trieft schon der Mund.«

»Er würde auch eine Schlange vögeln, wenn du ihren Kopf hieltest«, sagte Eli voller Abscheu.

»Hast du vor, sie ihm wegzuschnappen?«

»Verdammt, Paul, warum sagst du das?«

»Du möchtest ihm einen Denkzettel verpassen, nicht wahr?«

»Zum Teufel ja, ich möchte ihm einen Denkzettel verpassen.«

»Otto will seine Frau haben.«

»Vorher müsste er Lightbody töten. Ich werde das nicht zulassen ... noch nicht.«

»Wieso hat Merrick uns nicht gesagt, dass er eine Frau bei sich hat?«

»Weil er nie damit gerechnet hat, dass wir ihn einholen würden. Einen Menschen in dieser Wildnis zu finden ist eigentlich ein Ding der Unmöglichkeit.«

Krüger kam mit seinen schweren Stiefeln angestapft und brachte das Boot zum Schwanken. Er stand am Bootsende, hielt sich an der Leine fest, mit der das Boot festgemacht war, und blickte über die Schulter Paul und Eli an. Seine Augen glänzten ungewöhnlich. Er grinste wie eine Katze, die bereit ist, sich auf einen lahmen Vogel zu stürzen.

»Ich habe noch nie eine Frau wie diese gesehen.«

»Sie ist mit dem Scout verheiratet. Lass sie in Ruhe.«

»Diese Frau ist mit einem Halbblut zusammen, habe ich nicht Recht? Mein Gott, das ist nicht richtig. Seine Frau? Welcher Priester vermählt schon einen Indianer mit einer Weißen?«

»Hast du vor, etwas dagegen zu unternehmen, Otto?«, fragte Eli ruhig.

»Sie ist nichts für einen ... Mischling.«

»Hast du etwas gegen Halbblütige?«

»Was? Ich sage, sie ist nichts für einen solchen Typ. Ich hatte noch nie etwas für diese stinkenden Wilden übrig. Er hat sie gestohlen, ja, das hat er getan. Ich wette, sie würde sich freuen, wenn sie ihn los wäre.«

»Zum Teufel! Ich sage dir, du sollst sie in Ruhe lassen. Ich möchte keinen Ärger haben.«

Krüger lachte.

»Lightbody ist kein Schwätzer wie die im Saloon. Er wird dich ohne mit der Wimper zu zucken töten. Er hatte zwei Zusammenstöße mit den Delaware und lebt immer noch.«

»Hat sie auch dich geil gemacht, Eli?« Krüger lachte wieder. Es war ein dreckiges Lachen.

»Es wäre gut, wenn du dir hinter die Ohren schreiben würdest, was ich dir gesagt habe.«

»Aus welchem Grund wolltest du ihn finden? Du brauchst keinen Scout. Jeder Idiot kann dem Fluss folgen.« Als Nielson ihn nur anstarrte, sagte er: »Mir ist es scheißegal, warum du ihn gesucht hast. Ich hätte dieses Ding ganz allein bis zu den Bluffs gestakt, um diese Frau näher beschauen zu können. Ich habe noch nie ein Weib wie sie gesehen. Ihr Hintern in den Hosen ist rund wie eine Melone.«

»Sie ist nicht für dich.«

»Du willst sie wohl für dich haben, Eli? Verdammt! Ich seh's dir doch an.«

Finster blickend drehte Eli sich um und ging zum äußersten Ende des Decks.

»Reiz Eli nicht«, sagte Paul zu dem Deutschen. »Dieser Schwede kann dir mehr Ärger bereiten, als dir lieb ist.«

»Ich hab ja nie gefragt, aber was hat dieser Mischling getan, dass Eli ihn auf Biegen und Brechen finden wollte?«

»Wenn er wollte, dass du es weißt, würde er es dir sagen.«

Paul mochte Otto Krüger nicht. Er hatte ihn seit dem Tage nicht gemocht, an dem sie das Boot von ihm gekauft hatten. Aber so lange er seine Arbeit verrichtete und den Mund hielt, konnte er ihn ertragen. Der Anblick der Frau hatte Ottos Zunge gelöst.

Paul befürchtete, dass es nur eine Frage von Tagen sein konnte, bis es zwischen Eli oder Lightbody und Otto wegen der kleinen Hexe Krach geben würde.

Mit vier Männern an den Staken fuhr das schmale Boot flussaufwärts, wobei Maggie nach kurzer Einweisung das Steuerruder bediente. Sie blieben im langsam fließenden Wasser in Ufernähe. Light, der auf der Uferseite des Bootes saß, hielt ständig Ausschau nach Delaware.

Sie stakten mehrere Stunden lang, ohne eine Essenspause einzulegen. Die Männer waren schweißgebadet, als sie eine Biegung passierten und einen geraden Flussabschnitt vor sich sahen. Eli übernahm das Steuerruder, während Paul das Segel losmachte. Der Wind gewann an Stärke, und sie steuerten vom Ufer weg, um mit der Brise segeln zu können. Das Boot glitt ruhig dahin, solange Eli die schnelle Strömung in der Flussmitte mied und dem dichten Schilfgürtel entlang dem Ufer fern blieb.

Während Light sich auf das Deck niedersinken ließ und angelehnt an die Kajüte weiterhin das Ufer beobachtete, öffnete Maggie den Beutel mit den Nahrungsmitteln und legte das Fleisch zurecht, das sie in der Nacht zuvor in der heißen Asche gegart hatten. Sie brachte Light einen Becher Wasser und ein Stück Fleisch und überließ es den anderen, sich selbst zu bedienen.

Light war durstig und leerte den Becher rasch. Als Maggie zum Fass ging, um noch einen Becher voll Wasser zu holen, stand Krüger dort. Er hob den Deckel des Fasses. Maggie schöpfte Wasser und eilte zurück, doch nicht bevor Krüger es geschafft hatte, mit einer Hand über ihren bloßen Arm zu streichen.

Am Nachmittag sprang Light, der das Flussufer mit seinem Fernrohr absuchte, plötzlich auf. Er presste eine Hand auf Maggies Schulter, um ihr zu verstehen zu geben, dass sie sich nicht von der Stelle rühren sollte, und ging zu Eli, der am Steuerruder saß.

»Werfen Sie mal einen Blick auf die Stelle mit den Wasserpflanzen da vorn. Es gibt dort keine Wasservögel, und seit einer ganzen Weile ist dort kein einziger Vogel aufgestiegen. Das Schilf ist umgebogen.«

Eli hob sein Fernrohr ans Auge. Ein Hirsch kam zum Fluss, aber er machte kehrt und entfernte sich wieder, ohne getrunken zu haben.

Light stand breitbeinig da und beobachtete das Flussufer aus rotem Lehm und die Wasserpflanzen, die an den seichten Stellen wuchsen. Er setzte das Fernrohr ab und schob es zusammen.

»Dort ist ein Kriegskanu.«

»Paul,« rief Eli leise, »hol die Musketen heraus.«

Paul verschwand in der Kajüte und kam mit vier langen Gewehren wieder. Er legte die Feuerwaffen nebeneinander auf das niedrige Kajütendach.

Light lud seine eigene Büchse, zog einen ungespannten Bogen aus seinem Bündel und befestigte die aus zwei Büffelsehnen gedrehte Bogensehne am eingekerbten Ende des Bogens. Er hängte sich diesen und den Köcher mit Pfeilen über die Schulter.

»Was ist los, Light?«, fragte Maggie.

Ehe er antworten konnte, kam ein Kriegskanu vom anderen Ende des Schilfes hervorgeschossen. Das Kriegsgeschrei, das zu hören war, wurde lauter, als die sechs Delawarekrieger wie wild paddelten, um dem Flachboot den Weg abzuschneiden.

»Geh in die Kajüte, Maggie!«, befahl Light. Ohne zu fragen gehorchte sie. »Schießt nicht, wenn ihr nicht müsst«, sagte Paul. »Jeder Delaware im Umkreis von fünf Meilen wird sonst wissen, wo wir sind.«

»Kommt her, ihr wilden Teufel!«, schrie Krüger. »Kommt her, ihr Hurensöhne.«

Eli saß ruhig am Steuerruder, während der Wind sie auf das Kanu zutrieb. Light spannte seinen Bogen und wartete. Als das Kanu näher kam, stand ein vor Kampfeslust leichtsinniger Krieger auf und schüttelte seine Keule. Lights Pfeil durchbohrte dem Krieger die Brust, worauf dieser rücklings in den Fluss stürzte. Ohne auch nur einen Augenblick innezuhalten, trieben die Paddler das Kanu mit kräftigen Schlägen vorwärts.

Vom Süden her kam plötzlich ein Windstoß, das Segel blähte sich auf, und das Boot fuhr immer schneller auf das Kriegskanu zu. Zu spät erkannten die blutdürstigen Indianer die Gefahr und versuchten, dem Boot auszuweichen. Sie hatten es gerade geschafft, das Kanu halb zu wenden, da wurde es vom Boot gerammt. Das Kanu kippte um, und die laut schreienden Krieger wurden in den Fluss geschleudert.

Die Delaware schwammen zum Flachboot und versuchten, an Bord zu klettern. Paul und Krüger warteten auf der einen Seite, Light auf der anderen. Sobald die Köpfe aus dem Wasser auftauchten, krachten die Staken auf die halb geschorenen Schädel herab.

Die Delaware waren tapfer, solange sie im Begriff waren, einen Kampf zu gewinnen. Aber wenn sich die Dinge nicht entsprechend ihren Erwartungen entwickelten, flohen sie meistens. Das war auch jetzt so. Die wenigen, die den Kampf überlebten, zappelten im Flussschlamm und warfen angstvolle Blicke über ihre Schulter während sich das Boot der Weißen entfernte.

# Kapitel 6

»Ich bin nicht gern auf diesem Boot«, flüsterte Maggie Light ins Ohr.

»Im Moment ist es das Beste, was wir tun können, Liebling.«

Die Nacht war dunkel. Die Mondsichel stand hinter Wolkenschleiern. Das Boot, das an einem Baum vertaut war, schaukelte wenige Meter vom steilen Ufer entfernt leicht im Fluss. Eine große Forelle sprang aus dem Wasser. Irgendwo im Norden heulte ein Wolf im Wald zufrieden, als ob ihm die Nacht gefiel.

»Ich bin nicht gern hier«, wiederholte Maggie, wobei ihre Lippen seine Wange berührten. »Wann können wir von hier weg?«

Sie hatten ihre Decken auf dem Deck ausgebreitet und saßen mit dem Rücken gegen ihre Bündel gelehnt. Light zog Maggie die Decke bis über die Schultern, mehr um sie vor den Moskitos als vor der Nachtluft zu schützen.

»Sobald wir können.« Er drückte ihren Kopf an seine Schulter. »Schlaf ein bisschen.«

»Wirst du nicht schlafen?«

»Später.«

»Ich mag auch den glatzköpfigen Mann nicht.«

»Hat er dich belästigt?«

Maggie überlegte eine Weile und entschloss sich dann, ihm nichts vom Vorfall am Wasserfass zu erzählen.

»Mr Nielson mag ihn auch nicht.«

»Woher weißt du das?«

»Ich weiß es einfach, das ist alles.«

»Dir entgeht kaum etwas, mein Liebling.«

»Mr Nielson mag dich.«

»Ich nehme an, auch das weißt du einfach so«, sagte Light schelmisch lächelnd.

»Er sieht dich immer an ..., aber nicht böse.«

»Wenn du nicht aufhörst zu reden, muss ich dich küssen.«

Sie lachte leise und zwickte ihn leicht in den Hals. »Das habe ich gehofft.«

Er küsste sanft ihre Lippen und legte das Kinn auf ihren Kopf.

»Schlaf, wenn du kannst.«

Als er sich ziemlich sicher war, dass sie schlief, legte er ihren Kopf auf seinen Schoß. Nielson hatte gesagt, er würde ihr einen Platz in der Kajüte zurechtmachen, aber sie hatte darauf bestanden, bei Light zu bleiben. Jetzt war er froh, dass sie das getan hatte. Hier in der samtenen Nacht, beim Geräusch des Wassers, das gegen das Boot plätscherte, spürte er, mit ihrem warmen kleinen Körper neben sich, der sich vertrauensvoll an ihn schmiegte, wie sehr er sie vermissen würde, wenn sie nicht da wäre.

Krüger hatte die erste Wache. Light traute ihm nicht. Am Gesicht des Mannes ließ sich leicht ablesen, dass er nach einer Frau gierte und ihm sein sexuelles Verlangen den Verstand raubte. Sein Unmut rührte daher, dass er nicht verstehen konnte, warum eine Frau einen Indianer einem Weißen – jedem Weißen – vorzog.

Dass der Deutsche ein Wüterich mit Hang zur

Grausamkeit war, hatte sich gezeigt, als die Delaware versuchten, das Boot zu entern. Light hatte sofort gewusst, dass es junge Krieger waren, die auf eigene Faust handelten. Ein erfahrener Krieger hätte das Boot nicht auf so idiotische Weise angegriffen.

Krüger hatte Vergnügen daran gehabt, einen jungen Indianer immer wieder mit seiner Hakenstange zu stechen, als der Jüngling versuchte, vom Boot wegzuschwimmen, und hatte schallend gelacht, als der Indianer unterging.

Während Light im Dunkeln saß und Maggie auf seinem Schoß ruhte, lauschte er auf jede Bewegung auf dem Dach der Kajüte, auf dem Krüger saß. Er würde die Augen nicht zumachen, solange der Deutsche Wache hielt.

Wenn er und Maggie noch eine weitere Woche auf dem Boot blieben, so müssten sie auf dem Fluss weit genug ins Osagegebiet vorgedrungen sein – falls die beiden Osage-Indianer, die er getroffen hatte, nachdem sie St. Charles verlassen hatten, die Karte richtig gelesen hatten. Wenn sich die Osage freundlich verhielten, wovon er ausging, so würden er und Maggie bei ihnen den Winter verbringen.

Die Nacht verging ohne Zwischenfall. Light hatte die letzte Wache übernommen. Sollten die Delaware einen Angriff planen, so würde er erfolgen, sobald im Osten das erste Dämmerlicht am Horizont erschien. Maggie war aufgewacht und saß neben ihm auf dem Kajütendach, wohin sie sich begeben hatte, als Light seine Wache übernahm. Es kam vor, dass Maggie Dinge sehen konnte, die Light nicht wahrnahm, obwohl sein Verstand ihm sagte, dass sie da waren.

Während sie Schulter an Schulter und Hand in Hand dasaßen, lauschten sie dem Zwitschern der Vögel, das eine Stunde vor Sonnenaufgang vom Ufer her zu hören war, und dem platschenden Geräusch der springenden Fische im tiefen Wasser in der Mitte des Flusses.

Es wurde rasch hell, ohne dass etwas die Ruhe störte.

Otto Krüger stand auf, reckte sich, trat an den Rand des Bootes und ließ Wasser. Als er fertig war und sich zur Kajüte umdrehte, wo Maggie saß, bemühte er sich nicht, seine Blöße zu bedecken. Light hatte Maggie geheißen, sich wegzudrehen, und sah den Deutschen über ihren Kopf hinweg mit kalten Augen an.

»Du bist ein ungehobelter Hurensohn, Krüger«, sagte Eli wütend.

Krüger lachte. »Wenn ein Mann pissen muss, dann muss er pissen.«

Paul knurrte vor Abscheu und begann auf dem flachen Stein neben der Kajüte ein Feuer zu machen. Bald kochte das Wasser für den Tee.

Light hob Maggie vom Dach herunter und ging zu Eli.

»Wir werden in den Wald gehen.«

Eli schaute an Light vorbei auf Krüger, der, seine wulstigen Lippen zu einem spöttischen Grinsen verziehend, herüberschielte. Danach sah er Light an.

»Sie brauchen nicht in den Wald zu gehen, damit Ihre Frau ungestört sein kann. Kommen Sie.« Eli zog den Kopf ein und betrat die lange, schmale Kajüte. »Ich hatte das vergessen und habe erst heute Morgen wieder daran gedacht.«

Gebückt ging er weiter und führte sie zum äußersten Ende der Kajüte. Er streckte eine Hand aus und kramte hinter mehreren Bündeln, die in Segeltuch eingeschlagen waren, einen blechernen Nachttopf hervor.

Eli fühlte sich offensichtlich unwohl, als er den Topf auf den Boden stellte und zur Tür ging. »Sie können eine Plane davor hängen.«

Als sie allein waren, legte Maggie eine Hand auf Lights Arm. Er sah sie an. Sie zog seinen Kopf zu sich herab und flüsterte ihm ins Ohr:

»Ich möchte in den Wald.«

»Benutz den Topf, chérie. Vielleicht können wir am Abend ans Ufer gehen.« Light arrangierte die Warenballen so, dass Maggie ungestört sein konnte. »Wenn du fertig bist, bleib drinnen. Ich werde dir eine Schüssel Wasser zum Waschen bringen.«

Paul hockte neben dem Feuer, als Maggie aus der Kajüte kam, um das Waschwasser über Bord zu kippen. In der einen Pfanne briet er Fisch, in der anderen buk er Maiskuchen.

»Das riecht gut.« Sie hängte die Schüssel an einen Nagel über dem Wasserfass.

»Es gibt nichts besseres als einen Flusshecht, chérie«, sagte Paul und lächelte ihr zu, während er den Fisch mit einem langen, dünnen Messer wendete.

»Light nennt mich chérie. Sie nennen mich Maggie.«

Paul hob seine dunklen Brauen. »Ich bedaure meinen Fehler, Madame.«

»Wie heißen Sie?«

»Mein Name ist Paul, mon petit chou.« Der Franzose grinste.

»Was bedeutet das?«

»Hübscher kleiner Kohlkopf.«

Maggie lächelte. »Ich mag Kohl.« Sie schaute fragend auf Eli, der mit Light zusammen eine Karte studierte. »Wie heißt er?«

»Eli Nielson.«

»Dass er Nielson heißt, wusste ich bereits. Er ist kein schlechter Mensch wie der andere.«

»Ich kenne ihn schon lange, Madame. Sie haben Recht, er ist kein schlechter Mensch.«

»Ich mag den Glatzkopf nicht. Light wird ihn töten«, sagte Maggie mit Bestimmtheit.

»Woher wissen Sie das?«, fragte Paul.

»Ich weiß das einfach.«

Maggie ging zu Light und ergriff seine Hand. Ohne sie anzusehen, schlang er einen Arm um sie und zog sie an sich. Mit dem Finger zeigte er auf eine Stelle auf der Karte.

»Hier biegt der Fluss nach Nordwesten um. Das ist Osagegebiet.«

»Sind Sie dort gewesen?«

»Nein. Zwischen dem großen Fluss und den Bergen gibt es ein halbes Hundert Osagelager. Maggie und ich wollen dort bleiben. Wenn Sie dem Häuptling Tabak und etwas Schießpulver geben, wird er Ihnen für ein bis zwei Wochen Ruderer zur Verfügung stellen.«

»Was soll ich danach tun?«

Light zuckte die Schultern. »Clark hat gesagt, dass die meisten Stämme mit Ausnahme der Delaware friedlich sind.«

»Warum fahren Sie nicht mit uns?«

»Ich möchte lieber allein weiterziehen.«

»Ich werde Sie mit Waren bezahlen.«

»Wir haben alles, was wir tragen können.«

»Verdammt! Seien Sie vernünftig. Ihre Frau wird sicherer sein, wenn Sie bei uns bleiben.«

»Ich bin derjenige, der entscheidet, was für meine Frau am besten ist. Wir werden bei Ihnen bleiben, bis wir Osageland erreicht haben.« Lights Tonfall ließ erkennen, dass er das Gespräch für beendet hielt. Er faltete die Karte zusammen und steckte sie in sein Hemd.

»Kommt und greift zu«, rief Paul vom Feuer her.

Die Luft war seit zwei Tagen heiß und stickig. Schweiß troff den Männern von der Stirn, als sie das Boot den Fluss hinauf stakten. Eli tauchte einen Eimer ins Wasser und goss ihn sich über den Kopf. Das Wasser kühlte seinen Körper eine kurze Weile ab. Er blickte auf die Frau, die am Steuerruder saß. Während all seiner Reisen, den Ohio hinauf nach Pittsburgh, über das Cumberland-Plateau hinweg bis zur Chesapeake Bay, hatte er nie eine Frau gesehen, die ihr glich.

Die meisten schönen Frauen, die ihm begegnet waren, waren ziemlich drall und zu nichts zu gebrauchen gewesen, sie waren auf ein Podest gestellt worden, damit man sie bewunderte. Maggie war nicht nur schön, sondern auch flink und tüchtig. Ihren großen grünen Augen entging nichts. Sie hätte jeden Mann haben können, wenn sie gewollt hätte. Warum hatte sie Light gewählt?

Eli schaute zu dem dunkelhaarigen Mann, der sich an der Stake abmühte. Er war überhaupt kein dummer halbblütiger Wilder, wie er angenommen hatte. Er war zwar ein Mischling, aber weit davon entfernt, geistig beschränkt zu sein. Er hoffte, mehr über ihn zu erfahren, bevor sie sich im Osageland voneinander trennten – wenn sie sich überhaupt trennen würden. Es war verdammt schwer, eine Meinung zu ändern, die man fünf Jahre lang gehabt hatte.

Am späten Nachmittag des vierten Tages lag eine lähmende Stille über dem Fluss. Die Luft war schwül. Nicht ein einziges Blatt bewegte sich. Sogar die Vögel verstummten. Light begann zu lauschen und zu schnuppern. Als sie eine Biegung passierten, erblickten sie einen Streifen stahlgrauer Wolken über der bewaldeten Landschaft. Innerhalb einer Stunde war die dunkle Masse aufgequollen, bis sie turmhoch in den Himmel ragte. Weißliche Wolkenfetzen eilten dem Gewitter voraus.

Die Männer fuhren rasch an einem lehmfarbenen Ufer entlang, das ihre Köpfe überragte. Eli suchte mit seinem Fernrohr angespannt das vor ihnen liegende Ufer ab, um eine Stelle zu finden, wo das Boot anlegen konnte. Er wusste, dass der Fluss bei Sturm sehr gefährlich werden konnte, umso mehr, wenn das Boot eine Ladung Schießpulver an Bord hatte.

Light beobachtete den fernen Himmel, um eventuell eine nach unten gerichtete Wolkenspirale zu entdecken, die darauf hindeuten würde, dass ein Tornado im Anmarsch war. Das Gewitter kündigte sich durch heiße Windstöße an. Sogar der Fluss schien langsamer zu fließen, als ob er auf etwas wartete. Sie hörten fernes Donnergrollen, begleitet von

Blitzen, welche die dunklen Wolken erhellten. Die Luft schien merkwürdig still, wie eine hungrige Katze, die auf einem Ast ein Nest junger Vögel belauert.

»Sandbank«, rief Paul.

Die Männer verstärkten ihre Anstrengungen und fuhren auf die Sandbank zu, die einige hundert Meter entfernt lag. Eine Welle kam herangerollt, und sie bemühten sich, den erzielten Vorsprung zu halten.

»Irgendwas hat sich über uns gelöst«, schrie Eli. Danach befahl er: »Holt das Segel ein.«

Sie erreichten die Sandbank wenige Sekunden vor einem heftigen Windstoß, der von hinten kam.

»Der Wind hat sich gedreht«, verkündete Krüger, als ob er der Einzige wäre, der das gemerkt hatte.

Eine vom Wind angetriebene Welle bewegte sich gegen die Strömung, hob das Flachboot hoch und warf es auf die Sandbank.

Die ganze Mannschaft tat, was nötig war, um das Boot und sich selbst zu retten. Die Staken wurden tief in den Grund des Flusses gerammt und am Boot festgezurrt, um es zu sichern. Eli und Paul ergriffen Leinen und sprangen vom Boot. Light eilte zum Steuerruder, um es schräg zu stellen und festzubinden.

Rasch hängte er sich Büchse und Bogen über die Schulter, stopfte sich seinen Pulverbeutel ins Hemd, ergriff eine schwere Plane, sprang, Maggie mit sich ziehend, vom Boot und rannte an Land.

Das Gewitter brach los. Regen rauschte hernieder. Große, vom Wind getriebene Tropfen peitschten ihnen ins Gesicht. Grelle Blitze folgten den Donnerschlägen. Light rannte durch das dichte Gehölz, das den Fluss säumte. Maggie hielt ohne Schwierigkeiten mit ihm Schritt. Inmitten einer Lichtung, fern von den Bäumen, dem Fluss und dem Boot mit seinen Pulverfässern, blieb er stehen und zog Maggie zu Boden. Er stellte sein langes Gewehr neben sich und bedeckte sich und Maggie mit der Plane.

Beide atmeten schwer.

Maggie liebte das Gewitter. Ihr Haar war klatschnass, das Wasser rann in kleinen Bächen über ihre Wangen. Von den Armen ihres Mannes fest umschlungen hielt sie den Kopf so, dass sie die Nase an seinem warmen Hals reiben konnte.

Bei einem besonders lauten Donnerschlag zuckte sie zusammen. Durch das Prasseln des Regens hindurch hörte sie das Knacken und Bersten der Bäume, die der Blitz getroffen hatte.

»Ich liebe dich«, sagte Light zu der Frau, die er in den Armen hielt. Er sprach die Worte langsam und aufrichtig, da er sich nicht sicher war, ob er eine Chance haben würde, sie zu wiederholen. Der nächste Blitzschlag konnte ihrem Leben ein Ende setzen, indem er sie entweder direkt traf oder einen Baum fällte, der auf sie herabkrachen würde.

»Du bist mein Herzallerliebster«, murmelte Maggie. Sie schlang die Arme fest um seine Taille. »Hab keine Angst«, sagte sie leise. »Wir werden hier nicht sterben. Es ist noch nicht unsere Zeit. Wir werden noch viele gemeinsame Jahre haben.«

»O ..., meine kleine Hexe. Wie kannst du dir dessen so sicher sein?«

»Ich weiß es einfach. Das ist alles«, erklärte sie wie gewöhnlich und sah ihn verwirrt an.

»Vielleicht bin ich eine Hexe, Light.«

Sie sagte das so ernst, dass er lachen musste. »Warum sagst du das?«

»Weil ich manchmal Dinge einfach weiß. So wie zum ersten Mal, als ich dich sah, Light. Ich wusste, dass ich deine Frau sein würde. Ich wusste auch, dass Jeffersons alter Wolfshund mir nichts tun würde oder dass du an dem Tag, an dem Jeffs Bruder versuchte, in mich einzudringen, kommen würdest. Ich musste ihn nur abwehren und auf dich warten.«

»Ma petite, vielleicht bist du eine Hexe, aber eine sehr schöne.«

»Ich möchte nicht, dass du mich liebst, weil ich schön bin«, murmelte sie.

»O ..., eine süße Hexe. Ich liebe dich, weil du mein Ein und Alles bist. Ich werde dich lieben, wenn dein Haar grau ist und du keine Zähne mehr hast. Du bist mein Leben, meine Seele, mein Weib, meine Maggie.« Inbrünstig flüsterte er die Worte.

»Du sagst schöne Worte, Light.« Sie schwieg eine Weile, dann lehnte sie sich zurück und fragte: »Sogar, wenn ich keine Zähne mehr habe?«

Light lachte und umarmte sie so fest, dass sie kaum atmen konnte.

»Du wirst für mich sogar dann noch schön sein.«

Dem ersten Toben des Gewitters folgte ein trommelnder Regen, der sehr lange anzuhalten schien. Als er nachließ und plötzlich aufhörte, warf Light die Plane ab. Sie standen auf und streckten die steifen Glieder. Fahles Licht drang ab und zu durch die dahinjagenden Wolken.

Auf der Lichtung lagen abgebrochene Äste und entwurzelte junge Bäume. Nach der Hitze des Tages war die Luft kalt. Als sie durch das Gehölz zum Fluss zurückgingen, brach die im Westen bereits niedrig stehende Sonne durch die Wolken, aber ihre Strahlen wärmten nicht.

Eli stieß zu ihnen, als sie das Ufer oberhalb der Sandbank erreichten. Diese war vom rasch dahinfließenden Wasser des Flusses völlig bedeckt. Das Flachboot hatte ein Leck. Der Wipfel eines untergetauchten Baumes lag im schlammigen Grund des Flusses, und ein langer starker Ast ragte spitz durch den Boden des Bootes. Es wurde von der raschen Strömung hin und her geworfen. Braunes Flusswasser schwappte auf das Achterdeck und floss wieder zurück. Das Steuerruder war kaputt. Zwei der Staken, die die Männern in den Grund des Flusses gerammt hatten, um das Boot zu sichern, waren zerbrochen.

»Zum Teufel!«, fluchte Eli.

»Machen Sie sich keine Sorgen, Eli. Es kann repariert werden. Light wird wissen, was getan werden muss«, sagte Maggie tröstend und legte ihre Hand auf seinen Arm.

Lights Gesicht war ausdruckslos, als er seine Frau anschaute. Maggie berührte selten jemanden, und hier streichelte sie den Arm dieses Mannes.

Eli schien wie verzaubert. In seinem Gesicht spiegelten sich Scheu und Bewunderung. Er sah Light an. Der Mann wusste von seinem Verlangen nach dieser Frau. Beide starrten sich gegenseitig eine Weile an, dann drehte Eli sich um und watete durch das Wasser zum Boot.

# Kapitel 7

Die vielen Geier und Wasservögel, die am Flussufer saßen, drehten die Köpfe der Sonne zu und breiteten die Flügel aus, damit sie trockneten. Der sintflutartige Regen stromaufwärts hatte die Bäche, die in den Missouri flossen, bis zum Überlaufen gefüllt. Der braune, schlammige Fluss wälzte sich dahin und führte entwurzelte Bäume und abgebrochene Äste mit sich. Abgestorbene Stämme ragten aus dem Sand, und Geröllansammlungen entlang dem Fluss ergänzten die Parade.

Der Bug von Elis Boot war nach oben gekantet. Das Wasser des Flusses, welches das Heck umspülte, hatte noch nicht die Kajüte erreicht. Lights und Maggies Bündel befanden sich oberhalb des Wassers. Light zog eine trockene Decke aus seinem Bündel, wickelte sie um Maggie und ermahnte sie, in der Nähe der Kajüte zu bleiben, falls das Boot plötzlich rucken sollte und sie sich an irgendetwas festhalten musste.

Eli betrachtete die Gefahr eines Unglückes für sein Boot gelassen. Er wusste, dass es nicht sofort sinken würde. Der Auftrieb des Bootes beruhte auf den dicken Balken, aus denen es gebaut war. Aber obwohl es stabil war, würde es den Kräften, denen es ausgesetzt war, nicht lange standhalten. Ständig wurde es gegen den spitzen Ast gestoßen, der es durchbohrt hatte, und Trümmer, die der Fluss mit sich führte, prallten immer wieder gegen das Boot.

Paul und Krüger kamen aus dem Wald und stießen auf dem schrägen Deck zu ihnen.

»Mon Dieu!«, rief Paul.

»Ich habe ein gutes, starkes Boot gemacht«, prahlte Krüger.

Eli sagte nichts. Er hatte Flüsse auf Flachbooten befahren, seit er ein junger Bursche war, und wusste eines: Abgesehen davon, dass sie einen Menschen in Wut versetzen konnten, besaßen sie eine wichtige Tugend: Sie hielten fast alles aus. Mit ein paar Brettern konnte man ein ganzes Loch reparieren, wenn der Schiffskörper gut war. Er hätte sich auf dieses Abenteuer nicht eingelassen, wenn er sich dessen nicht sicher gewesen wäre.

»Was sollen wir machen?«, fragte Paul.

»Es lossägen.« Light und Eli sprachen die Worte gleichzeitig. Erstaunt schauten sie sich an.

»Zuerst entladen wir es.« Eli ging zur Kajüte und kam mit einem ganzen Arm voll Musketen heraus, wickelte sie in eine Decke ein und legte sie aufs Dach.

»Paul, du und Krüger, ihr fangt an, die Ladung herauszuholen. Wir bringen sie ans Ufer. Wenn das Boot von dem Ast befreit ist, wird es entweder schwimmen oder sinken. Die Flussströmung hat hier eine tiefe Rinne ausgewaschen. Das Boot liegt am Rande dieser Stelle. Wenn es zurückrutscht, falls es das tut« – er sah Krüger scharf an –, »so wird Wasser in die Kajüte gespült.«

»Verdammt! Es wird nicht sinken!« Krüger schien es fast für eine seine handwerklichen Fähigkeiten in Frage stellende Beleidigung zu halten.

Die Männer, die kleine Fässer voll Schießpulver

und Whisky, Salzsäcke und Tabakbündel schleppten, und Maggie, die die leichteren Gegenstände
trug, wateten zigmal durch das fußhohe Wasser, das
die Sandbank bedeckte. Paul blieb auf dem Boot
und hievte die schweren Fässchen über Bord auf die
Schultern der Männer.

Maggie achtete darauf, dass sie nicht zur gleichen
Zeit wie Krüger am Ufer war. Sie war sich bewusst,
dass nicht nur Light den Mann beobachtete, sondern auch Eli. Als sie einmal Otto auf dem Weg
zum Boot begegnete, beäugte er, seine wulstigen
Lippen zu einem Grinsen verzogen, ihre nassen
Hosen, die an ihrem Hintern und an ihren Schenkeln klebten.

»Der Fluss ist voller Wasserschlangen, Mississ«,
murmelte er, wobei seine Augen auf ihren Brüsten
verweilten. »Pass auf, dass deine hübschen kleinen
Titten nicht gebissen werden. Ja?«

Kurze Zeit später sah Maggie eine der Nattern
durch das schlammige Wasser gleiten. Mit schlän-
gelnden Bewegungen und hochgerecktem Kopf
schwamm sie flussabwärts. Maggie beobachtete sie,
bis sie das Boot passierte.

Als alles bis auf die Werkzeuge, die an den Seiten
und an der Decke der Kajüte hingen, entladen war,
kehrten sie nass und hungrig auf das Boot zurück.
Aber es blieb keine Zeit, über ihre missliche Lage
nachzudenken.

Eli zog sein Hemd und seine Stiefel aus und ließ
sich an der dem Fluss zugewandten Seite des Bootes
in das schnell dahinströmende Wasser hinab. Er tas-
tete im Dunkeln, bis er den Ast des Baumes fand. Er
tauchte auf und schnappte nach Luft.

»Dieser verdammte Ast ist vielleicht mehr als einen Fuß dick. Reicht mir die Säge.«

Eli holte tief Luft und tauchte wieder unter das Boot. Es schien lange zu dauern, ehe er wieder an die Wasseroberfläche kam, um sich an die Bootswand zu hängen. Er rang nach Luft und erbrach dann Wasser.

»Krüger ..., komm und säge eine Weile mit.«

»Verdammt! Du denkst wohl, ich bin ein Narr.«

Paul fluchte fürchterlich und fing an, seine schweren Stiefel aufzuschnüren.

»Weigerst du dich, Befehle auszuführen?«, fragte Eli ruhig, aber mit bebenden Nasenflügeln.

»Dies ist kein Scheißschiff, Käpt'n. Was willst du? Willst du mich ertränken? Ich will nicht hinuntertauchen, nur um von einer Wasserschlange gebissen zu werden.«

»Verdammt! Wenn wir nicht von diesem Hindernis loskommen, wird es das Boot auseinander reißen.«

»Es ist nicht mein Boot. Du hast es für die Hälfte seines Wertes bekommen. Das juckt mich nicht, wenn es auseinander bricht. Ich werde mir ein Floß bauen und mich von der Strömung den Fluss hinabtreiben lassen.«

Light griff nach seiner Büchse, prüfte die Ladung und gab Maggie das Gewehr in die Hand. Er zog sein Hemd und seine Mokassins aus, löste die Schnur, mit der der Beutel an seiner Taille befestigt war, rollte alles fest zusammen und legte das Bündel auf das Dach der Kajüte.

»Du weißt, was du zu tun hast, chérie.« Er ging auf die andere Seite hinüber. »Ich kann unten bleiben, bis du bis dreißig gezählt hast«, sagte er zu Eli, bevor die beiden Männer sich ins Wasser hinunterließen.

Mit dem Rücken zur Kabine und dem schweren Gewehr in der Hand wartete Maggie; ihre Blicke wanderten zwischen der Stelle, wo Light untergetaucht war, und den Männern an Deck hin und her.

»Womit wir es hier zu tun haben, ist ein Indianer mit Buchwissen.« Krüger lachte boshaft. »Wirst du mich erschießen, wenn dein Mann nicht mehr heraufkommt?« Er ließ seine lüsternen Blicke über Maggie gleiten.

»Lass sie in Ruhe«, knurrte Paul wütend.

»Die Schlangen lieben es, sich unten am Boden zwischen den Spalten des Bootes hinein- und hinauszuschlängeln. Der Indianer wird wahrscheinlich einen Schlangenbiss abbekommen.«

»Halt die Klappe, Krüger.«

»Haben Sie jemals einen Mann gesehen, der von einer Wasserschlange gebissen wurde, Fräulein?« Krüger kam Maggie einen Schritt näher. »Sie quellen auf wie eine Kröte ...«

»Schweig still!«

»Achten Sie nicht auf ihn, Paul«, sagte Maggie ruhig. »Er hört sich gern plappern. Er kann mir überhaupt keine Angst einjagen. Schlangen fürchten sich vor dem, was sie nicht kennen, und ich schätze, sie haben bisher noch nie einen Mann unter einem Boot gesehen.«

Eli kam an die Wasseroberfläche, holte mehrmals tief Luft und tauchte wieder unter. Nach wenigen Sekunden tauchte Light auf, hielt sich an der Bootswand fest und schnappte nach Luft. Er warf einen Blick zu Maggie, die ihm mit einem Nicken zu verstehen gab, dass alles in Ordnung war.

»Können wir hier oben etwas tun?«, fragte Paul, als Eli zum Luftholen auftauchte.

»Dichtet das Loch ab, falls das Boot sich losreißt.«

Die nächste halbe Stunde lang bemühten sich Eli und Light abwechselnd, den zähen, von Wasser voll gesogenen Ast unter dem Boot durchzusägen.

Dann geschah etwas völlig Unvorhergesehenes. Als der dicke Ast teilweise durchgesägt war, bog er sich unter dem Gewicht des Bootes. Er rutschte aus dem Loch im Boden heraus und gab das Boot frei. Dieses stieg durch den Auftrieb hoch, und das Wasser an Deck begann durch das Loch, das der Ast geschlagen hatte, abzufließen.

Der Deutsche johlte. »Verdammt! Ich hab euch gesagt, dass ich der beste Bootsbauer bin!«

Light kam an die Oberfläche.

»Das gibt's ja nicht!« Paul strahlte übers ganze Gesicht. »Es wird bald wieder schwimmen.« Er nahm Light die Säge ab.

»Der Fluss steigt«, sagte Light und kletterte über die niedrige Reling. Die Haut über den hohen Wangenknochen spannte vor Kälte, und seine Stimme war heiser vom Flusswasser, das er geschluckt hatte.

»Wo ist Eli?« Paul kniete an der niedrigen Reling, beugte sich hinüber und starrte auf das Wasser. »Wo ist Eli?«, fragte Paul erneut besorgt.

Light drehte sich um, schaute hinunter, stieg dann über die Reling und glitt wieder in den Fluss hinab.

Maggie wartete neben Paul. Es schien eine Ewigkeit zu dauern, bis Light wieder auftauchte. Er holte tief Luft und verschwand wieder im Wasser. Paul schwang ein Bein über die Reling.

»Warten Sie.« Maggie legte eine Hand auf seinen Arm. »Light wird ihn finden.« Etwas in ihrer Stimme bewirkte, dass Paul zögerte.

Krüger kam und drängte sich ganz nahe an Maggie heran, um über Bord zu sehen. Sie drehte die lange Büchse um und drückte deren Lauf in seinen Bauch.

»Hau ab!«

Der glatzköpfige Mann lachte. »Haben Sie jemals einen Ertrunkenen gesehen, Miss? Er sieht wie ein Weißfisch aus.«

»Halt dein verfluchtes Maul!«, rief Paul und schubste Krüger mit dem Fuß zur Seite.

Krüger holte mit der Faust aus. »Pass auf, was du tust, Alter!«

In diesem Moment kam Light wieder an die Wasseroberfläche. Mit einer Hand hielt er sich an der Reling fest. Seinen freien Arm hatte er von hinten um Elis Hals gelegt.

»Zieh ihn hoch«, stieß er keuchend hervor.

»Mon Dieu! Mon Dieu!«, rief Paul voller Sorge. Er beugte sich hinunter und packte den schlaffen Körper unter den Armen, konnte ihn aber nicht über die Reling heben, da er für ihn zu schwer war.

Während Light über die Reling kletterte, hievte Krüger Eli wütend schnaubend hinauf und ließ ihn unsanft aufs Deck plumpsen. Eli lag leblos mit aschfahlem Gesicht da.

»Mausetot«, verkündete Krüger gefühllos.

»Er ist nicht tot!« Maggies Augen blitzten zornig.

Sie warf ihren kleinen Kopf zurück und schrie voller Wut: »Du hässlicher alter Geier!«

Alles andere als beleidigt starrte der Deutsche sie bewundernd an.

Ungläubig betrachtete Paul seinen leblosen Freund.

Light drehte Eli rasch auf den Bauch und setzte sich rittlings auf ihn. Er presste Eli unterhalb der Schulterblätter seine Handballen fest auf den Rücken, ließ los und drückte erneut. Maggie reichte Paul das Gewehr, kniete nieder und drehte Elis Kopf auf die Seite.

»Das nützt nichts. Er ist schon tot.« Krüger stand mit gespreizten Beinen und die Arme in die Hüften gestemmt da.

Light ignorierte ihn und setzte das rhythmische Pumpen fort. Plötzlich öffnete Eli den Mund und spie Wasser aus. Er stöhnte. Paul stieß einen Freudenschrei aus. Light drückte noch einige Male fest auf Elis Rücken. Er hielt inne, als Eli heftig würgen musste. Er half Eli, sich auf die Unterarme zu stützen, und trat dann zurück, während Eli sich erbrach.

Eli ließ sich auf den Rücken rollen und blickte nach oben. Was er sah, war das Antlitz eines Engels, der sich über ihn beugte. Bin ich gestorben? Das war der erste Gedanke, der ihm durch den Kopf schoss. Dann erinnerte er sich an den Schrecken, den er empfunden hatte, als er allein in der Dunkelheit war, seine Lungen zu bersten schienen und sein Fuß eingeklemmt war. Bevor er bewusstlos wurde, war er sicher, dass er sterben würde.

»Alles in Ordnung, Eli?«, fragte der Engel.

Sein Blick wurde klarer, und seine Augen richteten sich auf Maggies Gesicht.

»Ja«, krächzte er.

»Light hat Sie gerettet.«

Eli setzte sich auf und betrachtete seine Füße. Die Haut an einem Fußgelenk war abgeschürft und blutete. Er blickte zu dem schlanken dunkelhaarigen Mann auf. Light lief noch immer das Wasser vom Gesicht.

»Danke.«

Light nickte, griff nach seinem Hemd und zog es sich über den nassen Oberkörper.

»Mon Dieu, Eli, das war knapp.« Paul war noch immer sichtlich durcheinander.

»Ja. Sehr knapp.« Eli kniete sich hin, um aufzustehen. Er hielt sich an Paul fest, bei dem Versuch, seinen verletzten Fuß zu gebrauchen, und stützte sich auf Paul, bis sie die Kajüte erreichten.

»Die Sintflut hat den Fluss zum Steigen gebracht«, sagte Paul. »Wir können das Boot am Ufer festmachen.«

»Wenn das Wasser so schnell abfließt, wie es gestiegen ist, besteht die Gefahr, dass wir auf der Sandbank liegen bleiben. Lös die Leine und lass das Boot den Fluss hinab treiben. Dann staken wir es zum Ufer.«

»Wir haben nur noch zwei«, sagte Paul und ergriff eine der beiden verbliebenen Staken.

Light benutzte die andere Stake, um das Boot in Ufernähe zu halten. Die Männer stemmten sich gegen die Staken und schafften es schließlich, das Boot ans Ufer zu manövrieren. Paul warf die Leine über einen Baumstumpf, watete dann ans Ufer und machte das Boot fest. Ohne ein Steuerruder waren sie in der Strömung hilflos.

Bis das Boot angelegt hatte, war die Dämmerung hereingebrochen. Kalte Böen wehten vom Fluss her und ließen sie erschauern. Maggie stand neben Eli, der sich am Kajütendach festhielt. Sie hatte ihm geholfen, sich ein trockenes Hemd anzuziehen. Obwohl sie selbst im kalten Wind bibberte, legte sie ihm ihre Decke um die Schultern, um ihn vor dem Wind zu schützen. Immer noch zitterte er stark, und obwohl er seine Zähne fest zusammenbiss, klapperten sie.

»Komm, chérie«, rief Light. Er war von der Reling ans Ufer geklettert. Er beugte sich herab, um Maggie an der Hand zu packen und sie hochzuziehen. »Warte hier«, sagte er, als sie neben ihm stand. Er sprang aufs Deck hinab.

Kurze Zeit später hatten Light und Paul es geschafft, Eli an die Reling zu führen und ans Ufer zu heben. Krüger unternahm keine Anstalten bei diesen Bemühungen zu helfen. Einen Arm über Pauls Schultern gelegt und auf einem Bein hüpfend schaffte es Eli, die kurze Entfernung vom Fluss bis zu der geschützten Stelle unter einer Gruppe von Zedern zurückzulegen.

Light ließ seinen Blick umherschweifen. »Das ist ein guter Platz. Ich werde ein Feuer machen, sobald ich trockene Kleidung für Maggie geholt habe.«

Als er gegangen war, sah Maggie sich nach trockenem Holz um und fand ein paar abgestorbene Zedernäste. Als Paul und Light zurückkehrten, wankten sie unter dem Gewicht der Dinge, die sie benötigten, um ein Lager aufzuschlagen. Light ließ die Last fallen und hob sein Bündel auf. Er nahm Maggies Hand und führte sie von den anderen fort in den Wald.

Die nassen ledernen Hosen klebten an Maggies Haut. Light musste ihr helfen, sie auszuziehen. Er rieb ihren nassen Körper mit einem trockenen baumwollenen Hemd ab, trocknete sich selbst und reichte danach Maggie das Hemd.

»Trockne dein Haar, chérie. Sonst wirst du krank.«

»Ich bin nie krank«, erwiderte Maggie.

Sie drückte das Wasser aus ihrem Zopf und rieb ihren Kopf so lange mit dem Hemd, bis kurze Löckchen ihr Gesicht umrahmten. Sie trug ein Hemd aus grobem Stoff und einen Leinenrock, der ihr bis zu den Fußknöcheln reichte. Sie zogen trockene Mokassins an und kehrten mit ihren nassen Sachen in der Hand dorthin zurück, wo Eli auf einem morschen Stamm saß und trockene Zweiglein in ein kleines Feuer legte. Er hatte bloße Füße, trug jedoch inzwischen trockene Hosen.

»Paul holt ein Fässchen Whisky.« Elis Kehle war so rau, dass er kaum sprechen konnte.

»Der Deutsche ist ein Problem«, sagte Light.

Eli leugnete das nicht. »Er ist schon eine Weile grantig.«

Maggie kniete nieder, um sich Elis verletzten Knöchel anzusehen. Er war dick angeschwollen.

»Tut es sehr weh?«, fragte sie voller Mitleid.

Als Eli ihr unverwandt in die klaren grünen Augen sah, die seinen ganz nah waren, vergaß er fast zu antworten.

»Etwas«, antwortete er schließlich.

»Morgen werde ich Gonoscheikraut suchen und

einen Umschlag machen. Es wird helfen«, sagte Maggie, als ob sie mit einem kleinen Kind redete.

Eli sah zu dem Mann hoch, der sein Leben gerettet hatte, und blickte in ein Gesicht, das bis auf die Augen ausdruckslos und wie aus Stein gehauen war. Die Augen waren zu Schlitzen zusammengezogen, und seine Blicke wanderten vom Antlitz seiner Frau zu Elis Gesicht. Eli schaute auf Lights Hände. Die Hände waren angespannt und die Finger leicht angewinkelt, obwohl seine Arme und seine Haltung entspannt und locker waren.

Plötzlich kam Eli der Gedanke, dass Lightbody vielleicht doch nicht so zivilisiert sein könnte, wie er zuerst geglaubt hatte. Er hatte die Instinkte eines Tieres, das ein Eindringen in sein Territorium nicht gestattete, und würde alles tun, um seine Frau zu behalten.

Paul näherte sich gefolgt von Krüger dem Feuer. Paul trug einen gusseisernen Topf, und jeder hatte ein Fässchen Whisky auf der Schulter. Krüger warf einen kurzen Blick auf Light und trottete wieder dorthin zurück, wo sie die Ladung aufgestapelt hatten.

Paul zuckte die Schultern. »Ich habe ihm gesagt, dass wir den Rest der Ladung am Morgen heraufbringen werden.«

Nachdem sie das Wasser im gusseisernen Topf erhitzt hatten, machte Paul einen Grog für Eli. Er bot auch Light einen an, aber der Scout schüttelte den Kopf. Krüger kehrte mit einem weiteren Fässchen auf der Schulter zurück, ließ sich von Paul einen Becher voll Grog geben und hockte sich abseits vom Feuer hin.

Sie waren alle müde und hungrig. Sie aßen kalten Fisch, der vom Frühstück übrig geblieben war, und heißen Maisbrei. Maggie und Light tranken Tee, während die anderen Swichel – ein Getränk aus heißem Wasser und Melasse – tranken. Danach nahm Krüger seine Decke und verschwand in Richtung Boot.

Paul badete Elis verletzten Fuß in warmem Wasser und begoss ihn dann mit Whisky, bevor sie sich neben dem erlöschenden Lagerfeuer hinlegten.

Light führte Maggie in die Zederngruppe hinein und warf ihre Decken auf ein dickes Bett aus Nadeln. Sie schmiegte sich eng an ihn, legte den Kopf an seine Schulter und fühlte sich warm und geborgen auf dem Lager, das er für die Nacht bereitet hatte.

»Ich werde morgen Gonoscheikraut für Elis Fuß suchen. Ich glaube, Krüger hat gehofft, er würde ertrinken. Er mag ihn überhaupt nicht. Er wird weglaufen und gemeine Dinge tun.«

Light hatte aufgehört, sie zu fragen, woher sie wusste, was geschehen würde. Seine Maggie besaß mystische Kenntnisse über Menschen, Tiere, Zeit und Orte. Sie war wirklich ein Kind der Mutter Erde.

»Aber du magst Eli, nicht wahr?« Sie beugte sich über Light, wobei ihre Nase die seine berührte und ihr Atem sich mit seinem vermischte. »Ich möchte, dass du ihn magst.«

Light schwieg länger als sonst und sagte dann: »Nielson? Es macht keinen Unterschied, ob ich ihn mag oder nicht.«

»Es wäre nett, wenn du es tätest.« Sie schmiegte das Gesicht wieder in die Biegung seines Halses.

Nie zuvor hatte Light Eifersucht empfunden. Schmerz durchzuckte seine Brust, und Fragen stiegen in ihm auf. Fühlte sich Maggie zu dem Mann hingezogen, weil er ganz und gar weiß war? Würde sie in den kommenden Jahren bedauern, dass sie ein Halbblut zum Mann genommen hatte?

»Schlaf ein, chérie.« Lights Stimme klang leicht ungeduldig.

Maggie gähnte an seinem Hals. »Möchtest du mich nicht auf unsere besondere Art lieben? Hmmm?« Ihre Hand glitt unter sein Hemd und streichelte seinen flachen Bauch.

»Ich möchte ... das immer, mein Schatz. Aber nicht dann, wenn du so müde bist, dass du die Augen kaum aufhalten kannst.«

»Ich bin nicht müde«, murmelte sie und gähnte.

Er lächelte und hob ihr Kinn an. Er küsste den weichen Mund und unterdrückte sein Verlangen, mit ihr das süßeste aller Vergnügen auszukosten.

»Dies war ein anstrengender Tag für uns beide. Gönn dir etwas Ruhe.«

Er hatte seine Worte kaum beendet, als Maggie auch schon eingeschlummert war. Light lag jedoch noch lange wach. Er hielt seine Frau in den Armen, seinen Liebling, der sich ihm völlig hingegeben hatte, und fragte sich, warum sie plötzlich Eli Nielson mochte und so besorgt um ihn war.

# Kapitel 8

Der Tag brach wie so oft nach einem Gewitter hell und klar an. Eli erwachte, als der Morgen graute. Sein Fuß war geschwollen und blau angelaufen, aber nicht gebrochen. Seine Kehle war rau und seine Stimmung düster.

Maggie und Light suchten das Gonoscheikraut und fanden es. Sie bereiteten einen Grog aus Whisky und Melasse, und Maggie überredete Eli, ihn zu trinken.

»Es wird Ihrer Kehle gut tun, Eli.«

Er nippte an dem heißen Getränk, während sie das Gonoscheikraut zerstampfte. Vermischt mit etwas Wasser wurde eine dicke Paste daraus bereitet, die sie auf das rohe Fleisch an Elis Knöchel schmierte. Er spürte sogleich die lindernde Wirkung des Heilkrauts.

Eli konnte Maggie während der Behandlung seines Fußknöchels näher betrachten. Ihre Haut war cremefarben und glatt wie Seide, die Lippen und Wangen waren von Natur aus rot. Ihre gleichmäßigen, weißen Zähne glänzten, wenn sie sprach, und wenn sie zu ihm aufblickte, berührten ihre Wimpern fast die Augenbrauen. Es waren jedoch ihre wunderschönen smaragdgrünen Augen, die ihn faszinierten. In ihnen spiegelte sich alles, was ihr Wesen ausmachte.

Bebend holte er tief Luft.

»O ..., habe ich Ihnen wehgetan, Eli?«

»Nein, Madame«, murmelte er und schaute zur Seite.

Light hatte das unheimliche Gefühl, beobachtet zu werden, als er auf einem Baumstumpf saß und die Rinde von einem jungen schlanken Hickorybaum schälte, den er als Stange benutzen wollte, um das Boot zu staken. Mehrere Male hielt er inne, um sich umzusehen und zu lauschen.

Jetzt, während er zu Mittag aß, stellte er seinen Blechteller plötzlich auf den Boden und griff zu seiner Waffe. Er stand auf und beobachtete aufmerksam den Waldrand an der Nordseite der Lichtung. Maggie, die auf jede Veränderung von Lights Stimmung reagierte, war sofort bereit zu handeln. Sie griff nach ihrem Bogen und Köcher und trat an seine Seite.

»Was ist?« Paul sprang auf und ergriff sein Gewehr.

»Jemand kommt.«

»Indianer?«, fragte Eli.

»Nein.«

Light setzte sich in Bewegung, und Maggie folgte ihm. Sie standen abseits von der Stelle, wo Eli gegen einen Baumstumpf gelehnt mit ausgestrecktem Bein saß. Während sie warteten, hörten sie, wie eine Männerstimme immer lauter wurde. Danach kamen hinter einem dichten Rosenbusch ein großer Mann und zwei Jungen hervor. Sie blieben stehen. Der Mann hob eine Hand zum Gruß.

»Hallo!«

»Hallo«, erwiderte Paul.

»Ich habe dafür gesorgt, dass Sie uns kommen hören. Ich wollte nicht plötzlich vor Ihnen auftauchen.«

»Treten Sie näher.«

Der Mann hatte ein breites, bärtiges Gesicht und einen von grauen Strähnen durchzogenen lockigen Haarschopf, der nach hinten gekämmt und nachlässig zusammengebunden war. Er trug ausgebeulte Hosen aus Segeltuch und ein Leinenhemd. In seinem Gürtel steckte eine Pistole. Die Hand, die das Steinschlossgewehr hielt, schien stark genug, um einen Ochsen mit einem einzigen Hieb zu betäuben. Er trat einen Schritt vor seine beiden jungen Gefährten. Mit seinen scharfen blauen Augen, die unter buschigen Brauen hervorlugten, musterte er den Lagerplatz.

»Mein Name ist James MacMillan.«

»Paul Deschanel.« Paul streckte die Hand aus. »Eli Nielson«, sagte er und deutete auf Eli, dann auf Light und Maggie: »Mr Lightbody und seine Frau.«

MacMillan verbeugte sich vor Maggie. Er hatte einen mächtigen Oberkörper, lange Arme und zu kurze Beine für einen Mann seiner Größe. Er war barhäuptig, aber die beiden jungen Burschen, die ihn begleiteten, trugen breitkrempige Hüte, die sie bis zu den Ohren herabgezogen hatten. Ihre Segeltuchhosen waren viel zu groß für ihre gertenschlanken Körper. Jeder von ihnen trug eine Feuerwaffe. Pulverhörner baumelten von ihren Schultern herab, und Taschen mit Gewehrkugeln hingen an ihren Gürteln.

»Meine Kinder Aee und Bee. Ich habe noch drei weitere: Cee, Dee und Eee. Eff befindet sich noch im Bauch der Mutter, aber ich schätze, ich werde ihn Frank nennen.« Er erklärte all dies ohne das leiseste Lächeln.

Maggie trat ganz nahe an Light heran und schob eine Hand in seine, um seine Aufmerksamkeit zu bekommen.

»Das sind keine Jungen«, flüsterte sie.

Light hatte bereits die schmalen Schultern und die schlanken Finger, die die Läufe der Kentuckybüchsen umspannten, bemerkt. Die Büchsen standen mit den Kolben nach unten auf dem Boden, die Enden der Läufe dagegen befanden sich fast in Kopfhöhe der beiden jungen Leute. Die dunklen geraden Augenbrauen und die hohen Wangenknochen deuteten auf indianisches Blut – vielleicht nicht zur Hälfte, sicherlich aber zu einem Viertel – hin.

Während Light dieser Gedanke durch den Kopf schoss, ließ Maggie seine Hand los und ging zu den beiden Mädchen. Sie hatte ihre zusammengerollte Peitsche über die eine Schulter und den Bogen über die andere gehängt. Der Ledergürtel, der ihre Taille eng umspannte, um ihr Hemd straff zu halten, betonte ihre weichen Brüste. Obwohl sie bewaffnet war, wirkte sie sehr weiblich. Ihr knöchellanger Rock wirbelte um die kniehohen Mokassins, als sie sich ihnen näherte.

»Ich bin Maggie.« Sie blieb einige Meter vor den beiden stehen und musterte sie. Eines der Mädchen sah sie direkt an, das andere hatte den Kopf so tief gesenkt, dass Maggie nur den Hut sehen konnte.

»Ich bin Aee.«

»Das ist ein komischer Name.« Maggie trat hinter die Mädchen und betrachtete sie neugierig.

Aee drehte sich um und schaute Maggie an.

»Warum möchtest du nicht, dass ich dich von hinten sehe?«, fragte Maggie.

»Warum möchtest du es denn?«

Maggie zuckte die Schultern. Sie ging ganz um das Mädchen herum und bückte sich, um dem anderen Mädchen ins Gesicht zu sehen.

»Ist sie älter als du?«

»Nein.«

»Redet sie nicht?«

»Ein wenig.«

»Was für hässliche Hüte ihr tragt.«

Die Miene des Mädchens verriet, dass es sich ärgerte, aber es antwortete nicht.

»Du bist eine Indianerin«, sagte Maggie.

»Ich schäme mich nicht dafür«, erwiderte Aee wütend.

Maggie lächelte.

»Mein Mann ist Indianer.« Sie drehte sich um und schaute den schlanken Scout, der Mr MacMillan aufmerksam musterte, liebevoll an. »Seine Ma war eine Osage. Sein Pa war Franzose. Light und ich haben auf einem Felsvorsprung in der Nähe von St. Charles geheiratet.«

Aee sah an ihr vorbei zu dem Mann mit dem scharf geschnittenen Gesicht, der Lederkleidung trug und abseits von ihrem Vater und den anderen stand. Sie war sich vom ersten Moment an sicher gewesen, dass er ein Halbblut war, aber nun, da sie wusste, zu welchem Stamm er gehörte, betrachtete sie ihn mit größerem Interesse.

Maggie merkte das und starrte das Mädchen argwöhnisch an.

»Er ist mein Mann«, sagte sie schroff.

Aee wandte ihren Blick wieder Maggie zu, die mit gerunzelter Stirn dastand, und nickte.

»Ich will ihn nicht haben«, erwiderte Aee genauso schroff.

»Selbst wenn du wolltest, könntest du ihn nicht haben.«

Sie würde sowieso keine Chance haben, solange diese Frau in der Nähe war, dachte Aee. Sie benahm sich sonderbar, aber sie war so hübsch, dass einem beinahe die Augen wehtaten, wenn man sie ansah. Verhielten sich Frauen so, wenn sie in der Nähe anderer Menschen lebten? Aee hatte in ihren siebzehn Jahren kaum mehr als zwei Dutzend andere weiße Frauen gesehen. Alles, was sie über die Außenwelt wusste, kannte sie nur aus den Erzählungen ihrer Ma oder ihres Pa.

»Möchtest du sehen, wie ich meine Peitsche gebrauche? Ich kann mit ihr einen Zweig von dem Stumpf da hinten abschlagen.« Maggie zeigte auf einen etwa vier Meter entfernten Baumstumpf.

»Wenn du möchtest.« Aee hob unschlüssig die Achseln.

»Ich werde es tun, wenn du diesen hässlichen Hut abnimmst und ich dein Haar sehen darf.«

Wieder spiegelte sich Ärger im Gesicht des Mädchens mit den sanften braunen Augen. Mit zusammengepressten Lippen riss sie den Hut vom Kopf und warf ihn zu Boden. Zwei dicke dunkelbraune Zöpfe baumelten über ihre Schultern.

»Fräulein, du bringst mich auf die Palme!«

»Ich heiße Maggie.« Maggie lächelte und beachtete ihren Ärger überhaupt nicht. »Du bist hübsch.«

Aee starrte mit offenem Mund diese mehr als hübsche Frau an, die ihr gesagt hatte, sie sei hübsch.

»Du ... machst wohl Witze.«

»Warum sollte ich das tun? Du bist eine der hübschesten Frauen, die ich je gesehen habe – nach mir.« Maggie sagte das so arglos, dass das Mädchen sie weiterhin nur fassungslos anstarren konnte.

»Hast du schon viele Frauen gesehen?«

»Mehr als mir lieb ist. Die meisten Frauen sind boshaft. Ich glaube nicht, dass du so bist.«

»Warum?«

»Ich weiß nicht.« Maggie zuckte die Schultern. »Light – so heißt mein Mann. Sein Name ist Baptiste Lightbody, aber jeder nennt ihn Light. Er hat gesagt, ich solle Menschen meiden, die boshaft sind. Er hat mir gezeigt, wie ich die Peitsche gebrauchen muss, wenn ich in Bedrängnis bin. Ich beherrsche sie jetzt besser als er.«

In der Stille, die über der Lichtung lag, erklang Maggies Lachen so klar und süß wie der Gesang eines Vogels. Sie richtete ihre blitzenden Augen auf ihren Mann.

»Es ist das Einzige, was ich besser kann. Light kann alles andere besser als ich. Du solltest sehen, wie er Messer wirft. Mein Pa schwört, dass er einem Eichelhäher einen Pickel vom Hintern wegschießen kann.«

»Nein. Das glaube ich nicht.«

Als Light sah, dass Maggie sich freundlich mit den Mädchen unterhielt, wandte er dem Gespräch zwischen den Männern wieder seine Aufmerksamkeit zu. Paul hatte MacMillan geheißen, Platz zu nehmen.

»Die Frau hat heute früh Gonoschei gesammelt. Ich schätze, Sie haben einen Verletzten.«

Light war plötzlich unbehaglich zumute, als er hörte, dass er heimlich beobachtet worden war. Er hatte das Gebiet genau erkundet, bevor er Maggie gestattet hatte, nach dem Heilkraut zu suchen.

»Sein Fuß blieb im Fluss an einem Hindernis hängen«, erklärte Paul.

»Es hat Sie schlimm erwischt. Es ist gut, dass Sie die Sandbank verlassen haben. Das Wasser des Flusses sinkt hier schnell. Sie hätten auf dem Trockenen gesessen. Mir ist das mal passiert. Es dauerte ewig, ehe ich wieder loskam.«

»Ihnen entgeht so gut wie nichts, nicht wahr?« Paul sah an ihm vorbei zu Maggie, die mit MacMillans Kindern sprach.

»Wenn das nicht der Fall wäre, so hätte ich nicht überlebt. Ich bin schon fast fünf Jahre hier.«

»Fünf Jahre?« Eli schien beeindruckt. »Sie waren hier, als Clark auf diesem Fluss zurückkehrte?«

»Sicher war ich das. Er war erstaunt, dass ich hier siedelte.« MacMillan lachte leise. »Ich betrieb schon damals regen Tauschhandel.«

»Wirklich?«, fragte Eli. »Womit handeln Sie? Wir könnten miteinander ins Geschäft kommen.«

»Biber, Bisamratte, Tierhäute, Whisky, Salz. Ich bin auf ein reiches Salzvorkommen in einer Höhle gestoßen. Eines Tages wird dort vielleicht ein tiefes Salzbergwerk sein. Die Leute brauchen immer Salz. Für manche ist es fast wie Gold. Trapper benutzen es zum Gerben von Leder und zum Haltbarmachen von Tierfellen. Auch die Indianer lernen es zu verwenden. Salz verhindert, dass ihnen Fleisch und

Fisch verdirbt. Siedler benötigen es zum Einpökeln von Schweinefleisch. Sie befördern Waren flussaufwärts nach Bellevue?«

»Ja«, antwortete Eli. »Werkzeuge, Stoffe, Whisky und Salz.«

MacMillan lachte. »Ich hatte gehofft, Sie hätten Tabak dabei. Mir ist er schon vor einer Weile ausgegangen.«

»Wir haben auch Tabak.«

»Ja? Vielleicht können wir ins Geschäft kommen, bevor Sie weiterfahren.«

Paul nahm seine Mütze ab und kratzte sich am Kopf. »Monsieur, leben Sie nicht ein wenig zu dicht an den Delaware dran, um sich wohlfühlen zu können?

»Ein bisschen. Aber sie belästigen uns so gut wie nie. Sie glauben nämlich, dass es hier spukt. Ab und zu gebe ich ihnen Salz und ein wenig Whisky. Ich hab auf meinem Land ein kleines Gerstenfeld angelegt und 'ne Destille.« MacMillan schaute neugierig zu Light, der bislang noch kein Wort gesagt hatte. »Sie haben eine sehr gut aussehende Frau. Meine Mädchen waren wirklich aufgeregt, als sie sie sahen. Sie haben bisher kaum eine Hand voll weißer Frauen zu Gesicht bekommen.«

»Woher stammen Sie, Mr MacMillan?«, fragte Eli.

»Als ich ein kleiner Junge war, sind meine Eltern von irgendwo in Ohio nach Kaskaskia gekommen. Mein Pa hielt sich nie gern in der Nähe von vielen Leuten auf. Ich schätze, ich bin nach ihm geraten. Ich habe mir eine Frau genommen, habe den Fluss überquert und bin eine Weile mit den Leuten meiner Frau umhergestreift. Später trafen wir Old Daniel Boone und siedelten eine Weile auf einem Stück Land in seiner Nähe. Dann kamen neue Leute dorthin und plünderten uns aus. Lebt der alte Daniel noch?«

Eli und Paul blickten Light fragend an.

»Ich habe noch nicht gehört, dass er gestorben ist«, antwortete Light, wobei er an MacMillan vorbeisah.

Krüger, der mit einer Axt auf der Schulter vom Fluss heraufgekommen war, stand, die Augen unverwandt auf Maggie und die beiden Mädchen gerichtet, da, als ob er sich in Trance befand. Er hatte seinen auf breiten Schultern ruhenden Kopf weit vorgestreckt, und es war offensichtlich, dass er vom Anblick der Frauen völlig gefesselt war.

MacMillan folgte Lights Blick und sah einen großen glatzköpfigen Mann, der unverfroren seine Mädchen und die Frau des Scouts musterte. Sein muskulöser Körper straffte sich, während Krüger die Frauen weiterhin anstarrte. Eine ganze Minute lang herrschte unbehagliche Stille, bevor der Siedler sprach.

»Sie da, ich mag es nicht, wie Sie meine Mädchen angaffen.«

Krüger drehte seinen kugeligen Kopf, um MacMillan anzusehen. Seine Augen funkelten gefährlich. Er bleckte die Zähne und knurrte:

»Verdammt! Ich pfeife darauf, was du magst oder nicht magst. Es sind Mischlinge, nicht wahr?«

MacMillan fluchte. »Halt dein dreckiges Maul und bleib hübsch höflich!«

»Mein Gott!«, sagte Krüger verächtlich schnaubend. »Es ist klar wie die Sünde. Es sind halbblütige Huren.«

Den Worten des Deutschen folgte eine peinliche Stille.

»Krüger! Der Teufel soll dich holen!« Eli rappelte sich hoch.

MacMillan legte die zwei Schritte zu dem Baumstumpf zurück, an den er seine Muskete gelehnt hatte. Seine Tochter Aee sprang zu ihm und packte ihn am Arm.

»Er ist es nicht wert, Pa. Lass uns gehen.«

Krügers glitzernde Augen glitten über das Mädchen. Er fluchte unanständig auf Deutsch, warf MacMillan einen frechen Blick zu und kehrte ihm den Rücken.

»Gehört dieser Hurensohn zu Ihnen?« MacMillan drehte sich um, nachdem Krüger im Wald verschwunden war.

»Wenn er weiter so um meine Mädchen herumstreicht, werde ich ihn erledigen.« MacMillan schwieg eine Weile und sagte dann drohend, »Es würde nicht zum ersten Mal geschehen.«

»Sie wären völlig im Recht. Wir werden uns davonmachen, sobald wir das Boot wieder flott haben.« Eli stand auf einem Fuß und stützte sich mit der Hand auf Pauls Schultern.

»Dieses verdammte notgeile Pack«, schimpfte MacMillan und hatte seinen Blick auf die Stelle gerichtet, wo Krüger im Wald verschwunden war.

»Pa, Pa –« Aee zog ihren Vater am Ärmel, um seine Aufmerksamkeit auf sich zu lenken. »Vergiss nicht, dass Ma gesagt hat, du könntest sie morgen zu uns zum Essen einladen ... wenn es anständige Leute sind.« Aee hatte das leise zu ihrem Vater gesagt, aber alle hatten ihre Worte gehört.

MacMillans Miene entspannte sich, als er zu seiner Tochter herabsah.

»Ja, das hat sie gesagt. Meine Frau denkt, dass die Kinder mehr Leute sehen sollten«, erklärte er Eli. »Eine ganze Weile schon war niemand da, den ich mit ins Haus hätte bringen können.«

»Wir könnten ein Kanu herbringen – für ihn.« Aee blickte zu Eli und dann wieder zu ihrem Vater.

»Ich danke Ihnen für die Einladung, falls eine ausgesprochen wird, aber ich werde bei meiner Ladung bleiben.« Elis Augen glitten über Aee, bevor er sich wieder hinsetzte.

»Sie denken, jemand wird sich damit davonmachen? An diesem Fluss tut sich nichts, was ich nicht weiß. Wie hätte ich sonst wissen können, dass Sie hier sind?«

Aee fasste sich ein Herz und lud Light und Maggie im Namen ihrer Mutter ein.

»Ma würde sich freuen, wenn Sie zu uns zum Mittagessen kommen könnten.«

»Können wir, Light? Ich mag Aee. Ich mag auch Bee, aber sie will nicht mit mir sprechen.« Maggie umklammerte seinen Arm und sah ihn bittend an. Light bedeckte ihre Hand mit seiner, bevor er antwortete:

»Monsieur, meine Frau und ich nehmen Ihre Einladung gern an.«

»Sie sind auch willkommen«, sagte Aee zu Paul.

Paul lüftete seine Mütze und verbeugte sich. »Ich danke Ihnen, Mademoiselle, aber vielleicht wäre es besser, wenn ich bei meinem Freund bleiben würde.«

Aee zuckte die Schultern. »Machen Sie, was Sie wollen.« Sie blickte kurz zu Eli. »Ich wohne eine Meile von hier flussaufwärts«, sagte MacMillan zu Light. »Sie werden mein Haus ohne Schwierigkeiten finden.«

»Würden Sie mir ein Kanu verkaufen?«, fragte Light unvermittelt.

Der Siedler sah Light prüfend an, bevor er antwortete.

»Vielleicht. Wir werden morgen darüber sprechen.« Ohne ein weiteres Wort ging er zu seinen Töchtern, und sie folgten ihm zum Rande der Lichtung. Aee blickte noch einmal zurück, dann verschwanden sie im Wald.

Am späten Nachmittag war das Loch im Boden des Bootes repariert. Während Krüger ein Stück Holz bearbeitete, das er für das Steuerruder ausgesucht hatte, schleppten Paul und Light die Ladung zurück aufs Flachboot und verstauten sie in der Kajüte.

Light hatte mit Pfeil und Bogen einen fetten Truthahn erlegt. Der Vogel briet langsam über einem kleinen Feuer. Maggie saß mit gekreuzten Beinen davor und legte Holzstöckchen nach. Jedes Mal, wenn Light kam, um eine Last hochzuheben, nahm er mit seinen dunklen Augen wahr, dass seine Maggie in ein ernstes Gespräch mit Eli Nielson vertieft war.

Ungeachtet dessen, was um ihn herum geschah, ließ der Bootsführer aus Ohio Maggie nie aus den Augen. Light war klar, dass Nielson von seiner Frau fasziniert war, und konnte ihm das nicht verübeln.

Maggie übte auf Männer eine magische Anziehungskraft aus, ohne dass sie das wollte. In all ihrer Unschuld schien sie sich nicht bewusst zu sein, dass sie damit den Grund für Probleme legte.

»Finden Sie Aee schön?«, fragte Maggie Eli, während Light vom Ufer zum Flachboot ging.

»Sie ist ... hübsch.« Er zuckte die Schultern.

»Hübsch? Sie ist fast so schön wie ich. Ich wünschte, ich wäre überhaupt nicht schön«, sagte sie mit einem Seufzer. »Es bringt Light nur Ärger. Er wird Krüger töten müssen.«

»Hat Otto sie belästigt?«

»Er hat das vor. Er wird es früher oder später tun. Er wird sich auch an Aee oder Bee vergreifen, wenn er kann.«

»MacMillan kann auf seine Frauen aufpassen. Es scheint, dass er es schon oft mit Bootsleuten zu tun hatte.«

»Er mochte Krüger nicht. Ich mag ihn genauso wenig. Er ist ein elendes Schwein«, erklärte sie und fügte hinzu: »Sie und Paul sind nicht wie er.«

»Danke.«

»Jeffersons Halbbruder hat versucht mich zu vergewaltigen. Light hat ihn getötet. Er wird auch Krüger töten.«

»Wie können Sie das wissen?«

»Wenn er es nicht meinetwegen tut, dann wird er es aus einem anderen Grund tun. Krüger ist schlecht.«

»Vielleicht wird Otto Light töten.«

»Das wird er nicht«, sagte Maggie voller Überzeugung.

»Aber wenn er es täte, würden Sie allein sein.«

»Ich würde ihn töten ... langsam, mit meinem Messer und mit meiner Peitsche«, stieß sie zwischen zusammengebissenen Zähnen hervor.

Aus den Augenwinkeln sah Eli den Scout eine Weile trödeln, bevor er eine Last aufnahm, um sie zum Boot zu bringen. Grollte Lightbody etwa, weil seine junge Frau Zeit mit ihm verbrachte? Ehrlicherweise gestand Eli sich ein, dass der Mann wohl ein Recht darauf hatte, eifersüchtig zu sein. Er wartete, bis er sicher war, dass Lightbody sich außer Hörweite befand, bevor er sprach.

»Wie haben Sie Light kennen gelernt?«

»Auf dem Fluss. Unser Floß geriet in eine Strömung. Er hat uns gerettet.«

»Kannten Sie seine Eltern?«

»Nein. Sie wurden meines Wissens schon vor langer Zeit getötet. Er hatte vor mir auch schon eine Frau. Sie wurde ebenfalls getötet. Light liebt mich mehr als sie.«

»Wieso glauben Sie das?«

Maggie runzelte die Stirn. »Er nennt mich seinen Schatz.«

»Hat er Ihnen gesagt, dass er Sie mehr liebt?«

»Nein. Ich weiß es einfach.«

»Es ist weit bis zu den Bluffs —«

»Die Bluffs? Wo sind die denn? Light sagte, wir werden bei den Osage überwintern, und sobald der Schnee schmilzt, werden wir zu seinem Berg ziehen und dort für immer bleiben.«

Eli hob erstaunt die Augenbrauen. »Wo ist das?«

»Lights Berg? Light weiß, wo er ist«, sagte Maggie aufgebracht. »Er wird dort weit weg von allen gemeinen Menschen ein Haus für uns bauen.«

»Stammte sein Pa oder seine Ma von Franzosen ab?«, fragte Eli leise.

»Sein Pa.«

»Woher kam er?«

»Ich weiß nicht. Er stellte Fallen und handelte mit den Osage ...«, sagte Light.

»Seine Ma?«

»– war eine Prinzessin. Ihr Pa war der Häuptling«, sagte Maggie stolz. »Eine Osageprinzessin. Light hatte eine Schwester. Sie starb zusammen mit seiner Ma.«

Eli nickte ernst. Die einzige Neuigkeit, die er von Maggie erfahren hatte, war, dass sie zu einem Berg unterwegs waren und dass Light ihr nichts von den Bluffs erzählt hatte. War es möglich, dass er nicht dorthin reiste? Eli wollte Maggie zum Weiterreden bringen, und da er selbst nicht sehr gesprächig war, hatte er Mühe, etwas zu sagen, ohne direkte Fragen zu stellen.

»Ihre Eltern werden Sie vermissen.«

»Ja, bestimmt.« Sie neigte den Kopf, und einen Augenblick lang blickten die smaragdgrünen Augen traurig. »Ich habe ihnen nur Sorgen bereitet. Armer Pa. Die Leute waren gemein zu ihm und zu Ma ... meinetwegen. Ich war ihr einziges Kind, aber Onkel Lube Gentry, Pas Bruder, hat viele Kinder. Ma wird sich nicht einsam fühlen. Pa hat mich Light gegeben, damit er auf mich aufpasst.«

»Dich ihm gegeben?«

»Light hätte mich nicht mitgenommen, wenn Pa nicht gesagt hätte, ich könne gehen.«

»Sie haben in St. Charles geheiratet?«

»Nein. Light versprach Pa, dass wir heiraten würden. Wir haben am ersten Tag auf einem Felsvorsprung über dem Fluss geheiratet. Light versprach mir, mich zu lieben und zu beschützen, solange er lebt. Gott war sein Zeuge. Ich habe die Worte auch gesprochen.«

»Sie haben nicht vor einem Mann Gottes oder ... einem Friedensrichter oder einem Zeugen gestanden?«

»Gott war unser Zeuge. Ich habe Ihnen das bereits gesagt.«

»Niemand war da?«

»Ich und Light waren da. Wir brauchten sonst niemanden.«

»Dann sind Sie nicht legal verheiratet.«

»Legal? Was heißt das?«

»Das heißt, dass das Gesetz vielleicht nicht anerkennt, dass Sie verheiratet sind.«

»Das sind wir aber! Mich kümmert das Gesetz nicht!« Maggie stand auf, stemmte die Hände in die Hüften und starrte ihn an. »Weshalb sagen Sie so etwas, Eli? Wir haben uns vor Gott die Ehe versprochen.«

»Gewöhnlich werden Leute von einem Geistlichen oder einem Friedensrichter vermählt, und das wird registriert.« Eli zog verwirrt die Brauen zusammen.

»Warum?«

»So will es das Gesetz.«

»Light hat mich zur Frau genommen. Mir gefällt nicht, dass Sie so etwas sagen, Eli.«

»Ich meinte nur, dass ...« Eli wusste, dass er einen Fehler gemacht hatte. Ihre Liebe zu Lightbody war tiefer, als er angenommen hatte. Er suchte nach

Worten, um das Gespräch weiterzuführen. Dann sagte er: »Setzen Sie sich bitte wieder hin und erzählen Sie mir, woher Sie von der Heilkraft des Gonoscheikrauts wissen.«

# Kapitel 9

Die ineinander greifenden Zweige in den Wipfeln der hohen Ulmen bildeten ein Dach über dem Waldpfad. Die Kreatur, die dort oben saß, beobachtete mit starrem Blick Light und Maggie, die das Lager verließen und durch den Wald zu MacMillans Anwesen gingen. Sicher und leicht sprang die Kreatur von einem Ast zum anderen, um ihnen zu folgen.

Am Morgen hatte das Wesen zugesehen, wie der Mann mit dem verletzten Fuß mit Hilfe eines Stockes im Lager umherhumpelte und der glatzköpfige Mann mit einem breiten Beil ein Steuerruder für das Boot zurecht hieb. Die Blicke des Glatzkopfes wanderten oft zu der Frau, die sich von ihm fern hielt. Die Kreatur bewunderte, wie ausdauernd sie mit der Peitsche und dem Messer übte, während ihr Mann in der Nähe saß und ihre Habe umpackte. Die Frau schien unermüdlich in ihren Bemühungen, ihr Können zu perfektionieren.

Ihr Mann war ohne Zweifel ein Halbblut, während in ihren eigenen Adern kein Indianerblut floss. Ihre Haut war trotz der Sommersonne noch erstaunlich weiß. Das Wesen konnte keinen Makel an ihrer Schönheit entdecken. Ihr nachtschwarzes Haar umrahmte in kleinen Löckchen ihr Gesicht und reichte bis zur Mitte ihres Rückens. Sie strich sich das Haar ständig aus der Stirn, bis ihr Mann es ihr im Nacken mit einem Riemen zusammenband. Er bewachte sie, als sei er am Verhungern und sie sein letztes Mahl.

Als die Kreatur die Frau aus größerer Nähe betrachten wollte, tat sie hoch oben im Wipfel der riesigen Ulme plötzlich einen Fehltritt, und ein Stück trockener Rinde fiel hinunter. Das Wesen huschte zurück ins schützende Laub und lugte durch das Blätterdach hindurch auf das Paar.

Light blieb stehen und packte Maggie am Arm, um sie ins dichte Unterholz zu ziehen. Seine scharfen dunklen Augen suchten die Äste über ihren Köpfen ab, nahmen aber nur die Bewegung der Blätter wahr.

»Was ist?«, fragte Maggie flüsternd.

Light antwortete mit einem Kopfschütteln.

Es war vollkommen still. Nicht einmal ein Vogel rührte sich in den Bäumen über ihnen. Nachdem sie einige Minuten gewartet hatten, bis die Vögel wieder zwitscherten, kam Light zu dem Schluss, dass sie wohl nur die Aufmerksamkeit eines neugierigen Waschbären erregt hatten. Er zog Maggie von dem Tierpfad weg, dem sie gefolgt waren, und beide huschten leise durch den Wald, der an den Fluss grenzte.

Das Wesen, dessen Gesicht so grotesk aussah, dass es dem eines Menschen kaum ähnelte, drehte sich so, dass es mit seinem starren Auge das Paar verfolgen konnte, bis es nicht mehr zu sehen war.

MacMillans Haus stand auf einer Lichtung, die vom Fluss aus nicht zu sehen war. Light war sich nicht sicher, was er zu finden erwartet hatte, aber gewiss kein Anwesen, das als so dauerhafte Wohnstätte angelegt war wie dieses hier. Mehrere Gebäude von unterschiedlicher Größe standen in einiger Entfernung vom Haus. Büsche der Osagepflaume waren um einen Küchengarten herum gepflanzt. Die dichten Sträucher bildeten eine undurchdringliche Hecke, die den Garten vor wild lebenden Tieren schützte. Auf dem Land, welches das Gehöft umgab, war alles Gestrüpp gerodet worden, so dass kein Feind sich nähern konnte, ohne entdeckt zu werden.

Das Haus war in Pfahlbauweise errichtet: Baumstämme standen senkrecht dicht an dicht in Gräben, und die Zwischenräume waren mit Lehm zugeschmiert. Das Dach war mit Schindeln statt mit Stroh gedeckt. Die Mittagssonne beschien zwei Glasfenster – ein rarer Luxus so fern aller Zivilisation. Wilde Kletterrosen rankten sich an den steinernen Schornsteinen empor, die an beiden Enden des Hauses das Dach überragten. Ein schwarzer Waschtrog stand im Hof, und eine feste Wäscheleine war von der Hausecke bis zum nächsten Baum gespannt.

In dieser Gegend, wo ein Mann mit zwei Maultieren und einem Wagen als wohlhabend galt, war MacMillan offensichtlich ein sehr reicher Bürger.

»Können wir auf unserem Berg nicht ein Heim wie dieses haben, Light? O, sieh nur, sie haben einen Brunnen im Hof.«

Lights scharfe Augen entdeckten eine Bewegung in der Nähe eines offenen Gebäudes und sahen, wie ein Schwarzer mit nacktem Oberkörper darin verschwand.

Als Maggie und Light sich dem Haus näherten, trat MacMillan heraus, um sie zu begrüßen. Ihm folgte seine schwangere Frau; sie war groß und grob-knochig und hatte glänzendes dunkles Haar, das in der Mitte gescheitelt und in Schnecken aufgerollt und hochgesteckt war. Trotz der Last in ihrem Bauch ging sie sehr aufrecht. MacMillan kam lächelnd in den Hof.

»Willkommen in unserem Haus.«

»Es ist uns ein Vergnügen, hier zu sein«, antwortete Light.

Maggie, ungeduldig wie ein Kind, lächelte Mac-Millan zu und fragte:

»Wo ist Aee?«

»Sie freut sich, dass Sie kommen, Mrs Lightbody.«

Maggie ließ Lights Hand los und ging zu der Frau, die neben der Tür stand.

»Hallo.«

Die große Frau sah zu ihr hinab und lächelte: »Hallo.«

»Miz Mac«, sagte der Siedler hinter Maggie. »Das sind Mr Lightbody und seine Frau.«

»Willkommen in unserem Haus.« Sie wiederholte die Worte ihres Mannes.

»Madame«, erwiderte Light und nickte höflich.

»Wo sind Aee und Bee?«, fragte Maggie.

In der Tür erschienen plötzlich lauter Kinder. Nacheinander betraten sie scheu den Hof, das kleinste zuerst. Sie trugen alle frisch gebügelte selbst gewebte Kleider mit kleinen weißen Kragen. Ihr Haar war adrett gekämmt und geflochten, und ihre Haarfarben reichten von dunkel bis goldbraun. Als sie in einer Reihe standen, stellte MacMillan sie stolz vor.

»Unsere Töchter Aee, Bee, Cee, Dee und Eee.«

Light verbeugte sich leicht: »Mesdemoiselles.«

Maggie klatschte in die Hände. »O! Sie sind alle so hübsch.« Sie kicherte leise und sah Mrs MacMillan lächelnd an. »Nicht eines von ihnen ist hässlich, Madame.«

Light warf einen kurzen Blick auf MacMillan und seine Frau, um zu sehen, wie sie auf Maggies Bemerkung reagierten. Er war erleichtert, als er sah, dass MacMillan voll Stolz strahlte und seine Frau Maggie anlächelte.

»Danke, Mrs Lightbody. Wollen Sie nicht hereinkommen?« Sie wandte sich ihrem Mann zu. »Das Essen ist fast fertig, Mr Mac. Warum setzt du dich nicht mit Mr Lightbody in den Schatten, bis ich euch rufe. Du kannst ihm heute Nachmittag alles zeigen.«

»Gern, meine Liebe.« MacMillan winkte Light zu einer Bank unter einer riesigen Ulme. »Mir ist der Tabak ausgegangen. Sonst würde ich Ihnen anbieten, eine Pfeife mit mir zu rauchen.«

Light blickte in den Wipfel der Ulme, der den ganzen Himmel zu bedecken schien. »Ist es nicht ein Wunder?«, fragte MacMillan, Lights Augen folgend. »Es gibt keine andere weit und breit, die ihr gleichkäme. Sie ist über achtzig Meter hoch.« Er klopfte an den Stamm. »Er muss fast drei Meter dick sein.«

Light nickte. Es fiel ihm schwer, sich mit jemandem zu unterhalten, ohne dass es etwas zu bereden gab.

Nach längerem Schweigen fragte MacMillan: »Sie wollen zu den Bluffs?«

»In die Berge im Westen.«

»Ich habe gehört, die Berge ragen bis zum Himmel. Ein Gefährte von Clark sagte, es sei die schönste Aussicht, die er jemals gehabt hätte. Die Biber würden ganz nah herankommen, um hallo zu sagen.«

»Wie weit ist es bis zu der Stelle, wo der Fluss nach Nordwesten abbiegt?«

»Sie wollen nicht zu den Bluffs, eh?« MacMillan lachte verschmitzt. »Ich habe mich sowieso schon gefragt, warum Sie sich diesem Haufen angeschlossen haben. Ich schätze, Sie wussten, dass vier Männer nicht imstande sind, diese Ladung bis zu den Bluffs zu befördern.« Als Light schwieg, fuhr MacMillan fort: »Noch weiter oben muss getreidelt werden. Acht bis zehn Männer braucht man dafür – und für die Abwehr des Gesindels oberhalb der Flussbiegung. Wohin Sie auch wollen, für Sie wäre es das Beste, wenn Sie mit einem Kanu weiterfahren würden und ihn und den deutschen Kerl los wären.«

»Mir wurde gesagt, dass das Gebiet zwischen hier und den Bergen zum großen Teil Osageland ist«, sagte Light und ignorierte MacMillans Ratschläge.

»Ja, das stimmt. Sind Sie Osage?«

Light nickte.

»Die Mutter meiner Frau war auch eine Osage, ihr Vater war Bootsführer aus Pittsburgh. Er war der ekelhafteste Bastard, der je den Ohio herunterkam. Nachdem Light wiederum schwieg, sagte MacMillan: »Miz Mac als Osage half mir, hier festen Fuß zu fassen. Prima Leute, die Osage. Behandelst du sie fair, sind sie auch fair zu dir«, fügte er hinzu.

Maggies Lachen schallte aus dem Haus. Beide Männer blickten in ihre Richtung.

»Dieser glatzköpfige Bastard ist hinter Ihrer Frau

her«, sagte MacMillan ruhig. Lights schwarze Pupillen verengten sich, aber er antwortete nicht. »Von Zeit zu Zeit habe ich schon einmal so einen wie ihn gesehen. Solche wie er geben nicht auf, sobald sie sich eine Frau in den Kopf gesetzt haben. Nicht einmal eine Indianerin würde ihm passen, nachdem er gesehen hat, was er unbedingt haben will. Ich schätze, Sie wissen, dass Sie ihn früher oder später töten müssen.«

»Da haben Sie wohl Recht.«


Maggie war selten mit Frauen zusammen gewesen, die sie so bereitwillig akzeptierten wie die MacMillans. Sie schienen keinen Anstoß daran zu nehmen, dass sie das Haus durchstreifte und überrascht aufschrie, als sie die Standuhr, die Blechteller und die geflickte Steppdecke erblickte, die über das Bett gebreitet war.

»Ist das hübsch«, rief sie und fuhr mit der Fußspitze über den fest gestampften Lehmboden. »Schläfst du hier, Aee?«

»Pa und Ma schlafen hier. Wir schlafen dort.« Sie zeigte auf das Zimmer, das durch eine halbe Querwand von der Stube getrennt war.

»Kann ich es sehen?«

»Ich denke schon«, antwortete Aee, nachdem ihre Mutter ihr zugenickt hatte.

Aee führte Maggie in ihr Zimmer. Ihre Schwestern, die von den Besuchern offensichtlich fasziniert waren, folgten.

»Wie hübsch«, rief Maggie. Sie ging hinüber und setzte sich auf das breite Brett, das als gemeinschaftliches Bett für die Mädchen diente. »Schlaft ihr alle hier?« Ohne die Antwort abzuwarten, sagte sie: »Ich schlief daheim auf einer Decke. Pa wollte mir ein Bett bauen ... irgendwann.«

Das jüngste Mädchen, ein Kind von drei oder vier Jahren, kam zu Maggie, um sich an ihre Knie zu lehnen und sie anzusehen. Maggie lächelte vor Freude.

»Du heißt Eee, nicht wahr?«

»Ja. Ich kann auf dem Kopf stehen.«

»Das kannst du?«

»Soll ich es dir zeigen?«

»Wenn du magst.«

»Nicht jetzt, Eee. Es ist Zeit, zu Mittag zu essen«, sagte Aee. Danach zu Maggie gewandt: »Sie ist ein Wildfang. Ma hat gesagt, sie sollte eigentlich ein Junge sein.«

»Was ist ein Wildfang?«

Aee runzelte die Stirn und fragte sich, ob es möglich sei, dass sie mehr wusste als diese Frau.

»Das bedeutet, dass sie sich wie ein Junge verhält ... manchmal.«

»Und das ist schlecht?«, fragte Maggie. Das kleine Mädchen ergriff ihre Hand.

»Ich habe ein zahmes Huhn. Ich werde es dir zeigen, wenn du nicht fortgehst.«

»Sie geht nicht fort ... noch nicht.« Bee stieß die Worte hervor und wurde dann puterrot, als Maggie sie ansah und rief:

»Du kannst ja sprechen!«

»Natürlich kann sie das. Sie ist schüchtern, das ist alles«, sagte Aee und ging zur Tür.

Die Kinder der MacMillans waren wohlerzogen, obwohl sie wegen der Besucher aufgeregt waren. Maggie wurde gebeten, am Tisch gegenüber von

Light Platz zu nehmen. Es hatte eine kleine Aufregung gegeben, als Eee geheißen worden war, sich auf ihren üblichen Platz zu setzen, der sich nicht neben dem von Maggie befand. Das Kind war verdrossen zum anderen Ende des Tisches gestapft. Dem Essen, das aus gebratenem Büffelfleisch, Taubenfleischpasteten, Maisbrei und Sodabrot bestand, folgte ein Beerenkuchen.

MacMillan, der begierig war, Neuigkeiten zu erfahren, fragte nach den letzten Vorkommnissen in St. Louis und St. Charles. Er hatte noch nicht gehört, dass Aaron Burr vor Gericht gestellt und freigesprochen worden war oder dass der Indianerpfad von Davidson County in Tennessee nach Natchez am Mississippi als Natchez Trace – ein von Händlern und dem Militär gern benutzter Weg – bekannt geworden war.

Mrs MacMillan hörte der Unterhaltung aufmerksam zu, beteiligte sich aber nicht daran. Die jungen Kinder schienen zu aufgeregt zu sein und aßen nur wenig. Aee bediente am Tisch, goss Tee ein und räumte leere Teller weg.

Aee fragte scheu, ob sie Berry und Simon Witcher kannten, die nördlich der Stelle lebten, wo der Missouri in den Mississippi floss.

»Light kennt sie«, sagte Maggie stolz. »Erzähl ihnen doch, wie Berry Simon vor Linc Smith, dem verrückten Mann am Fluss, gerettet hat und wie du den Mann getötet hast, der sie in die Luft sprengen wollte.«

»Erzähl du das, chérie.«

Maggie gab die Geschichte zum Besten, die stromauf und stromab zur Legende geworden war. Während sie erzählte, wanderten ihre Blicke oft zu Light. Er sagte ein oder zwei Worte, wenn sie ihn bat, etwas zu bestätigen. Er hörte aufmerksam zu, wobei er ein Gesicht nach dem anderen mit seinen dunklen Augen musterte und seine Frau oft stolz ansah.

»Light schleuderte sein Messer und tötete den Mann in dem Augenblick, als dieser auf das Pulverfass schießen wollte. Er rettete sie alle.«

»Maggie,« rügte er sie sanft, »Jeff und Will waren auch da.«

»Aber du hast es getan, Light. Berry erzählt es jedem. Light ging zu ihrer Hochzeit«, sagte Maggie und blickte in die erwartungsvollen Gesichter rings um den Tisch. »Zeb Pike war da. Er wollte, dass Light mit ihm den Mississippi hinauffuhr.«

Alle blickten Light an. »Nein, ich bin nicht gefahren«, sagte er und sprach dann zu Maggie: »Chérie, du redest zu viel.« Bei diesen Worten spiegelten sich Liebe und Stolz in seinen dunklen Augen.

Maggie lachte. »Und du redest zu wenig.«

Die Mädchen starrten Light ehrfurchtsvoll an. Sie hatten die Geschichte schon oft gehört, aber niemals damit gerechnet, dass der berühmte Scout einmal an ihrem Tisch sitzen würde.

Später zeigte MacMillan Light seinen Mahlstein, seinen Vorratskeller und den Ziehbrunnen, der von einer hüfthohen Steinmauer umgeben war. Er ließ einen Eimer an einem Seil hinab, zog ihn wieder herauf und goss das Wasser in die Hühnertränke.

»Quellwasser«, sagte er stolz. »Klar und süß.«

Sie gingen zu einem Pferch, in dem eine Kuh zufrieden Gras kaute, das von einem großen Haufen außerhalb der Umzäunung herübergeworfen worden war. Zwei angepflockte Ochsen grasten auf dem freien Feld jenseits des Kuhpferchs.

»Ich halte keine Pferde«, erklärte MacMillan. »Eine zu große Versuchung für die Delaware.«

Light erwiderte nichts. Männer, die im Wald lebten, sprachen nicht, wenn keine Antwort erforderlich war.

In einem Schuppen neben der Scheune arbeitete ein Schwarzer. Er fertigte Schalen aus knorpeligem Holz von Eschen und Ahornbäumen.

»Ich habe zwei Schwarze und zwei Osage hier«, bemerkte MacMillan. »Sie, meine beiden Ältesten und Miz Mac sind geübte Schützen.«

Acht Gewehre an einem Ort wie diesem konnten einen größeren Angriff abwehren. Light interessierten die Schwarzen. Es drängte ihn, eine Frage zu stellen, obwohl er das sonst nur selten tat.

»Halten Sie Sklaven?«

»Ich glaube nicht an den Menschenhandel. Ich habe es nie getan. Den Schwarzen und den Osage steht es frei, jederzeit zu gehen. Osage kommen und gehen ab und an. Hallo, Linus«, sagte er zu dem Schwarzen, der über eine Bank gebeugt die Innenseite eines Holzknorpels bearbeitete.

»Hallo, Mista«. Der kleine Mann lächelte freundlich und richtete die dunklen Augen erst auf MacMillan und dann auf den Scout.

»Linus ist der beste Holzschnitzer, den ich kenne. Schauen Sie sich das hier an. Er kann bis auf einen halben Inch einen Holzknorpel von innen ausbrennen.« MacMillan hielt eine glatt polierte Schale hoch, damit Light sie betrachten konnte. »Wir schicken sie auf dem Fluss hinunter zu einem Mann in St. Louis. Er schickt sie weiter nach New Orleans. Linus bekommt einen Teil des Geldes. Wenn ich nicht aufpasse, wird er bald mehr haben als ich, und ich werde für ihn arbeiten.«

Linus strahlte übers ganze Gesicht, und seine Augen leuchteten vor Vergnügen. Er lächelte immer noch, als sie den Schuppen verließen.

Der Siedler führte Light zu dem größeren Gebäude. Im selben Augenblick, in dem sie es betraten, verließen es zwei Indianer.

»Meine Pottaschefabrik«, sagte MacMillan. »Wissen Sie etwas über Pottasche?«

»Überhaupt nichts«, antwortete Light.

MacMillan lächelte verschmitzt. »Alles begann mit einem Haufen Holzasche«, sagte er und fuhr fort: »Mir kam die Idee, als ich ein Stück Land rodete. Wir fällten die Bäume in einem Jahr und verbrannten sie im nächsten. Ich dachte mir bald, dass man aus der Asche Lauge machen kann. Wenn das Wasser verdampft ist, hat man Pottasche.« Er zeigte Light einen gusseisernen Topf, der ein graues Pulver enthielt. »Das hier wird Perlasche genannt. Es ist keine leichte Arbeit, aber sie verkauft sich gut unten am Fluss. Wir kochen einen Teil davon mit Tierfett, um Seife herzustellen.

Ich stelle mir vor, dass wir dereinst eine Siedlung hier haben werden. Es kommen jetzt ständig Leute den Fluss herauf: Trapper und Siedler. Der Boden ist gut für Ernten, man braucht nicht weiterzuziehen. Es gibt nur einen Nachteil.« Er zwinkerte. »Wenn jemand sät, so muss er die Beine in die Hand nehmen, weil die Saaten hinter ihm in die Höhe schießen.«

Das rief ein Lächeln bei Light hervor, was MacMillan ermunterte fortzufahren.

»An dieser Biegung könnte eines Tages vielleicht eine Stadt stehen, wenn man das Salzvorkommen in der Höhle und die Pottasche bedenkt. Miz Mac liebt die Idee. Natürlich werden wir noch keine richtige Stadt erleben, aber dafür unsere Kinder. Wir wären mächtig stolz, wenn Sie und Ihre Frau hier blieben. Wir würden Ihnen helfen, sich hier anzusiedeln, wenn Sie wollen.«

»Ich danke Ihnen, aber ich würde als Farmer nicht viel taugen.«

»Ich habe auch nicht recht geglaubt, dass Sie einer sein wollten.«


Am Nachmittag schickten sich Light und Maggie an, das Anwesen zu verlassen. Am Rande der Lichtung schaute Maggie zurück und sah die Mädchen der MacMillans, die in einer Reihe neben ihrer Mutter standen. Alle winkten.

»Sie mochten mich, Light.« Verwunderung schwang in Maggies Stimme mit.

»Ja, das stimmt, ma petite. Es hat mich nicht überrascht.«

»Werden wir wiederkommen?«

»Oui, du wirst deine Freunde wieder sehen.«

Mehrere Kanus, ein Floß und zwei Flachboote waren am Ufer des Baches festgemacht, der an Mac-Millans Anwesen vorbeifloss. Light führte Maggie zu dem Kanu, das er für zwei seiner kostbaren Münzen gekauft hatte. Nach wenigen Hinweisen erwies sie sich als gute Paddlerin. Bevor sie die schnelle Strömung des Flusses erreichten, hatten sie einen Rhythmus gefunden, und das Kanu glitt ruhig durch das Wasser zurück zu Elis Boot.

»Was werden wir ohne Pferde machen, Light?«

»Darüber möchte ich noch mit dir sprechen, mein Liebling. Es wird bald zu spät sein, uns noch in diesem Jahr auf den Weg durch die Prärie zu machen. Ich denke, wir werden irgendwo in der Nähe überwintern. Es wird eine Weile dauern, eine Schutzhütte zu errichten und Vorräte für den Winter anzulegen.«

»O, können wir das nicht tun? Werden wir in der Nähe bleiben, so dass ich manchmal Aee und Bee sehen kann?«

»Es ist möglich, ma chère.«

Light ordnete seine Gedanken. Die Grillen zirpten. Das bedeutete, dass jederzeit ein starker Frost kommen konnte. Die Bäume würden bald kahl sein, und der kalte Nordwind würde das dürre Laub über den Boden fegen. Light wollte einen Blick auf das Land auf der anderen Seite des Flusses werfen, um eine Vorstellung davon zu bekommen, wie viel Wild es dort gab. Er wollte wissen, womit er rechnen konnte, wenn der Winter kam. Sie würden sich so weit wie möglich selbst versorgen. Weitere Lebensmittel würde er von MacMillan kaufen.

Er fühlte sich nicht verpflichtet, Nielsons Mannschaft weiterhin anzugehören. Dies war der Ort und die Zeit, dem Schweden Adieu zu sagen. Irgendetwas an Nielson erzeugte in ihm eine nervöse Unruhe. Es war nicht nur die Art und Weise, wie er Maggie anblickte, sondern auch, wie Eli ihn anblickte.

Als sie das Flachboot erreichten, fanden sie Eli auf einer Decke liegend vor. Paul kniete neben ihm und versuchte, ihm Tee einzuflößen.

Otto Krüger saß am Ufer oberhalb des Bootes an einen Baum gelehnt und hatte ein Fässchen von Elis Whisky neben sich.

Light band das Kanu am Boot fest, und Maggie kletterte an Bord.

»Was ist los mit Eli?« Maggie ging sofort zu ihm.

»Mon petit chou! Ich bin froh, dass Sie zurückgekommen sind. Eli hat hohes Fieber. Er ist krank, sehr krank.«

»Es ging ihm gut, als wir fortgingen.«

Paul hob seine Hände und sprach hastig auf Französisch.

»Sprechen Sie Englisch«, sagte Light barsch, als er den ängstlichen Ausdruck auf Maggies Gesicht sah. »Sie kann Sie nicht verstehen.«

»Verzeihen Sie, Madame. Ich bin so ... besorgt.«

Light kniete sich hin und hielt die Hand an Elis Stirn, dann berührte er dessen Arme und steckte seine Hand in dessen Hemd.

»Das Fieber wird ihn verbrennen. Wir müssen ihn abkühlen.«

Er nahm einen Eimer vom Haken, ließ ihn in den Fluss und füllte ihn mit Wasser. Bei Elis nackten Füßen beginnend übergoss er ihn und holte einen weiteren Eimer voll Wasser.

»Ich mache sein Hemd nass, Monsieur, und wickle es ihm um den Kopf. Ja?« Pauls Gesicht war sorgenvoll. Er kniete neben Eli, der im Fieber delirierte.

Eli warf sich hin und her und hob die Hände, als ob er einen Angriff abwehren wollte. Er murmelte etwas vor sich hin, und seine Augen öffneten sich plötzlich. Er holte mit seiner Hand aus und versetzte Maggie einen Schlag gegen die Schulter, so dass sie hinstürzte.

»Madame!«, beeilte sich Paul zu erklären. »Er wusste nicht ... er hatte nicht vor ...«

»Ich weiß das. Halten Sie seinen Fuß fest, damit er sich nicht noch schlimmer verletzt.«

»Fräulein!«, lallte Krüger betrunken. »Er wird bald tot sein! Wer wird dann wohl Boss?«

Maggie drehte sich zu ihm um. »Halt deine Klappe, du glatzköpfiger ... Lump.«

Der Deutsche schüttelte sich vor Lachen. »Ich liebe Frauen mit Feuer.«

»Ignoriere ihn, mein Liebling«, flüsterte Light. »Wickle den nassen Lappen von Elis Knöchel ab und mach ihm einen frischen Umschlag.«

»Ich habe die Gonoscheiblätter zwischen zwei Steinen zerrieben, wie Madame es gemacht hat«, sagte Paul.

Maggie nahm das Stück Rinde, welches das pulverisierte Heilkraut enthielt, und fügte genügend Wasser aus dem Fluss hinzu, um eine dicke Paste zu bereiten. Sie strich sie sorgfältig auf das geschwollene und entzündete Fleisch von Elis Knöchel. Sie nahm einen der Lappen, den ihre Mutter in ihr Bündel getan hatte, damit sie sie verwenden konnte, wenn sie ihre monatlichen Blutungen hatte. Während sie Elis Fuß verband, schoss ihr durch den Kopf, dass sie ihre monatliche Unpässlichkeit gehabt hatte, kurz bevor sie ihre Eltern verließ, und dass sie seitdem nicht wiedergekommen war.

Wuchs bereits ein Kind in ihrem Bauch?

Als sie an diesen geheimen Teil ihres Körpers dachte, suchten ihre Augen ihren Mann. Ihr Herz bebte in Erinnerung an das, was sie gemeinsam getan hatten. Ihr Körper kribbelte, wenn sie daran dachte, wie sie beide warm und nackt unter den Decken gelegen hatten, wie er hart und tief in ihr gewesen war und der heiße Erguss seines Samens eine sanfte Explosion in ihrem Körper ausgelöst hatte.

Maggie senkte den Kopf, um ihr Erröten zu verbergen. Ihre Mutter hatte ihr gesagt, dass es das Recht eines Mannes sei, im Ehebett zu tun, was er wollte. Sie hatte jedoch nicht erwähnt, wie schön dies für die Frau sein würde oder dass sie das Privileg hatte, sich selbst am Körper ihres Mannes zu ergötzen. Light hatte ihr zugeflüstert, dass sie als seine Frau das Recht habe, ihre Hand nach ihm auszustrecken, wann immer es sie danach verlangte.

Sie erinnerte sich daran, dass der erste Teil ihrer Reise die schönste Zeit ihres Lebens gewesen war. Sie sehnte sich danach, mit ihrem Mann wieder allein zu sein. Light war der einzige Mensch, der sie nicht für merkwürdig zu halten schien. Er sah es nicht als unnatürlich an, wenn sie nachts den Wald durchstreifte und keine Angst vor Tieren hatte oder sang und tanzte, wann immer sie Lust dazu hatte.

Sie strich Eli das Haar von der fieberglühenden Stirn. Sie konnte ihn nicht verlassen, während er krank war. Der Mann, der fiebernd auf der Decke lag, war ihr sehr teuer geworden, aber nicht in derselben Weise, wie ihr Light teuer war. Sie hatte Eli sehr gern. In der kurzen Zeit, in der sie ihn kennen gelernt hatte, war es dazu gekommen, dass sie ihm völlig vertraute. Sie warf einen raschen Blick auf

Light und merkte, wie er sie ansah, als sie Eli über die Stirn strich.

Maggie setzte sich zurück auf die Fersen. Sie wollte, dass Light Eli mochte. Manchmal hatte sie zwar das Gefühl, dass er es tat, aber oft war sie dessen nicht so sicher.

Als sie aufstand, bemerkte sie, dass Light flussaufwärts starrte. Sie folgte seinem Blick. Vier Paddler tauchten ihre Paddel rhythmisch ins Wasser und bewegten ein Kanu rasch vorwärts. Maggie erkannte bald MacMillan und eines seiner Mädchen im vorderen Teil des Bootes sowie einen Indianer und einen Schwarzen im hinteren Teil.

MacMillan warf Light aus einigen Metern Entfernung eine Leine zu. Er zog das Kanu ans Boot heran und machte es fest. Nachdem MacMillan an Bord gestiegen war, streckte er eine Hand aus, um Aee zu helfen, aus dem Kanu zu klettern.

»Habe gehört, dass Sie einen Kranken haben.«

# Kapitel 10

Weder Paul noch Maggie fragten sich in dem Moment, woher MacMillan wissen konnte, dass eine Verschlechterung in Elis Zustand eingetreten war. Light erinnerte sich jedoch, dass der Siedler gesagt hatte, an diesem Fluss geschehe nichts, was er nicht wüsste. Der Scout hatte sich das gemerkt und hörte, was MacMillan gerade zu Paul sagte.

»Der Mann ist wirklich krank. Sieh ihn dir an, Aee. Wenn sie nicht feststellt, dass es eine ansteckende Krankheit ist,« sagte er zu Paul gewandt, »werden wir euch helfen, das Boot flussaufwärts bis zu unserer Anlegestelle zu staken – falls ihr das wollt. Meine Frau versteht sich aufs Heilen, aber Miz Mac ist zurzeit nicht in der Lage herumzulaufen. Sie wird bald das Kind zur Welt bringen.«

Aee kniete sich neben Eli und betrachtete prüfend sein Gesicht und den Hals. Sie zog den Ausschnitt seines Hemdes herunter, um einen Blick auf seine Brust und danach auf die Oberarme zu werfen.

»Er hat keine Flecken, Pa.«

MacMillan nickte und sprach zu Paul. »Was sollen wir tun, Mann?«

»Wir sind für jede Hilfe dankbar, mon ami.«

Auf ein Zeichen von MacMillan kletterten die beiden Männer aus dem Kanu an Bord und ergriffen eine Stake. Paul löste die Leine, mit der das Boot am

Ufer festgemacht war, und das Boot begann vom Ufer wegzudriften.

Krüger sprang auf und schrie. Paul ignorierte ihn.

»Verdammt!«, brüllte der Deutsche wütend. Er sprang aufs Boot und ließ das Fässchen Whisky neben dem Baum stehen. »Hurensohn! Du wolltest mich allein lassen!«

»Mon Dieu! Ich wäre froh, dich los zu sein!« Paul brüllte vor Wut lauter, als Light ihn jemals hatte schreien hören.

»Willst du, dass ich dich umbringe?« Krüger wollte mit geballten Fäusten auf Paul losgehen. Er blieb jedoch abrupt stehen, als er die Spitze von Lights Messer im Rücken spürte.

»Stake oder spring über Bord.«

Der Whisky, den Krüger getrunken hatte, hatte ihn mutig gemacht. Er wollte sich gerade umdrehen, da verstärkte sich der Druck des Messers.

»Ich werde dir die Kehle durchschneiden und dann deine Frau nehmen.«

»Wenn du sie auch nur einmal anrührst, werde ich dir das Herz rausschneiden.« Eine tödliche Drohung schwang in Lights Stimme. Er drückte Otto erneut die Spitze seines Messers in den Rücken.

»Bei Gott! Ich werde dich umlegen.« Krügers Augen begegneten denen MacMillans, dann warf er einen kurzen Blick auf den Schwarzen und auf das stoische Gesicht des Indianers. Sie warteten nur darauf, sich auf ihn zu stürzen. MacMillan brauchte ihnen bloß zuzunicken. Der Deutsche war nicht so betrunken, dass er nicht begriff, was auf dem Spiel stand.

»Nehmt euch in Acht, ihr Gesindel«, knurrte er

wütend und ging, um eine Stake aus der Halterung zu ziehen.

Die sechs Männer stakten das Boot, während Maggie das neue Steuerruder bediente und Aee Eli pflegte.

Sie tauchte ein Tuch in den Wassereimer und kühlte Elis Kopf. Sie war einem jungen gut aussehenden Weißen noch nie so nahe gewesen. Dieser war hilflos wie ein Kind. Während sie seinen Kopf kühlte, musterte sie aufmerksam das Gesicht. Seine Stirn war breit, die Nase gerade und der Mund schmal und fest. Dichtes hellbraunes Haar fiel nach hinten und über seine Ohren. Er sah jünger aus als tags zuvor – fast jungenhaft.

Eli stieß einige unverständliche Worte hervor, schlug die Augen auf und blickte ihr direkt in die Augen. Aee war so überrascht, dass sie zurückfuhr, bevor sie begriff, dass er sie nicht sah, obwohl seine himmelblauen Augen klar waren.

»Hübsch«, murmelte er und streckte eine Hand zu ihrem Gesicht aus.

Sie packte sein Handgelenk und drückte den Arm nieder. Er griff nach ihrer Hand und hielt sie fest. Sie konnte vor Erregung kaum sprechen.

»Bleiben Sie ... ruhig, mein Herr.«

»Hiss das Segel, Paul«, flüsterte Eli heiser und rief dann schneidend: »Verdammter Bastard. Ein dreckiger Wilder! Gut zu sehen ... gut zu wissen ...«

»Sch ... seien Sie still!«

»Hure! Indianer... hu... re.« Eli schloss die Augen, und seine Stimme wurde immer leiser.

Aee war bestürzt von den schlimmen Worten und wischte sich Tränen aus den Augenwinkeln. Sie war verletzt, obwohl sie wusste, dass er nicht bei Sinnen war. Das Fieber war schuld.

»Sie werden wieder gesund.« Aee sagte das nun ohne eine Spur von Sympathie. »Schlafen Sie«, sprach sie, als er die Augen aufschlug und sie wieder ansah.

»Mag... gie«, murmelte er. »Mag...gie«, sagte er wieder, und seine Lider flatterten.

Er begehrte Maggie! Aee versuchte, die Hand wegzuziehen, aber seine Finger hielten sie umklammert. Sie beschloss, die Hand in seiner zu lassen, bis er völlig eingeschlafen war. Es erregte sie, dass er ihre Hand hielt, obwohl sie wusste, dass er nicht merkte, dass es ihre Hand war.

Aee erinnerte sich, wie tags zuvor sein Blick über sie geglitten war und dann auf Maggie geruht hatte, als sie mit ihrem Vater gekommen war, um die Reisenden nach Hause einzuladen. Er hatte die Einladung hochmütig abgelehnt und gesagt, er müsse in der Nähe seines Bootes bleiben und auf seine Waren aufpassen.

»Er begehrt sie!« Die Worte entrangen sich ihrer Brust. Sie konnte ihn dafür kaum tadeln. Maggie war so unglaublich schön. War sein Verlangen nach ihr so stark, dass er mit ihrem Mann um sie kämpfen würde?

Sie hatte sich wirklich gewünscht, dass dieser attraktive junge Mann zu ihnen nach Hause käme. Der Vater hatte gesagt, dass ihr Anwesen sich mit allen am Fluss messen konnte. Der Vater ihrer Mutter war ein reicher Kaufmann gewesen, der seine Mutter dazu erzogen hatte, in der Welt des weißen Mannes zu leben. Sie hatte ihren Töchtern gute Manieren beigebracht.

Zet hätte seine Waren bewacht. Aber ..., so überlegte sie, während sie auf Eli herabblickte, ... Nielson wusste nichts von Zet.

Mit sechs Männern an den Staken bewegte sich das Boot rasch flussaufwärts, und bald wies MacMillan sie an, eine Stelle am Ufer unterhalb seines Anwesens anzusteuern. Dort wuchsen Weiden am Wasser und verdeckten zum Teil die Mündung des breiten Baches, der hier in den Fluss überging. Das Flachboot glitt in die Öffnung hinein. Etwa eine Viertelmeile landeinwärts befand sich, vom Fluss aus überhaupt nicht zu sehen, MacMillans Anlegestelle.

»Soll Caleb den Mann in die Krankenstube tragen?«, fragte MacMillan, sobald das Boot festgemacht war.

»Tragen?«, wiederholte Paul.

»Es würde Caleb nichts ausmachen.«

»Dann wären wir ... Ihnen sehr verbunden.«

Der riesige Mann betrat die hölzerne Plattform. Light schätzte, dass er über zwei Meter groß war. Er war der größte Mann, den Light je gesehen hatte, grobknochig und ohne ein überflüssiges Gramm Fett am Körper. Ein ärmelloses Hemd aus Rehleder bedeckte die breite Brust. Um die nackten Oberarme, die so groß und muskulös waren wie der Oberschenkel eines gewöhnlichen Mannes, waren rote Stoffstreifen gebunden. Er stand auf Beinen stark wie Baumstämme. Das Gesicht war schwarz wie Ebenholz und glänzte wie Kohle.

Caleb ließ die großen goldbraunen Augen umherschweifen und nahm alles wahr. Light hatte den Eindruck, dass er alles in Gedanken einschätzte, besonders Krüger. Nachdem die beiden Frauen an ihm vorbei zum Anwesen gegangen waren, begab er sich zurück aufs Boot und nahm Eli auf die Arme. Er trug ihn, als ob er so leicht wie ein Kind wäre.

Paul zögerte. Obwohl er um seinen Freund besorgt war, wollte er Light nicht mit Krüger allein auf dem Boot lassen.

»Mr Deschanel,« rief MacMillan, »Sie und Mr Lightbody sind in meinem Haus herzlich willkommen.« Er ignorierte Krüger, als ob dieser Luft wäre. Nachdem Paul ihm zugenickt hatte, sagte er dem Indianer etwas auf Osage. Paul verstand seine Worte nicht, aber Light erinnerte sich gut an die Sprache seiner Mutter.

»Pass auf den Glatzköpfigen auf. Wenn er den Pfad betritt, töte ihn.«

Der Indianer ließ sich nicht anmerken, dass er die Worte verstanden hatte, aber als sie das Boot verließen, folgte er ihnen nur einige Meter bevor er abbog und im Gebüsch verschwand.

Für Eli war ein Bett in einem kleinen Raum vorbereitet, der sich in einem Anbau an der Seite des Hauses befand. Dort behandelte Mrs MacMillan jeden, der Hilfe suchend zu ihr kam. Das schmale Bett, das an der Wand stand, war mehrere Fuß hoch. Die strohgefüllte Matratze aus schwerem Segeltuch war genauso sauber wie das Federkissen unter Elis Kopf.

Die Osage brachten ihre Kranken oft hierher. Sie wurden aufgenommen, wenn feststand, dass sie keine ansteckende Krankheit hatten. Gelegentlich wohnte ein Trapper oder ein verletzter Bootsmann hier. Ein kleiner Friedhof auf einer nahe gelegenen

Anhöhe war die letzte Ruhestätte für ein halbes Dutzend Fremde.

»Miz Mac und die Mädchen werden ihn versorgen«, sagte MacMillan zu Paul. »Wir ziehen ihm die nassen Hosen aus.«

Nachdem das erledigt und seine Blöße mit einem Laken bedeckt war, betrat Mrs MacMillan den Schuppen. Obgleich sie hochschwanger war, ging sie mit geraden Schultern und aufrechtem Rücken. Aee folgte ihr mit einem Eimer und einem Wasserkrug.

»Verschwindet«, sagte Mrs MacMillan zu den Männern in einem Ton, der keine Widerrede duldete. Paul zögerte, aber er folgte MacMillan zum Brunnen, wo der Siedler einen Eimer frischen Wassers heraufzog.

»Wenn irgendetwas getan werden kann, so wird Miz Mac es tun«, sagte er gelassen zu Paul und reichte ihm den Schöpfeimer. »Trinken Sie das und sagen Sie mir, ob es nicht das beste Wasser ist, das Ihnen je durch die Kehle geflossen ist.«

Die jüngeren Kinder freuten sich, Maggie so schnell wieder zu sehen. Sie erröteten vor Aufregung. Die beiden Kleinsten, Dee und Eee, hängten sich an ihre Hände, Cee und Bee hielten sich am Eingang zum Schuppen auf und waren bereit, sofort loszurennen, um etwas zu holen, sobald ihre Mutter ihnen einen Auftrag gab.

Light lehnte am Stamm der riesigen Ulme und sah zu, wie seine Frau mit den kleinen Mädchen Fangen spielte. Er dachte, dass sie manchmal selbst wie ein Kind war. Aber nur manchmal. Sie war kein Kind, als sie den Delaware in der Höhle tötete. Sie war kein

Kind, wenn sie zusammen unter ihren Decken lagen. Eine prickelnde Erregung ergriff Light bei dem Gedanken daran, wie schnell ihre Leidenschaft entfacht werden konnte. Er wollte mit ihr allein sein, sehnte sich nach der Zeit, wo sie ungehindert die Reise zu ihrem Berg fortsetzen konnten.

Er verspürte auch eine innere Unruhe wegen Maggies Interesse an dem Schweden. Hatten sich ihre Gefühle für ihn geändert, seit sie diesem Weißen begegnet war? Light hatte es nie schwer gefunden, zwischen der Welt der Indianer und der Weißen zu leben. Er hatte nicht darüber nachgedacht, wie sich Maggies Gefühle in späteren Jahren entwickeln würden.

Nachdem er den Mann getötet hatte, der sie zu vergewaltigen versuchte, hatte er nur den Wunsch gehabt, sie mitzunehmen, bei sich zu behalten und zu beschützen. Er hatte nicht damit gerechnet, dass er sie so heftig, mit jeder Faser seines Herzens, lieben würde. Sie war wirklich sein Leben, sein Schatz.

Am nächsten Tag wollte er nach einer geeigneten Stelle am Fluss suchen und eine Hütte für den Winter errichten. Er würde Fallen stellen und die Felle später an MacMillan verkaufen. Somit würde er genügend Geld haben, um von den Osage Pferde zu bekommen, auf denen sie im Frühling die Prärie durchqueren könnten. Er hatte gehofft, bei den Osage jenseits des Flusses zu überwintern, aber es war Zeit anzuhalten. Sie würden in der Nähe von MacMillan sicherer sein, falls die Delaware oder ein Trupp Flusspiraten angreifen sollten.

Er sah zu, wie Maggie mit den Kindern herumtollte. Von keinem Mann würde er sie sich wegnehmen lassen. Kein anderer Mann würde ihren freien Geist so gut verstehen wie er. Sie war seine Waldfee, sein schöner Schmetterling. Er würde den Schweden eher töten, als sie ihm zu überlassen.

Bee ging zum Brunnen, um einen Eimer Wasser zu holen, und eilte zurück in die Krankenstube. Light war klar, dass Nielson sehr krank war, aber er war sicher, dass Eli stark genug sein würde, das Fieber zu besiegen. Paul hatte ihm einiges über die Vergangenheit des Mannes erzählt. Elis schwedische Mutter war erst ein Jahr in diesem Land gewesen, als sie ihn gebar. Im Alter von elf Jahren musste er schon für sich selbst sorgen. Nichts wurde über seinen Vater gesagt.

Paul hatte erklärt, dass er und Eli die letzten Jahre auf dem Ohio verbracht hatten, der ganz anders war als der große Missouri mit seinen turbulenten Strömungen, seinen kleinen Inseln und den plötzlich anrollenden Wogen schlammigen Wassers. Er räumte ein, dass sie schlecht darauf vorbereitet waren, es mit dem wilden Fluss aufzunehmen. Sie waren so närrisch gewesen, mit nur sechs Männern als Stakern oder Ruderern flussaufwärts zu fahren. Die beiden Männer der Besatzung, die eine Woche nach St. Charles vom Flachboot desertiert waren, hatten eine Chance, den Rückweg zu schaffen. Die beiden anderen waren höchstwahrscheinlich Opfer der Delaware geworden.

Light mochte den Franzosen und bewunderte seine Hingabe zu seinem Freund, fühlte sich aber nicht verpflichtet, bei Paul zu bleiben, bis Eli wieder gesund war. Light hoffte, dass MacMillan dem Schweden helfen und ihm eine Mannschaft von Osage verschaffen konnte. Das würde es ihm ermöglichen, die Fahrt flussaufwärts fortzusetzen. Er würde jedoch wetten, dass der Siedler, nachdem er die beiden Bootsleute aufgegabelt hatte, diesen seine älteren Mädchen verlockend in Aussicht stellen würde, um sie zu veranlassen, hier zu siedeln.

MacMillan war ein harter Mann. Hatte er nicht dem Osage befohlen, Krüger zu töten, wenn er sich dem Haus näherte? Angesichts von Flusspiraten auf der einen Seite und den Delaware auf der anderen sowie Banden rastlos umherstreifender räuberischer Indianer tat der Siedler das, was er tun musste, um zu überleben und seine Familie zu schützen.

In der hereinbrechenden Dunkelheit waren Glühwürmchen zum Vorschein gekommen. In das Quaken der Frösche unten am Creek stimmte der Grillenchor ein. Vögel flatterten auf der Suche nach einem Platz für ihre Nachtruhe unruhig in den Wipfeln der Bäume umher. Unten am Fluss schrie eine Eule. Es war ein einsamer Ruf, der Light daran erinnerte, welches Leben er nach der Ermordung seiner Familie geführt hatte, bis Maggie ihn glücklich gemacht hatte.

Caleb kam mit Lights Bündeln von der Anlegestelle herauf. Er überquerte den Hof und ließ die Bündel vor Light auf den Boden fallen.

»Mista sagte, Caleb soll das hier holen.« Die Stimme war außergewöhnlich sanft, wenn man bedachte, dass ein so großer Mann die Worte sprach.

»Vielen Dank.« Light musste seinen Kopf in den Nacken legen, um dem Mann ins Gesicht zu blicken.

»Caleb! Caleb!« Eee, MacMillans jüngstes Kind, rannte über den Hof. »Herumwirbeln.« Maggie und Dee liefen hinter ihr her.

Mit lächelndem Gesicht streckte er die beiden großen Hände aus. Eee lief mit erhobenen Armen auf ihn zu. Er packte das Kind an den Handgelenken und wirbelte es wieder und wieder um sich herum. Eees fröhliches Lachen erklang. Das war ein Spiel, das sie schon früher gespielt hatten.

»Ich bin an der Reihe, Caleb!« Dee kreischte auf und lief zu ihm, als er stehen blieb und Eee wieder auf der Erde stand.

Man konnte schwer sagen, wem das Spiel mehr Spaß machte, dem riesigen Mann oder den Kindern. Eee hüpfte so lange, bis Caleb aufhörte, Dee herumzuwirbeln.

»Maggie ist an der Reihe! Wirble Maggie herum!«

»Nein! Nein!« Maggie versteckte sich hinter Light, schlang die Arme um seine Taille und barg das Gesicht zwischen seinen Schulterblättern.

»Caleb lässt dich nicht fallen, Maggie.«

Mrs MacMillan trat aus dem Schuppen. »Geht Mrs Lightbody nicht so auf die Nerven.«

»Nein, Ma.«

»Sie verwöhnen sie wieder, Caleb.« Mrs MacMillan schnalzte mit der Zunge und wiegte scherzhaft tadelnd den Kopf.

»Ja, Miz Mac.«

»Es ist Zeit hereinzukommen, Mädchen. Sagt Mr und Mrs Lightbody gute Nacht.«

»Ma –«

»Caleb wollte uns ein Glühwürmchen fangen. Wir wollten es Maggie zeigen.«

»Kommt. Ihr werdet Maggie morgen auch noch sehen.«

Die Mädchen begaben sich zögernd ins Haus, und Caleb ging mit federnden Schritten zurück zur Anlegestelle.

Als sie allein unter dem Baum waren, schlang Maggie die Arme um Lights Hals und gab ihm einen langen Kuss.

»Wo werden wir schlafen, Light?«

»Ich habe bereits eine Stelle ausgesucht, wo ich dich für mich allein haben werde.« Er küsste sie wieder, dann hielt er sie von sich, um sie betrachten zu können.

»Ich spüre dieses Ziehen in meinem Bauch, das ich immer kriege, wenn wir uns küssen. Ich bin auch ganz feucht zwischen den Beinen. Wirst du mich heute Nacht lieben?«, fragte Maggie, legte die Arme um seine Taille und drängte sich an ihn.

»Sooft du willst, chérie.« Er fasste ihr zärtlich unter das Kinn und drückte sie lange fest an sich.

Maggie befreite sich aus seiner Umarmung. »Ich möchte nach Eli sehen, dann gehen wir.«

»Nein! Bleib bei mir.« Light hielt ihre Hand fest, als sie gehen wollte.

»Light?« Sie schmiegte die Wange an sein Gesicht und blickte ihn dann fragend an.

Er schüttelte den Kopf. »Er braucht dich nicht, chérie. Er hat andere, die ihn versorgen.«

»Ich möchte sehen, wie es ihm geht, Light.«

»Es ist schon eine Weile her, seit wir allein waren. Ich möchte, dass du in unsere Decken kommst.«

»Warum sagst du das? Warum magst du Eli nicht?«

»Es ist nicht wichtig, mein Liebling. Wir gehen in der Früh fort von hier.«

»Du hast gesagt, wir würden bleiben.«

»Nicht hier, im Haus eines anderen Mannes, ma petite. Wir werden eine geeignete Stelle für uns suchen. Es wird nicht sehr weit von hier sein, so dass wir zurückkommen können, falls es Probleme gibt.«

»Aber ... Eli und Paul –«

»– werden ihren eigenen Weg gehen. Komm, mein Schatz. Ich habe mich danach gesehnt, dich für mich allein zu haben.«

»Du hast Eli gemocht. Du hast ihn gerettet.«

»Ich hätte das Gleiche für jeden getan.«

»Sogar für Krüger?«

»Oui, süßer Schatz, ich hätte es versucht. Auch wenn ich gewusst hätte, dass ich ihn später vielleicht hätte töten müssen.«

Maggie runzelte verwundert die Stirn. »Ich verstehe das nicht, Light, aber ich bin deine Frau und tue, was du sagst.«

Sie war seine Frau. Plötzlich ergriff ihn eine sonderbare Furcht. Er hatte sie nicht lieben wollen. Er hatte sich nicht dem Schmerz aussetzen wollen, sie zu lieben und dann wieder zu verlieren. Er zog Maggie an sich, hielt sie ganz fest und wiegte sie in den Armen.

Aee stützte Elis Kopf und hielt ihm den Becher an die Lippen. In seinem fiebrigen Zustand bat er um Wasser und trank gehorsam einen Becher Tee nach dem anderen, den ihre Mutter aus Weidenrinde gekocht hatte. Nachdem Mrs MacMillan sein Fußgelenk untersucht hatte, erklärte sie, dass die Wunde nicht die Ursache des Fiebers sei. Der Gonoschei-brei wirkte. Trotzdem hatte sie ihrem Mann aufge-tragen, in der Früh mehrere Eichhörnchen zu tö-ten, damit sie einen Brei aus Eichhörnchenhirnen und zerriebenen Ginsengblättern bereiten und da-mit die Wunde behandeln konnte.

Sein Fieber war ihrer Meinung nach darauf zu-rückzuführen, dass er zu viel Flusswasser geschluckt hatte.

Auf dem Anwesen war es ruhig. Aee würde in ein bis zwei Stunden von ihrer Pflicht entbunden sein. Im flackernden Kerzenschein betrachtete sie auf-merksam Elis Gesicht. Wie würde er ohne den Ba-ckenbart aussehen? Zögernd berührte sie mit dem Finger seinen Bart. Er war genauso weich wie ihr Haar, wenn sie es im Regenfass gewaschen hatte. Sie betrachtete das Haar, das auf seinen Schultern lag. Es war ebenfalls fein und seidig. Noch nie hatte sie einen so gut aussehenden Mann gesehen. Als sie ein Geräusch hörte, zog sie die Hand rasch zurück und sah schuldbewusst zur Tür.

Eli legte die Arme auf die Decke und entblößte Brust und Schultern. Aee wusste nicht, was sie tun sollte. Ihre Mutter hatte gesagt, sie solle dafür sor-gen, dass er warm zugedeckt blieb. Die herbstliche Nachtluft war kalt. Sie hatte sich einen Schal um die Schultern gelegt. Sie stand auf, beugte sich über ihn, hob sacht einen seiner Arme und legte ihn zu-rück unter die Decke.

»Wer bist du?«

Die geflüsterten Worte überraschten Aee. Sie rich-tete sich auf. Seine Augen waren offen. Schweiß perlte auf seiner Stirn. Erstaunt starrte sie ihn an.

»Mir ist heiß«, sagte er, bevor sie antworten konnte.

»Umso mehr Grund, zugedeckt zu bleiben.«

»Du bist ... jenes Mädchen.«

»Aee MacMillan.«

»Wo bin ich?«

»Bei uns. Ma hat Sie behandelt.«

»Das Boot?«

»An Papas Anlagestelle festgemacht. Mr Deschanel und die Lightbodys sind hier.«

Er schloss müde die Augen. Aee setzte sich und dachte, er sei eingeschlafen. Als sie ihn wieder anschaute, beobachtete er sie.

»Ich könnte einen Schluck Wasser gebrauchen. Mein Mund fühlt sich an, als ob ich an einem Skunk herumgekaut hätte.«

»Kein Wunder. Sie haben Weidenrindentee getrunken. Er hat Ihr Fieber gesenkt.«

Er hob den Kopf, als sie ihm einen Becher Wasser an den Mund hielt.

»Wo sind Maggie ... und Paul?«, fragte er, nachdem er wieder ins Kissen zurückgesunken war.

»Mr Deschanel schläft in der Scheune. Er wird später bei Ihnen sitzen. Maggie ist bei ihrem Ehemann.« Aee bereitete es Vergnügen, ihm das zu sagen.

»Er ist nicht ihr Ehe–« Eli stockte. »Ist Krüger beim Boot?«

Aee zuckte die Schultern. »Pa hat ihm gesagt, er solle dort bleiben.«

»Hol Paul her«, befahl er barsch und schloss die Augen. Eine ganze Minute verging. Seine Augen öffneten sich. Er hob den Kopf und durchbohrte sie mit seinen Blicken. »Hast du mich nicht verstanden? Hol Paul her.« Der Ton seiner Stimme duldete eigentlich keine Widerrede, doch sie widersprach.

»Nein. Mir wurde gesagt, ich solle hier bleiben.«

»Wer hat das gesagt?«

»Ma.«

»Jesus! Ich bin doch kein Kind, das man bewachen muss. Wenn ich nach Paul rufen will, so werde ich es tun.«

»Wenn Sie den Mund aufmachen, stopfe ich Ihnen einen Lappen hinein.« Aees Augen funkelten zornig. »Sie werden niemanden aufwecken!«

»Hast du den Verstand verloren, Mädchen? Bist du taub und dumm? Du sollst Paul holen, habe ich gesagt.«

»Ich springe nicht, wenn Sie pfeifen, Mr Klugschwätzer Nielson. Mr Deschanel muss jetzt schlafen. Er wird später kommen, um bei Ihnen zu sitzen.«

Elis blaue Augen blitzten wütend.

»Du kleines, schlampiges, stures Luder!«

»Luder? Ich weiß nicht, was das ist, aber das scheint nicht so schlimm zu sein wie ein verdrossener dummer Esel. Das jedenfalls sind Sie. Mir tut es Leid, meinen Schlaf geopfert zu haben, um Sie zu versorgen! Ma hätte Sie in Ihrem Schweiß dampfen lassen sollen. Sie hat es nur deshalb nicht getan, weil sie ein Herz für dumme Tiere hat.« Aees Stimme bebte vor Zorn.

»Rettet mich vor einem alles besser wissenden, dickköpfigen, gemeinen Weib, das sich Befehlen widersetzt«, murmelte er und rollte den Kopf auf dem Kissen hin und her.

Aee setzte sich mit fest zusammengekniffenen Lippen wieder hin. Sie verschränkte die Arme über der Brust und sagte sich, dass der große schlammige Fluss eher in umgekehrter Richtung fließen würde, als dass sie diesen dummen Pisspott, der hinter der Frau eines anderen Mannes her war, nehmen würde.

# Kapitel 11

Light war sofort wach. In seiner Welt gab es zwischen Schlaf und auf der Hut sein keine fließenden Übergänge. Seine Hand fuhr zum Knauf seines Messers. Fast gleichzeitig sprang er auf und stellte sich schützend über Maggie.

Die funkelnden Sterne am Himmel waren am Verblassen. Am östlichen Horizont kündigte eine Linie von perlgrauem Licht die Morgendämmerung an. Eine Schar von Wildgänsen, die aus dem Norden kam, war auf dem Weg zu ihren Futterplätzen; ihr ständiges Schreien war das einzige Geräusch, das er hörte.

Auf der dämmrigen Lichtung bewegte sich ein Schatten. Light spannte jeden Muskel und Nerv an. Ein Mann in indianischer Kleidung tauchte aus der Dunkelheit auf. Er stand, die Arme über der Brust gekreuzt, gleichmütig da.

»Deine Ohren sind gut, Scharfes Messer. Ich habe nur einen Zweig bewegt.«

»Das genügte«, antwortete Light auf Osage.

Der Indianer nickte. »Es heißt, Scharfes Messer hat das Auge eines Falken und die Nase eines Wiesels und kann eine Wolke vorüberziehen hören.«

»Wer nennt mich Scharfes Messer?« Light hatte seinen indianischen Namen lange nicht mehr gehört.

»Viele Flecken, der Verwandte von Macs Frau.«

»Wie kommt es, dass du meinen Namen kennst?«

Der Indianer zuckte die Schultern. »Alle kennen Scharfes Messer, den Sohn von Weidenwind, einer Verwandten von Nowatha der Heilerin. Deine Mutter schickte Nachricht, dass Scharfes Messer Singenden Vogel zum Land seiner Vorfahren bringt.«

»Du bist in der Nacht gekommen, um mir das zu sagen?«

»Der Morgen ist nur ein Flüstern entfernt. Ich kam, um dir zu sagen, dass Keine Haare das Kanu flussabwärts genommen hat.«

»Gut, dass er weg ist. Wird er von den Delaware gefangen, so wird er ihnen sicher viel Spaß bereiten.«

»Er hat zwei Fass Schießpulver genommen.«

»Für die Delaware?«

»Weiß nicht. Vielleicht für Kielboot einen Tag flussabwärts.«

»Kielboot? Wer kommt da?«

»Kein Freund.«

»Weiß MacMillan das?«

»Mac weiß. Sagte, wecke den Mann, den Osage Scharfes Messer nennen. Sagte, Keine Haare kommt zurück wegen Frau von Scharfes Messer. Sagte, bringe Singenden Vogel zu festem Haus. Dicke Wände.« Der Indianer zeigte mit den Händen, wie dick sie waren.

»Ich danke dir und Mac. Beobachtet jemand Keine Haare?«

»Zet wird beobachten.«

»Zet? Ist das gut?

»Sehr gut.«

163

Ohne Abschied zu nehmen trat der Indianer zurück in den Schatten und war verschwunden.

Light lauschte lange, und als er keinen ungewöhnlichen Laut hörte, blickte er zu Maggie hinab, die während des ganzen Gesprächs, das er mit Viele Flecken führte, geschlafen hatte.

Sie hatten sich fast die ganze Nacht hindurch geliebt. Er konnte seinen Hunger nach ihr genauso wenig stillen wie sie ihren nach ihm. Zuerst hatten sie sich rasch und ekstatisch geliebt, bis sie in Schwindel erregendem Tempo den alles vergessen machenden Höhepunkt erreichten. Später hatten sie Seite an Seite gelegen, wobei seine anschwellende Härte die Locken ihres Schoßes kitzelte, bis er sich aufstöhnend wieder in ihre süße Wärme bettete.

Wieder und wieder war er aus den Wogen der Lust aufgetaucht und hatte sich von Maggie zurückgezogen, nur um erneut von ihrem keuchenden, fast schluchzenden Atem an seiner Brust verführt zu werden, während ihre Hand sich abwärts über seinen flachen Bauch bewegte. Ihre kleinen Hände liebkosten ihn wild, streichelten ihn, umfassten ihn und trieben ihn schließlich zu jener unvergleichlich süßen Explosion. Die Ausdauer und Leidenschaft dieser kleinen Waldfee erstaunten ihn.

»Mein Mann! Mein süßer Mann! Mein Light! Mein Leben!« Immer wieder hatte sie diese Worte geflüstert.

Light begriff schließlich, dass diese geheimnisvolle, unerklärliche gegenseitige Zuneigung stärker war als alle Zweifel, die ihn in den letzten Tagen gequält hatten. Als sie sich zu jenem rauschhaften Flug emporschwangen und ihre Körper miteinander verschmolzen, erschienen die kleinen Verstimmungen, Ängste und seine Furcht, Maggie an den Schweden zu verlieren, völlig bedeutungslos.

Jetzt, am frühen Morgen, war seine Frau nach Stunden des Sinnenrausches müde. Als sie in der letzten Nacht unter dem Sternenhimmel gelegen hatten, konnten sie glauben, dass sie die einzigen Menschen auf Erden waren. Aber der Morgen war gekommen, und es war Zeit, der Wirklichkeit ins Auge zu blicken.

Da er sie nicht wecken wollte, kniete er sich auf das Lager aus weichen Kiefernästen und zog ihr die Decke über die Schultern. Nachdem sie eingeschlafen waren, hatte er sich seine Lederhosen angezogen, falls er rasch würde aufstehen müssen. Unter der Decke war Maggie noch immer nackt wie ein neugeborenes Kind.

»Was hat der Indianer gesagt, Light?«

»Chérie, du tust so, als ob du schläfst«, schimpfte er leise und sah sie dabei liebevoll an.

»Ich bin aufgewacht, als du mich verlassen hast«, gurrte sie verschlagen.

»Ich denke, du bist müde. Wir haben fast die ganze Nacht herumgetollt.«

»Liebst du mich, Light?«

»Kannst du dir das nicht denken, meine Süße?«

»Ich möchte aber, dass du es sagst.«

»Ich liebe dich. Du bist mein Leben, meine Seele.«

»Das ist schön, Light.« Sie streichelte seine nackte Brust. »Ich fühle Gänsehaut.« Einladend hob sie die Decke. »Komm, ich werde dich wärmen.«

Überzeugt, dass keine unmittelbare Gefahr von Krüger drohte, und weil die Versuchung groß war, Maggie zu umarmen, legte er sich neben sie und zog sie an sich, bis sie auf seiner Brust lag. Sie schnurrte wie ein zufriedenes Kätzchen, schmiegte sich an ihn und wartete darauf, dass er ihr vom Besuch des Indianers erzählte.

»Krüger hat sich ein Kanu genommen und ist flussabwärts gefahren.«

»Ich bin froh, dass er weg ist.«

»MacMillan hat gesagt, dass du in sein Haus kommen sollst.«

»Ich bleibe bei dir, Light.«

»MacMillan denkt, dass der Deutsche dich will und vielleicht zurückkommen wird.«

»Ich weiß, dass er mich will. Ich wusste das schon am ersten Tag. Er blickte mich voller Gier an.« Es schauderte sie, und sie legte eine Wange an seine Lippen. »Ich werde ihn mit meinem Messer töten, wenn er mich anrührt.«

»Er wird dich niemals bekommen, ma petite.«

Seine Lippen wanderten langsam, aber zielstrebig von ihrer Wange zu ihrem Mund und berührten ihn sanft. Dann küsste er sie immer leidenschaftlicher. Sie öffnete einladend die Lippen. Der Laut, der sich ihrer Kehle entrang, war ein Ausdruck reinen Vergnügens.

»Mon trésor! Mein Schatz!«, flüsterte er, während sein Verlangen ins Unerträgliche wuchs. Sein Körper wollte mehr als nur einen Kuss, ganz gleich, wie wunderbar dieser sein mochte. Aber es war nicht die Zeit, dieses Verlangen zu befriedigen.

Er widerstand ihr, die seinen Hals umschlungen

hielt, bewegte den Kopf und blickte ihr ins Gesicht, das bleich und schön, ruhig und erwartungsvoll war.

»Du bist die irritierendste und ... süßeste Frau«, sagte er mit leiser, rauer Stimme. Sie atmete rasch, und ihr Atem war kühl auf seinen vom Küssen feuchten Lippen.

»Irritierend? Was ist das, Light?«

»Auf dich bezogen, ma chérie, etwas Gutes.«

»Light«, sprach sie, wobei sie seine Brust mit den Fingerkuppen streichelte, »nimmst du mich gern zu deinem Berg mit?«

»Warum fragst du?«

»Du lächelst nicht, Light. Ich sehe dich so gerne lächeln.«

»Wenn das so ist, will ich versuchen, mehr zu lächeln.«

Das erste Tageslicht drang durch die Bäume, als Light die Decken zurückschlug und Maggies warmen, nackten Körper der kalten herbstlichen Luft aussetzte.

»Ziehen Sie sich an, Madame Lightbody.« Er packte sie an den Handgelenken, zog sie rasch hoch und gab ihr einen verspielten Klaps auf den nackten Hintern.

»Nur eine Minute. O ... fühle ich mich gut!«

Maggie streckte die Arme aus und wirbelte davon. Sie drehte und wendete sich, und ihre nackten Füße schienen über dem Erdboden zu schweben. Ausgelassen tanzte und hüpfte sie auf der Lichtung herum. Dabei wippten die schwarzen Locken um ihre Schultern auf und ab und bedeckten zuweilen ihre keck aufgerichteten nackten Brüste.

»Herunter kam ein alter Mann
Und summte vor sich hin,
Und fand 'nen alten Hut am Brett,
Wo seiner immer hing.«

Light strahlte über das ganze Gesicht, während er seiner Frau zusah. Es war ein solches Vergnügen, sie so unbefangen tanzen zu sehen und ihr lustiges Lied singen zu hören, dass er zögerte, sie zu unterbrechen, aber er tat es, als sie an ihm vorbei wirbelte. Er fing sie lachend in seinen Armen auf.

»Du lachst, Light«, sagte sie glücklich und küsste ihn auf den Mund. »Wenn du dann immer lachst, werde ich jeden Tag für dich tanzen, sobald wir zu unserem Berg kommen.«

Aus den oberen Ästen einer riesigen Eiche lugte ein starres Auge unverwandt durch das dichte Laubdach. Als die Frau sich vom Lager erhob und zu tanzen und zu singen begann, hielt sich das rätselhafte Wesen die Hand vor den Mund, um sein Lachen zu unterdrücken. Es hatte noch nie eine so schöne Frau gesehen wie diese Nymphe, die im Wald tanzte, und bezweifelte, dass abgesehen von Scharfes Messer jemand je so etwas erblickt hatte. Dass sie nackt war, war nichts Neues. Es hatte schon viele nackte Indianerinnen gesehen, aber diese Frau war wie die Maid im Märchen von der kleinen Fee, die in den Tälern auf der Smaragdinsel tanzte.

Viele Flecken hatte ihm von Scharfem Messer und seinen vielen Taten erzählt. Er war dieses Mädchens, das so schön war und so geschickt mit Peitsche und Messer umgehen konnte, würdig.

Das Wesen wagte kaum zu zwinkern oder zu atmen aus Furcht, Scharfes Messer könnte es sehen oder hören. Es stand unbeweglich da. Seine muskulösen Arme hatte es um einen Ast geschlungen, sein starkes Herz schlug heftig bei den schmerzlichen Erinnerungen an längst vergangene Zeiten. Seine Kleidung hob sich nicht von dem dichten Wein ab, der sich zur Sonne strebend an der Eiche emporrankte.

Die atemberaubende Vorstellung war allzu bald zu Ende. Scharfes Messer hatte sie auch gefallen. Sein Gesicht, das für gewöhnlich ernst war, strahlte vor Glück. Die Kreatur wartete, bis Singender Vogel ihre wildledernen Hosen und ihr langes Hemd angezogen hatte und das Paar seine Bündel nahm und zum Anwesen ging, bevor sie sich selbst am Wein herabhangelte, bis die dünnen, drahtigen Beine den Boden berührten.

MacMillan kam mit seiner Büchse in der Hand und einer Pistole im Gürtel in den Hof, um Light und Maggie entgegenzugehen, die sich dem Haus näherten.

»Die Frauen haben gerade das Essen fertig«, sagte er aufgeräumt, ohne zu grüßen.

»Wir werden unser eigenes Essen zubereiten«, antwortete Light im gleichen Ton. »Wir sind gekommen, um Ihnen dafür zu danken, dass Sie Viele Flecken mit der Nachricht über Krüger geschickt haben.«

»Sie lehnen meine Einladung ab?«

»Wir danken dafür, aber wir sind nicht hergekommen, um zu essen ohne Ihnen etwas dafür geben zu können.«

»Sie werden es tun, wenn Sie mir helfen, meine Familie zu schützen.«

»Das versteht sich von selbst, Monsieur.«

»Auf dem Kielboot, das den Fluss heraufkommt, befindet sich ein Kerl namens Ramon de la Vega, der gemeinste Schurke, der je geboren wurde. Er soll ein Pirat und Mörder sein, der Jagd auf Frauen macht.«

»Viele Flecken hat das gesagt.«

»Das ist seine dritte Tour flussaufwärts. Nach jeder Fahrt wurden Osagefrauen vermisst. Er bevorzugt sie, weil sie attraktiver sind als die meisten anderen Frauen. Weiße Frauen nimmt er nur, wenn er sie von den Delaware durch Tausch erwerben kann.«

»Die Delaware werden sie schlimm missbraucht haben.«

»Nicht schlimmer als Vega.« MacMillan blickte ständig suchend herum, als ob er jemanden erwartete. »Ich kenne einen Fall, wo er Trapper an Bord nahm, ihre Felle raubte und dann ihre Kanus zerstörte.«

Paul kam aus der Krankenstube und wurde von Maggie begrüßt.

»Paul,« rief sie, »ist Eli noch krank?«

»Es geht ihm heute besser, Madame, viel besser«, erwiderte Paul vergnügt.

Maggie zog ihren Mann am Arm. »Light, ist es dir recht, wenn ich nach Eli sehe?«

»Geh, meine Fee. Aber entferne dich nicht vom Haus. Bleib bei den Frauen.« Nachdem sie gegangen war, fragte Light: »Wird Vega hier Halt machen?«

»Es ist anzunehmen. Miz Mac trifft schon Vorkehrungen. Ich werde sie und die drei kleinen Mädchen zu den Höhlen bringen. Aee und Bee sind gute Schützen. Viele Flecken ist zu den Osage gegangen. Sie werden die Hände nicht in den Schoß legen, wenn wir angegriffen werden.«

»Hat Vega genügend Männer, um angreifen zu können?«

»Er braucht nicht viele. Er hat eine Kanone.«

»Wenn Vega sich mit Otto in Verbindung setzt, Monsieur, wird er wissen, dass hier Frauen sind«, sagte Paul.

»Und er wird zwei Fässchen Schießpulver mehr haben«, bemerkte MacMillan mit einem tiefen Seufzer.

»Wohin bringt er die Frauen?«, fragte Light ruhig.

»Caleb sagt, er bringt sie zu einem Ort südlich von Natchez. Einige steckt er in ein Freudenhaus, und die anderen verkauft er, damit sie auf Schiffen in heidnische Länder gebracht werden.«

»Woher weiß Caleb das?«

»Vega kaufte ihn, um ihn als Zuchthengst zu verwenden. Sie verkauften seine Sprösslinge, und er hatte einen ganzen Haufen davon. Vor vier oder fünf Jahren flüchtete er. Ich weiß nicht, wie er es fertig brachte, durch das Gebiet der Delaware zu kommen, aber er schaffte es.«

»Wird Vega sein Eigentum zurückfordern, wenn er weiß, dass Caleb hier ist?«, fragte Paul.

»Soweit mir bekannt ist, weiß er es nicht. Vega denkt, Schwarze seien zweibeinige Tiere, die zu dumm sind, um eine so weite Strecke aus eigener Kraft zurückzulegen.«

»Monsieur, Krüger wird es ihm erzählen«, sagte Paul ruhig.

»Großer Gott! Das stimmt!«, bestätigte MacMillan mit angsterfülltem Blick. »Ich werde Caleb verstecken. Ich lasse nicht zu, dass er dem Bastard in die Hände fällt. Wenn der ihn in die Finger bekommt, passt der arme Caleb in keinen Sarg mehr.«

»Ich habe darüber schon mit Eli gesprochen«, sagte Paul. »Das, was Sie brauchen, um ihr Haus und ihre Familie zu schützen, sollen Sie von seiner Ladung nehmen. Da sind acht weitere Fässchen Schießpulver und zehn Büchsen, wenn Krüger sie nicht mitgenommen hat.«

»Viele Flecken sagt, Krüger glitt ins Wasser und zog das Kanu zum Fluss, wo er hineinkletterte. Ich habe die Fässchen gezählt, weil ich vorhatte, sie Nielson allesamt abzukaufen. Daher weiß ich, dass zwei fehlen.«

»Was schlagen Sie vor, Monsieur?!

»Caleb holt die Ochsenkarren, um das, was wir von der Ladung nicht brauchen, zur Salzhöhle zu befördern.«

»Ich gehe mit, um zu helfen.« Paul verbeugte sich und eilte davon.

»Packen Sie Ihre Bündel in die Krankenstube, Lightbody. Miz Mac wird uns etwas auftischen. Es kann eine Weile dauern, bis Sie wieder etwas zu essen bekommen.«

Eli saß am Bettrand und aß gerade Haferschleim aus einer Schüssel, als Maggie die Krankenstube betrat. Ein Laken war um seine Hüften geschlungen. Er blickte finster auf Bee, die mit dem Rücken zur Wand und mit gesenktem Kopf so weit wie möglich von ihm entfernt stand.

»Guten Morgen, Eli. Guten Morgen, Bee.«

Schweigen.

Maggie blickte von Elis zorniger Miene zu Bees gerötetem Gesicht. Bees Lippen bebten. Maggie stemmte die Arme in die Hüften und runzelte die Stirn.

»Eli! Sind Sie wegen Bee verstimmt?«

»Verstimmt?«, echote er, als ob sie in einer Sprache zu ihm gesprochen hätte, die er nicht verstehen konnte. »Ich bin außer mir. Sie will mir meine Hosen nicht geben.«

Maggie kicherte. »Vielleicht sind sie verloren gegangen.«

Eli funkelte sie wütend an.

»Ma wird kommen und sagen, wann er aufstehen kann«, bemerkte Bee fast flüsternd.

»Du lieber Himmel! Wann kommt sie denn endlich? Ich habe jeden verdammten Krümel gegessen, den sie geschickt hat. Ich will hier raus!« Eli stellte die leere Schüssel auf den schmutzigen Boden. »Wenn sie mir die Hosen nicht bald bringt, werde ich splitternackt hinausgehen.«

Maggie kicherte erneut. »Erst gestern waren Sie wegen Ihres Fiebers nicht bei Verstand. Sind Sie es jetzt wieder?«

Eli blickte noch finsterer. »Ich muss nach meinem Boot sehen. Krüger ist mit einem Teil meiner Ladung abgehauen. Bei Gott, ich werde mir alles zurückholen. Dieser dumme Deutsche wird mich noch kennen lernen.«

»Sie sind zu schwach, Eli«, wandte Maggie ein.

»Zum Teufel, Maggie! Wenn ich hier rumsitze, werde ich nur schwächer. Ich will meine Hosen.

MacMillan wird jede Hilfe brauchen, wenn dieser Kerl Vega hier auftaucht.«

»MacMillan wird Sie nicht brauchen, Eli. Light wird wissen, was zu tun ist. Er wird MacMillan helfen.«

»Light hier! Light da! Ich habe es satt, zu hören, dass Light alles kann!«

»Nun ja, er kann wirklich alles, Eli. Und sagen Sie nicht, dass das nicht stimmt. Sonst können Sie mir gestohlen bleiben.«

»Maggie, ich sage Ihnen, MacMillan wird jede Hilfe benötigen, die er bekommen kann. Der Pirat hat eine Kanone.«

»Light fürchtet sich nicht vor Kanonen. Warten Sie nur, Sie werden sehen.«

Eli hob die Hände, als ob er aufgeben wollte. »Ich nehme an, er wird die Kugel mit seinen Zähnen auffangen.«

Maggie brach in Gelächter aus. »Sie sind albern.«

»Ich will meine Hosen!«, brüllte Eli.

Mrs MacMillan erschien in der Tür.

»Sie brauchen nicht zu schreien, Mr Nielson. Hier sind Ihre Sachen. Sauber, trocken und gestopft, möchte ich hinzufügen.«

Die ruhige, kultivierte Stimme dieser großen, würdevollen Frau in indianischer Kleidung bewirkte, dass Eli der Mund offen stehen blieb. Ihr schwarzes, von feinen Silberfäden durchzogenes Haar war in der Mitte gescheitelt, und zwei dicke, lange Zöpfe hingen ihr bis über die Hüften. Der gewölbte Bauch, in dem sie ihr Kind trug, machte sie seltsamerweise noch schöner. Sie hatte große Augen von ungewöhnlichem Blau, und das Gesicht war faltenlos. Sie ist stolz und schön, dachte er. Ein anderer Gedanke drängte sich ihm auf: Lights Mutter war auch eine Osage gewesen.

»Ich bitte um Verzeihung, Madame. Es ist nur so, dass ... nun ja, ich kann hier nicht herumliegen, wenn ... ich helfen sollte. Ich danke Ihnen für Ihre Pflege.«

»Gern geschehen. Ihr Fieber war von kurzer Dauer.« Sie wandte sich zu ihrer Tochter. »Bee, hilf Aee, die Wasserfässer zu füllen, falls Wasser gebraucht wird. Mr Lightbody frühstückt gerade, Maggie. Sie sollten ihm Gesellschaft leisten. Wir lassen Mr Nielson jetzt allein, damit er sich anziehen kann.« Sie hieß die Mädchen gehen. Dann drehte sie sich um und sagte: »Sie sollten nicht versuchen, an diesem Fuß einen Stiefel zu tragen. Wenn Sie keine Mokassins haben, werde ich Ihnen ein Paar suchen.«

»Ich wäre Ihnen sehr verbunden, Madame.«

# Kapitel 12

Ramon de la Vega lehnte sich gegen die Reling und hielt das Fernrohr an ein Auge. Das Kanu, das den Fluss herab kam, hielt sich in Ufernähe und versuchte, der schnellen Strömung auszuweichen. Der glatzköpfige Weiße paddelte wie wild, während er das Kanu im Zickzack durch das Wasser steuerte, um die weniger starken Strömungen zu suchen.

De la Vega ließ sein Glas sinken und knabberte an der Unterlippe. Bei der starken Gegenströmung würde er einen ganzen Tag brauchen, ehe er MacMillans Anwesen erreichte. Der fremde Mann aber war nur wenige Stunden davon entfernt, wenn man davon ausging, dass das Kanu mit dem schnellen Wasser den Fluss herab gekommen war. Der Mann hatte vielleicht nützliche Informationen.

Mit seinen schlanken Fingern fuhr er durch den dunklen Spitzbart und das seidige Haar um die dünnen roten Lippen. Er hatte nicht geplant, bei MacMillans Anwesen anzuhalten. James MacMillan war ihm zu grob, und wenn der Siedler entdeckte, dass Felle nicht die einzige Ladung auf seinem Boot waren, so würde er dies ohne Zweifel Daniel Boone mitteilen, der im Territorium über beträchtlichen Einfluss verfügte.

Vega war immer sehr darauf bedacht, seine Raubzüge möglichst weit weg von Natchez durchzuführen. Seine Familie hatte keine Ahnung davon, dass er ein weißer Sklavenhändler war oder dass er die Fellbündel, die er von seinen Fahrten zurückbrachte, nicht gekauft hatte, wie er vorgab.

Auf seiner ersten Reise den Missouri hinauf hatte er nach Caleb, seinem entflohenen Sklaven, Ausschau gehalten. Dann hatte er herausgefunden, wie leicht es war, einem einsamen Trapper die Beute eines Winters zu stehlen. Im Laufe der nächsten zwei Jahre hatte er seine Methode perfektioniert, die Trapper, die nach menschlichem Kontakt lechzten, auf sein Boot zu locken. Obwohl es leicht war, die Trapper zu berauben, hatten sich die Indianerinnen als Gewinn bringender erwiesen. Nun hegte er die Hoffnung, einige Osagemädchen einzufangen, um dann nach Hause zurückkehren zu können. Er hatte zwei Delawarefrauen, eine Weiße, eine Shawnee und genügend Opium, um sie so lange gefügig zu machen, bis er sie im Freudenhaus abliefern konnte.

Die Weiße war eine Hure, die einer seiner Männer von einem Ausflug nach St. Louis mitgebracht hatte. Er hatte ihr erlaubt, an Bord zu kommen, um nicht nur der Mannschaft zu Diensten zu sein, sondern auch seine Kleidung zu waschen und seinen Nachttopf zu leeren. Sie hatte sich auch in anderer Weise als nützlich erwiesen. Sie wusch für ihn das jüngste der indianischen Mädchen. Er nahm nie das, was andere Männer schon vor ihm benutzt hatten.

Das jüngere Delawaremädchen, so überlegte er, würde er so lange behalten, bis er ein jüngeres, attraktiveres Osagemädchen gefunden hatte. Die anderen würde er per Schiff nach Spanien schicken, einschließlich der Weißen, falls sie noch lebte und bei Sinnen war, bevor sie Natchez erreichten. Amerikanische Indianerinnen waren viel wertvoller. Sie waren eine begehrte Novität in den Bordellen Spaniens geworden.

»Julio!«, schrie Vega.

Ein kleiner Mann mit struppigem Haar kam aus der Kajüte und band die Schnur zu, die seine Segeltuchhosen hielt. Auf dem dunkelhäutigen Gesicht erschien ein dummes Grinsen, bei dem er große, weiße, hervorstehende Zähne mit großen Lücken dazwischen entblößte.

»Hast du schon wieder die Hure gevögelt?«, fragte Vega amüsiert.

»Si, Señor. Ich kann der Versuchung nicht widerstehen.«

Ramon de la Vega zuckte die Schultern. Gut bediente Männer waren zufriedene Männer, solange sie sich nicht um die Frau stritten. Er hatte die Männer in zwei Gruppen eingeteilt. Jede Gruppe hatte jeweils einen Tag von morgens bis abends, dazwischen lag ein Tag der Ruhe für die Frau. Zuerst hatten die Männer gemurrt, aber bald gewöhnten sie sich an diese Einteilung, da sie feststellten, dass sie die Frau während ihrer regulären Schicht so oft benutzen konnten, wie sie wollten. Keiner der Männer wagte es, sich an einem der noch jungfräulichen indianischen Mädchen zu vergreifen. Sie alle kannten die Strafe: Man würde ihnen die Geschlechtsteile abhauen.

»Los, Julio. Ein Kanu mit einem Weißen drin kommt den Fluss herab. Ich will ihn haben. Lebendig.«

Gelenkig wie ein Affe sprang Julio auf das Kajütendach und schrie einen Befehl. Minuten später
fuhr das Kielboot mit acht Männern an den Rudern
auf den Fluss hinaus. Das Kanu musste den Zwi-
schenraum zwischen Boot und Ufer passieren oder
riskieren, von der raschen Strömung erfasst zu werden.

Nach einer Stunde wurde das Kanu am Kielboot
festgemacht, und Krüger wurde an Bord gehievt, wo
er sich einem dunkelhaarigen schlanken Mann
gegenübersah, der ein mit Spitzenborten besetztes
Rüschenhemd aus feinem Batist trug. Sein dunkler
Schopf reichte Krüger bis zu den Schultern. Vega
trat in seinen hohen Schaftstiefeln aus feinem Leder
ein wenig zurück, um Krüger ins Gesicht blicken zu
können.

»Wer bist du?«

»Otto Krüger.«

»Ein Deutscher, nicht wahr? Ich habe wenig Verwendung für Deutsche.« Vega zog einen Dolch aus
seinem Gürtel und schlug die Klinge immer wieder
auf eine Handfläche, während er Krüger anstarrte.
»Rede, oder ich werde dich zum Reden bringen.«

Bis jetzt hatte Krüger ihn für einen Gecken gehalten. Nun korrigierte er seine Meinung. Der kleine
Dandy war eine zusammengerollte Viper mit hellen,
schlangenähnlichen Augen, die jede seiner Bewegungen verfolgten. Krüger begann zu schwitzen.

»Was wollen Sie wissen?«

»Du bist dümmer, als du aussiehst, wenn du mich
danach fragen musst.«

Krüger sah sich um. Die Männer waren alle dun-
kelhaarig und dunkelhäutig und mit Dolchen und

Macheten bewaffnet. Sie waren Flusspiraten. Das hatte er von Anfang an gewusst. Er wusste auch, dass er ihnen auf Gedeih und Verderb ausgeliefert war. Er dachte fieberhaft darüber nach, welche Informationen er bieten konnte, um sein Leben zu retten.

Eine Frau mit pockennarbigem Gesicht und unordentlichem blondem Haar erschien im Türrahmen der Kajüte. Ihr Kleid war so tief ausgeschnitten, dass die Brüste herauszuschwappen drohten. Der Mund lächelte, die Augen waren leer.

»Willst du sie?« Vegas Blicke waren denen Krügers gefolgt.

Krüger leckte sich die wulstigen Lippen. »Ja. Ich habe eine ganze Weile keine Frau gehabt.«

»Meine Männer teilen sie sich. Nach unserer ... Unterredung kannst du sie so lange und auf so viele verschiedene Weisen haben, wie du willst. Hol dem Mann einen Becher Ale, Julio. Wir haben einiges miteinander zu bereden, bevor er sich von der Last befreit, die er mit sich herumträgt.«

Ramon de la Vega gratulierte sich. Überredung war besser als Gewalt, wenn man die Schwäche eines Mannes herausgefunden hatte. Dieser große, dumme Ochse lechzte nach einer Hure. In weniger als einer Stunde würde er alles wissen, was der Mann wusste, und obendrein noch einiges von dem, was er glaubte, vergessen zu haben.

Light war von MacMillans Organisationstalent beeindruckt. Gegen Mittag sah das Anwesen von weitem so aus, als ob es verlassen sei. Die Fenster und Türen des Hauses waren mit schweren Läden dicht gemacht. Das Vieh war in den Wald gebracht worden. Bereits am Nachmittag waren die Boote flussaufwärts versteckt, und Elis Fracht war in einer der Salzhöhlen verstaut worden. MacMillan wählte eine große Weide aus, die, wenn sie gefällt würde, den Wasserlauf blockieren und Ramon de la Vega daran hindern würde, nahe genug heranzukommen, um das Anwesen mit seiner Kanone zu zerstören. Er und Caleb würden den Baum fällen, falls es notwendig werden sollte.

Aee, die ihre Zöpfe unter ihren alten Hut gesteckt hatte, schichtete einen Haufen trockenen Holzes für ein kleines Feuer unter den Eichen hinter dem Haus auf. Die dünne Rauchfahne würde sich in den Zweigen darüber verlieren. Sie legte eine Stange Blei in einen kleinen gusseisernen Topf mit Tülle. Sobald das Blei geschmolzen war, würde sie daraus Gewehrkugeln gießen. Obwohl sie genügend Vorräte hatten, wusste niemand, wie lange die Belagerung dauern würde.

Ruhig packte Mrs MacMillan Nahrungsmittel und Bettzeug für sich und die jüngeren Kinder ein. Bee würde mit ihr zur Höhle oberhalb des Anwesens fahren und dort bleiben, bis die Osagefrauen kamen. Danach würde sie zum Anwesen zurückkehren und zu ihrer Büchse greifen. Mrs MacMillan versicherte ihrem Mann, dass ihr Kind nicht in den nächsten ein bis zwei Tagen zur Welt kommen würde und dass er sich ganz auf den Schutz ihres Hauses konzentrieren konnte.

Light drängte Maggie, mit Mrs MacMillan fortzugehen, aber sie weigerte sich.

»Ich bleibe bei dir, Light.«

»Chérie, mir wäre leichter ums Herz, wenn du mit der Dame fortgehen würdest ...«

»Du hast gesagt, wir bleiben zusammen ... immer.« Maggie sah ihn mit ihren wunderschönen Augen unverwandt an.

»Das stimmt. Das habe ich gesagt. Aber es ist anzunehmen, mein Liebling, dass Krüger dem Piraten erzählt hat, dass hier Frauen sind. Er hat ihm von Caleb berichtet. Vega wird angreifen, um sein Eigentum zurückzubekommen und Frauen für sein Bordell zu erbeuten.« Er wollte ihr keine Angst einjagen, doch er ahnte, dass der Pirat geradezu darauf versessen sein würde, Maggie in seine Gewalt zu bekommen, sobald er von ihrer Existenz erfuhr.

»Ich will nicht fort. Wir bleiben zusammen, Light.« Maggie bestand selten darauf, ihre Meinung durchzusetzen, aber jetzt tat sie es. Sie hatte eine störrische Miene aufgesetzt, und eine Hand umkrallte seinen Arm. Sie bat ihn nicht, sondern erklärte bloß, was sie zu tun beabsichtigte.

»Ich möchte, dass du in Sicherheit bist, mein Schatz.«

»Gib mir ein Gewehr. Ich werde damit schießen.«

»Das kannst du nicht«, sagte Light mit Nachdruck. Zum ersten Mal seit sie St. Charles verlassen hatten, war er ihr gegenüber ungeduldig.

»Warum kann sie das nicht?«, fragte Eli, der das Gespräch mit angehört hatte, und löste sich von dem Baumstamm, an den er sich gelehnt hatte. »MacMillans Mädchen schießen.«

Light drehte sich zu dem Schweden um und sah ihn so wütend an, dass ein anderer Mann sich geduckt hätte und zurückgewichen wäre. Eli schlug noch nicht einmal die Augen nieder.

»Die Büchse wiegt fast halb so viel wie sie. Es besteht die Möglichkeit, dass sie ihr die Schulter zerschmettert, wenn sie sie abfeuert, das heißt, wenn sie die Büchse überhaupt heben und ruhig halten kann.« Light bewegte bei diesen Worten kaum die Lippen. »Ich sage Ihnen das, obwohl es Sie nichts angeht.«

»Ich werde ihr eine Pistole geben.«

»Sie werden ihr gar nichts geben, Monsieur. Das ist eine Angelegenheit zwischen mir und meiner Frau.« Light sagte das mit eisiger Miene.

»Das ist etwas, worüber wir noch sprechen müssen.«

Light schob seine Frau hinter sich. Seine Hand griff zum Messer in seinem Gürtel. All seine Muskeln spannten sich. Seine knappen Worte fielen in eine tödliche Stille.

»Nicht jetzt. Auch nicht später. Wir werden unsere eigenen Wege gehen. Wenn das hier vorüber ist.«

»Wir werden sehen.«

Paul spürte, dass es Zeit wurde, sich einzumischen. Er zwängte sich zwischen Eli und Light.

»Eli, mon ami, komm. Der Mann hat Recht. Es geht dich nichts an, eh? Mademoiselle Aee gießt Blei. Sie braucht unsere Hilfe bei der Herstellung von Gewehrkugeln.«

Der Schwede machte sich mit einem Ruck von Paul los, der ihn am Ellbogen gepackt hatte, und schoss wütende Blicke auf den Scout. Langsam folgte er Paul zum Feuer, wo Aee kauerte. Als sie zu ihm aufblickte, verzog sich ihr Gesicht zu einer spöttischen Grimasse. Sie stand auf, kehrte ihm den Rücken und winkte ihrer Mutter und ihren beiden Schwestern nach, die im Ochsenkarren davonfuhren. Den Narr gelüstete es nach der Frau eines anderen Mannes. Wie dumm war sie doch gewesen, ihn jemals sympathisch zu finden.

Aee löffelte die silbrige Flüssigkeit in die Gussform und behielt ihre Gedanken für sich. Sie konnte es dem Schweden eigentlich nicht verübeln, dass sein Herz für Maggie entbrannt war. Jeder Mann würde Maggie bewundern und sie beschützen wollen. Sie war so klein und vollkommen wie eine Puppe.

Aee war stets stolz auf ihre Größe und Stärke gewesen, aber neben Maggie kam sie sich riesig und plump und ... hässlich vor.

»Was muss getan werden, chérie?«, fragte Paul.

Sie stieß mit dem Fuß gegen einen zur Hälfte mit rohen Gewehrkugeln gefüllten Eimer.

»Glauben Sie, dass er imstande ist, die Gewehrkugeln mit seinem Messer zu glätten?«, fragte sie schnippisch. »Man braucht dafür nicht besonders intelligent zu sein.«

»Du bist eine rappelköpfige Frau mit losem Mundwerk!«, knurrte Eli wütend, wobei er sich auf den Boden fallen ließ und im Eimer wühlte. Er fühlte sich matt und schwach und war froh, dass er sich hinsetzen konnte, aber das hätte er gegenüber dieser rechthaberischen Frau niemals zugegeben.

»Jetzt, wo Sie keine Pflege mehr brauchen, beleidigen Sie mich. Ich pfeife darauf, was Sie von mir halten.«

»Nicht viel«, konterte er und hoffte, dass er sie damit zum Schweigen gebracht hatte.

Aee sah, dass er zu Light und Maggie blickte, die in einiger Entfernung standen. Light sprach mit ernster Miene zu Maggie. Dann legte er einen Arm um sie und führte sie in den Wald.

»Wenn Sie nur ein bisschen Verstand hätten, würden Sie aufhören, mit Kuhaugen Mrs Lightbody hinterher zu glotzen. Ihr Mann wird Ihnen die Kehle durchschneiden, bevor Sie bis drei zählen können.«

»Ich schätze, du denkst, ich würde mich einfach zurücklehnen und ihn das tun lassen. Ich sage Ihnen eines, Miss Klugschwätzerin MacMillan, ich habe nicht vor, tatenlos zuzusehen, wenn er mich anfällt.«

»Man sagt, er würde niemals klein beigeben, wenn er erst einmal verärgert ist, und sich an keine Regeln eines fairen Kampfes halten, wenn ein Mann getötet werden muss.« Aee empfand Schadenfreude, als sie sah, dass Eli vor Ärger errötete. Sie grinste ihn frech an. »Ich glaube, ich an Ihrer Stelle würde kneifen.«

»Du bist nicht ich, deshalb halt gefälligst den Mund und kümmere dich um deine eigenen verdammten Angelegenheiten«, presste Eli zwischen den Zähnen hervor.

»Merken Sie denn gar nicht, dass sie nichts von Ihnen will? Sie braucht Sie nicht und will nicht, dass Sie sich einmischen. Es reizt nur ihren Mann.«

»Sind dir keine Manieren beigebracht worden? Hat dir nie jemand gesagt, dass eine Dame ihre Meinung für sich behalten soll, wenn sie nicht ge-

fragt wird?«, sagte er sehr leise, nachdem er aufge-
blickt und gemerkt hatte, dass Paul außer Hörweite
war.

»Sie schwatzen dummes Zeug. Ich weiß nichts
über Damen und will auch nichts darüber wissen.
Ich denke, Damen kennen Sie sowieso nur aus dem
Bilderbuch.«

»Ich sollte dir den Hintern versohlen.«

»Versuchen Sie's nur, und Sie können sicher sein,
dass ich Ihnen ein hübsches Loch zwischen die Augen schieße.« Sie warf ihm einen Lederbeutel hin,
der ihn an der Brust traf. »Legen Sie die fertigen
Kugeln hinein – das heißt, wenn Sie überhaupt eine
fertig kriegen.«

»Bist du mir böse, weil ich nicht gehen wollte,
Light?«, fragte Maggie, sobald sie allein waren.

»Du hast versprochen, mir zu gehorchen.«

»Ja, das habe ich. Aber wenn jemand versucht,
dich anzugreifen, kann ich nicht tatenlos zusehen.
Ich muss bei dir sein, Light. Wenn du stirbst, will ich
auch sterben.«

Light lehnte seine Büchse an einen Baum und zog
Maggie an sich.

»Vergiss nicht, chérie, es gibt manchmal schlim-
mere Dinge, als den Tod. Wenn du gefangen genommen würdest und ich dich verlöre, so würde ich
nicht ein-, sondern tausendmal sterben.«

»Man wird mich nicht gefangen nehmen. Ich will
nicht, dass du traurig bist«, sagte sie rasch und streichelte seine Arme. »Denk nicht, dass wir sterben
werden. Wir werden noch lange leben, nachdem wir
zu deinem Berg kommen.«

»O ... mon trésor, wie kannst du dir so sicher sein?«

»Ich weiß es einfach. Wir müssen noch unsere Kinder bekommen, Light«, sagte sie so ernst, dass er lachen musste.

»Wirst du auf mich hören und mir gehorchen?«

»Ja, Light.«

»Du wirst dich nicht in meinen Kampf einmischen?«

»Nein, Light.«

»Wirst du hier bleiben, wo ich dich sehen kann?«

»Ja, Light.«

Über ihren Köpfen schimpfte ein blauer Eichelhäher. Eine Krähe, die der Hunger mutig gemacht hatte, landete auf einem nahen Strauch und stimmte krächzend in das Gezeter des Eichelhähers ein, bevor sie wieder wegflog.

Maggie lauschte Lights Worten so aufmerksam, dass sie diese Geräusche, die sie liebte, nicht beachtete. Sie sah ihm unverwandt in die Augen.

»Warum hast du Eli nicht gestattet, mir eine Pistole zu geben?«

»Wenn du eine Pistole hast, wird es eine sein, die ich dir gebe.« Er packte sie an den Schultern. »Ich möchte nicht, dass du irgendetwas von ihm annimmst.«

»Warum? Er mag dich. Er mag mich.«

»Er mag mich nicht, Maggie. Er hätte nichts lieber, als wenn ich ihm nicht mehr im Wege stehen würde und er dich haben könnte.«

»Nein, Light.« Maggie schüttelte den Kopf. »Er ist nicht wie andere Männer.«

»Ich nehme an, du weißt auch das einfach so.«

»Ja, Light.«

Light nahm den Beutel ab, den er auf dem Rücken trug, stellte ihn auf den Boden und öffnete ihn. Er nahm zwei Messer heraus. Das eine steckte er in eine Tasche an der Seite seiner kniehohen Mokassins. Das andere zeigte er Maggie.

»Du brauchst eine weitere Waffe. Trag dieses Messer hinten in deinem Gürtel.« Er drehte Maggie herum und befestigte das Messer so, dass die Messerspitze an ihrer Hüfte lag. »Probier, ob du es rasch und leicht herausziehen kannst.«

Nach einigen Versuchen gelang es ihr, das Messer mit einer einzigen schnellen Bewegung der Hand zu ziehen.

MacMillan trat, gefolgt von Paul, der zwei Büchsen trug, zwischen den Bäumen hervor.

»Ich glaube, dass Vega einen Teil seiner Mannschaft weiter unten am Flussufer absetzen wird, damit diese Männer durch den Wald kommen.«

»Das wäre dumm«, sagte Light.

»Wieso?«

»Ein paar Bogenschützen könnten sie nacheinander abschießen.« MacMillan kratzte sich am Kopf und lachte dann. »Viele Flecken wird in einigen Stunden zurück sein.«

»Irgendwelche Nachrichten über Krüger?«

»Vega hat ihn an Bord genommen. Er wird alles aus dem Deutschen herausquetschen, was er über dieses Anwesen weiß.«

»Hast du das von Zet erfahren?«, fragte Maggie. »Aee sagte, wir sollten uns keine Sorgen machen. Hat jemand Zet gerufen, damit er die Augen offen hält?«

»Ja, Madame. Ich habe vor etwa einer Stunde ein Signal erhalten.«

»Ist Zet eines Ihrer Kinder, Mr Mac?«, fragte Maggie in ihrer naiven direkten Art.

»Nein, Madame. Ich habe ihn so genannt, weil ich dachte, wir würden wohl kaum genügend Kinder bekommen, um das Ende des Alphabets zu erreichen. Zet hat vergessen, wie er vor langer Zeit hieß, und das ist überhaupt kein Wunder. Er lässt sich nicht ohne weiteres vor Leuten blicken. Er wird sich zeigen, wenn er dazu bereit ist.«

»Was ist ein ... Alphabet?«

»Nun ja ...« MacMillan nahm den Hut ab und kratzte sich wieder am Kopf, während er überlegte, wie er das Alphabet erklären sollte. Er schaute erst Hilfe suchend Light an. Dieser sagte nichts, sondern sah ihn nur belustigt an. Paul machte eine hilflose Gebärde. Schließlich sagte MacMillan: »Es sind die Buchstaben, die man liest. A, b, c, d, e und f usw.«

Maggie klatschte in die Hände. »Ich habe davon gehört. Sie haben ihren Kindern gelehrte Buchstaben als Namen gegeben. Sie sollten darauf richtig stolz sein.«

»Ja. Miz Mac hat sie mir beigebracht, als Aee geboren wurde. Wir hielten es damals für angebracht die Kinder danach zu benennen.«

»Ich habe nie lesen gelernt. Light ja. Light kann alles lesen.« Maggie sah ihren Mann bewundernd an.

»Das ist ja ... wunderbar.« MacMillan wusste nicht, was er sonst dazu sagen sollte.

Light nahm ein Dutzend Pfeile aus seinem Beutel

und dazu die gleiche Anzahl von Metallspitzen sowie ein Knäuel fester Schnur.

»Chérie, befestige die Spitzen an den Pfeilen so,
wie ich dir gezeigt habe. Wir werden viel mehr Pfeile
brauchen, als wir haben.« Er ließ Maggie auf einem
Baumstamm sitzend zurück und entfernte sich ein
Stück von ihr. Paul und MacMillan folgten ihm. »Ich
sitze nicht gern untätig herum.«

»Ich auch nicht«, sagte MacMillan. »Aber wir können nicht viel tun, ehe wir wissen, was er vorhat.
Vielleicht macht er auch gar nichts.«

»Das ist nicht wahrscheinlich, Monsieur. Krüger
wird ihm von ihren Frauen und von Mrs Lightbody
erzählt haben. Wenn es so ist, wie Sie sagen –.« Paul
sprach nicht weiter.

»Und von Caleb. Aus Stolz wird er ihn töten wollen. Vega wird es nicht hinnehmen können, dass
ihm ein Sklave entlaufen ist. Caleb hat einen Geschmack davon bekommen, was es heißt, ein freier
Mann zu sein, der Lohn für seine Arbeit bekommt.
Er wird lieber bis zum Umfallen kämpfen, als zu Vega zurückzukehren.«

»Werden die Schwarzen davonlaufen, wenn der
Kampf beginnt, Monsieur?«, fragte Paul.

»Ich würde mein Leben verwetten, dass Caleb und
Linus bei uns bleiben. Viele Flecken wird Krieger
mitbringen. Es werden die besten sein, die ich kenne, aber mit Feuerwaffen sind sie nicht besonders
geschickt. Sie lieben es, mit ihnen zu schießen, aber
sie treffen meilenweit daneben. Das Einzige, was sie
machen, ist viel Krach.«

»Viele Flecken ist ein alter Mann«, sagte Light
und dachte daran, dass MacMillan gesagt hatte, er

habe keine Pferde. »Viel zu alt, um meilenweit zu laufen.«

MacMillan erinnerte sich und lachte beschämt. »Ich habe mir schon gedacht, dass Sie mich bei dieser Lüge ertappen würden. Die Wahrheit ist, dass ich einige Pferde in den Bergen versteckt habe, wo die Delaware sie nicht finden können. Noch ein paar mehr befinden sich bei den Osage.«

Er sprach nicht weiter, sondern hob den Kopf und lauschte. Dem wiederholten Pfeifen eines roten Kardinals folgte der Schrei eines Falken. Eine Minute später hörten sie den Schrei eines Falken und dann den roten Kardinal.

»Das ist Zet. Ich muss gehen.« MacMillan trabte zum Waldrand und verschwand.

Light fühlte sich nicht wohl in seiner Haut. Es entsprach nicht seiner Art und auch nicht der von Jefferson Merrick oder Will Murdock, zu warten, bis er angegriffen wurde. Seiner Meinung nach war es besser anzugreifen, während alle noch auf dem Boot waren. Ein Sperrfeuer brennender Pfeile würde das Boot in Brand setzen, und das Schießpulver würde den Rest besorgen.

»Monsieur, ich möchte mit Ihnen im Namen meines Freundes Eli reden.« Paul trat dicht an Light heran und sprach leiser, nachdem er kurz zu Maggie geblickt hatte.

»Kann Ihr Freund nicht selbst reden?«

»Meinem Freund Eli sitzt der Teufel im Nacken, Monsieur«, sagte Paul und ignorierte die Frage. »Er ist in großen Schwierigkeiten. Ich bitte um Ihr Verständnis.«

»Ich werde ihn töten, wenn er sich weiter zwischen

mich und meine Frau drängt«, sagte Light mit schneidender Stimme. In seinem Zorn war sein französischer Akzent deutlicher zu hören.

»Er ist ein ehrbarer Mann.« Pauls Stimme bebte. »Er weiß, dass er Ihnen für die Rettung seines Lebens Dank schuldet.«

»Er schuldet mir nichts.« Light stieß die Worte wütend hervor. »Hätte sich ein Hund im Schilf des Flusses verfangen, so hätte ich das Gleiche getan.«

»Er würde Ihre Frau nicht entehren.«

Als Light diese Worte vernahm, wirbelte er herum. In wildem Zorn stieß er hervor: »Wenn er nur daran denkt ... Ich werde ihn töten!«

Paul hob beschwichtigend die Hände. »Monsieur Light, bitte. Mit der Zeit wird sich alles klären.«

»Light?« Maggie stand neben ihm und fasste ihn am Arm. »Streitest du dich mit Paul?«

Light legte eine Hand hinter ihren Kopf. Sein Gesicht nahm einen sanften Ausdruck an, als er in ihre ängstlichen grünen Augen blickte. Sie hatte ein feines Gespür dafür, was ihn bewegte. Es war, als ob sie seine Gedanken lesen konnte.

»Nein, ma chérie. Männer können Meinungsverschiedenheiten haben, ohne wütend zu sein.«

»Du warst aber wütend, Light«, sagte sie. »Du hast die Stirn gerunzelt und die Brauen so zusammengezogen.« Maggie machte ein finsteres Gesicht.

Light lächelte. Paul lachte.

»Lachen Sie nicht über mich.« Maggie sah den Franzosen wütend an. »Ich will nicht, dass Sie und Light aufeinander böse sind.«

»Madame.« Pauls Stimme klang besänftigend, fast ehrerbietig. »Ich habe nur gelacht, weil sie ein so reizendes Gesicht machten. Bitte, verzeihen Sie mir, falls ich Sie gekränkt habe.«

»Schon gut.« Sofort erschien ein Lächeln auf ihrem Gesicht. Sie streichelte Lights Arm und fragte: »Wo ist Mr Mac hingegangen?«

»Ich weiß nicht, chérie.« Light hörte ein Geräusch, schaute auf und sah, dass MacMillan aus dem Wald kam.

»Ich bin mir nicht sicher, was es bedeutet,« sagte MacMillan, als er näher kam, »aber der Bastard hat an einer Insel eine Meile flussabwärts angelegt. Aee nennt sie die Beereninsel wegen der vielen Beeren, die dort wachsen. Sie liegt näher zur anderen Seite des Flusses als zu dieser.«

Light warf einen kurzen Blick zum dunkel werdenden Himmel.« Er hat vielleicht schon einige seiner Männer ausgeladen.«

»Sie sind vielleicht schon bei Zet vorbeigekommen, falls sie sich vom Fluss her nähern.«

»Ich will gehen und mich umsehen. Wie viele Wildpfade gibt es, die vom Fluss heraufführen?«, fragte Light.

»Zwei Hauptpfade. Der eine befindet sich in der Nähe des Flusses, der andere etwa eine Viertelmeile nördlich.«

Light ergriff Maggies Hand. »Bleib bei Paul, chérie.«

»Light ...«

»Du hast es versprochen, mon amour.«

»Ja, Light. Ich bleibe bei Paul.« Sie sah ihn besorgt an.

Light nahm ihr Gesicht in beide Hände und gab ihr einen sanften Kuss auf die Lippen, bevor er sich umdrehte, seinen Tomahawk in den Gürtel steckte und sich Bogen und Köcher um die Schulter hängte. Er ließ seine Büchse bei Paul und trabte in den Wald.

# Kapitel 13

Light lief wachsam durch den hohen düsteren Wald. Seine Ohren achteten auf das leiseste Geräusch und seine Augen auf die kleinste Bewegung. Ihn umgab die Einsamkeit des Waldes, und er spürte ihre beruhigende Wirkung. Er blieb oft stehen, wobei er sich ein paar Schritte vom Pfad entfernte. Er drehte den Kopf langsam und lauschte, bemüht, jeden fremden Laut wahrzunehmen und zu identifizieren, erst in die eine und dann in die andere Richtung.

Als es immer dunkler wurde und die Nacht nahte, konzentrierte er sich einzig und allein auf seine Mission. Er verbannte alles andere aus dem Kopf, besonders die Gedanken über Eli Nielsons Interesse an seiner Frau und Maggies Interesse an Eli.

Bald konnte Light ferne Stimmen hören und wusste, dass er sich nun gegenüber der Insel befand, an der das Kielboot über Nacht festgemacht hatte. Light schlich langsam zum Fluss, ohne plötzliche Bewegungen zu machen, welche die Wasservögel erschrecken konnten. Er fand eine sichere Stelle hinter einem Felsen und kauerte sich hin. Er konnte dort nicht gesehen werden, falls der Flusspirat das Ufer mit seinem Fernrohr absuchte.

Jenseits des Wassers, das rasch vorbeiströmte, um den Mississippi und danach das Meer zu erreichen, brannte auf der Insel ein helles Lagerfeuer. Es leuchtete vor dem Hintergrund des sich verdunkelnden Himmels und spiegelte sich schwach im Wasser. Mehrere Männer bewegten sich um das Feuer herum.

Light suchte die Gegend mehrere Minuten lang mit den Augen ab. Das Lagerfeuer war so groß, dass es von allen Seiten flussaufwärts und -abwärts gesehen werden konnte. Vom Lager waren das Gelächter eines Mannes und das unterdrückte Kreischen einer Frau zu hören. Die Besatzung des Kielboots genoss zweifellos den Abend. Es konnte nur einen Grund für das riesige Lagerfeuer und die raue Fröhlichkeit geben, nämlich, MacMillans Aufmerksamkeit zu erregen und ihn davon zu überzeugen, dass die Mannschaft sich dort für die Nacht niedergelassen hatte.

Light ging in den Wald zurück. Zuerst bewegte er sich langsam, dann rascher, als er den Wildpfad erreichte, der vom Wasser weg führte. Die Leute vom Boot, die nicht riskieren wollten, sich zu verirren, würden, so folgerte Light, einem der Pfade folgen. Nachdem Vega seine Gruppe von Galgenvögeln unten am Fluss abgesetzt hatte, begaben diese sich wahrscheinlich landeinwärts und stießen auf den von MacMillan erwähnten nördlichen Pfad.

Eine halbe Meile vom Fluss entfernt fand Light, was er gesucht hatte. Als er sich tief genug bückte, um im schwachen Licht etwas sehen zu können, entdeckte er den Abdruck eines schweren Stiefels.

Der Wald war nun in Dämmerlicht gehüllt. Light bewegte sich wie ein Schatten zwischen den Bäumen. Da er wusste, dass die Kerle sich zwischen ihm und dem Anwesen befanden, hielt er oft an, um zu lauschen. Er war sich ziemlich sicher, dass sie vor Mitternacht nicht angreifen würden; sie würden sich verstecken und warten.

Light hob die Nase, schnüffelte und nahm den schwachen Geruch eines Holzfeuers wahr. Nach einigen weiteren Schritten hörte er leises Stimmengewirr. Er schlich sich langsam von Baum zu Baum, bis er zu einem Dickicht gelangte. Er ließ sich auf Hände und Knie nieder, schob die Zweige der Sträucher vorsichtig auseinander und kroch leise vorwärts bis zu einem Busch.

Vier Männer hockten unter einem großen Baum. Ein kleines Feuer brannte hell, und der Rauch verteilte sich im Geäst über ihnen. Vor den Männern befand sich etwas, was an ein kleines Tier erinnerte. Es hockte auf dem Boden, so dass sein Rumpf die Erde berührte. Die langen Arme hatte es schützend um den Kopf gelegt. Einer der Männer stieß die kleine Kreatur mit einem Stock, woraufhin sie zur Seite sprang. Light sah, dass das Wesen mit einem Lederband, das an eines der Beine gebunden war, an einen Baum gefesselt war. Ein anderer Mann quälte es mit der Spitze eines langen Stilettos, weshalb es mal hierhin, mal dorthin hüpfte.

»Was machen wir damit?« Es war Krügers Stimme.

»Behalten. Die Leute werden dafür bezahlen, es sehen zu dürfen.«

»Töten.« Der Mann, der das sagte, hatte einen großen Schnurrbart und sprach mit spanischem Akzent.

»Es gehört mir. Ich will es noch nicht töten.«

»Ich habe es mit einem Haken und einer Angellei-

ne vom Baum geholt. Ich habe da auch ein Wörtchen mitzureden.«

»Du hast es gefangen, aber ich habe es gepackt, als
es wegrennen wollte.«

Die beiden Männer stritten sich weiter, bis der
Spanier ungeduldig wurde.

»Hört mit eurem Gezänk auf. Señor de la Vega hat
uns nicht hergeschickt, um kleine Bestien zu fangen.«

»Wie willst du es überhaupt zum Boot kriegen, du
Armleuchter?« Der Mann, der das sagte, trug eine
gestrickte Mütze auf dem Kopf.

»Wirst du es tragen, wenn wir uns auf den Weg machen, um uns das Mädchen zu schnappen?«, fragte
der Mann, der das Wesen vom Baum geholt hatte.

»Ich werde es an einen Baum hängen und zurückkommen, um es mitzunehmen.«

»Kann es sprechen?«

»Ich glaube nicht. Es hat noch keinen Laut von
sich gegeben.«

»Vega wird dir die Gurgel durchschneiden, wenn
du uns daran hinderst, das Mädchen zu holen.«

»Ich werde dich nicht davon abhalten, zu tun, was
der Dandy wünscht, Rico. Ich wette, er wird das
Ding hier haben wollen.« Er stieß die Kreatur wieder mit dem Stock. »Er wird es unten in Natchez zur
Schau stellen wollen.« Der Mann lachte schrill.
»Vielleicht wird er es wie einen kleinen Dandy anziehen, ihm ein mit Juwelen besetztes Halsband umlegen und es herumführen.«

»Sch...eiß!«, stieß Rico wütend hervor. »Er wird es
nur töten. Wir werden vollauf damit beschäftigt
sein, die Frau fortzuschaffen.«

»Wenn sie annähernd so gut aussieht, wie der Deutsche gesagt hat, werde ich sie bis nach Natchez tragen.«

»Ihr werdet sehen. Sie ist bildschön. Ich werde sie selbst tragen«, sagte Krüger resolut. »Allein schon beim Anschauen bekommt man einen Ständer.«

»Ich schätze, dazu gehört bei dir nicht viel. Du bekamst schon einen, als du die Hure gesehen hast.« Der Mann mit der Mütze zeigte mit dem Finger auf Krügers Schritt, und die Männer kicherten.

»Du warst geil wie ein Ziegenbock«, sagte Rico zu Krüger. »Du hast es viermal hintereinander mit ihr getrieben und das Boot so stark zum Schaukeln gebracht, dass wir dachten, wir seien von einer schweren Welle erfasst worden.«

»Und das Loch, in das Du deinen Schwanz gesteckt hast, war so groß wie die Öffnung eines Wassereimers.«

Rico formte mit den Armen einen Kreis.

Die Männer lachten. Krüger fletschte die Zähne, sagte aber nichts.

Nach kurzem Schweigen drängte Rico den Mann mit dem Stiletto wieder, das Wesen zu töten.

»Ich will es nicht töten.«

»Wenn du es daran hindern willst, zu fliehen,« sagte Krüger, »dann zerschneide ihm lieber die Sehnen an seinen Beinen.«

Alle blickten den Deutschen an.

»Wovon redest du?«

»Die Sehnen hinten am Fuß.« Krüger zeigte mit den Fingern auf die Rückseite des Fußgelenks. »Schneid sie ihm durch. Es kann nicht mehr laufen – die Füße hängen dann nur noch so rum.«

»Das ist eine Idee.«

»Sieh mal! Es weiß, was du gesagt hast. Es zittert wie Espenlaub.«

Light hatte genug gehört. Ein wilder Hass gegen die Flusspiraten stieg in ihm auf. Männer wie diese hatten seine junge Frau vergewaltigt und sie und sein Kind und seine Mutter umgebracht.

Die kleine missgestaltete Kreatur war gewiss niemand anders als MacMillans Freund Zet. Wenn Light noch länger wartete, würden sie den kleinen Mann noch mehr zum Krüppel machen.

Light analysierte die Situation. Er hatte zwei Messer, den Bogen und sein Tomahawk. Um gegen die vier Männer erfolgreich zu sein, musste sein Angriff schnell und tödlich sein. Der Mann mit dem Stiletto musste zuerst erledigt werden. Bootsleute waren langsame, schwerfällige Kämpfer, die bei einer Rauferei in der Schenke besser waren als im Wald. Wenn Light schnell angriff, bevor sie erkannten, dass er allein war, so konnte er drei von ihnen außer Gefecht setzen. Der Einzige, der übrig blieb, würde flüchten oder stehen bleiben und kämpfen. Light war überzeugt, dass er es mit jedem Mann im Zweikampf aufnehmen konnte.

Nachdem Light seine Entscheidung getroffen hatte, zog er das Messer aus dem Stiefel und steckte es in seinen Gürtel, richtete den Köcher so, dass er seinen Oberschenkel berührte, legte einen Pfeil auf die Bogensehne, stand auf und schlich aus dem Gebüsch. Die Männer waren so in ihr Gespräch vertieft, dass sie das kratzende Geräusch nicht hörten, das entstand, als Lights Wildlederhose die Äste der Sträucher streifte.

Der Pfeil schwirrte und durchbohrte den Hals des Mannes mit dem Stiletto. Er stieß einen gurgelnden Laut aus und fiel nach hinten. Die anderen waren vor Überraschung wie gelähmt, so dass Light Zeit hatte, sein Messer zu werfen. Es drang dem Spanier in die Brust. Die anderen beiden Männer drehten sich um und wollten fliehen. Einer brach wie ein mit einer Axt erschlagener Ochse zusammen, als ihm der von Light geschleuderte Tomahawk den Schädel spaltete. Der vierte Mann rannte weiter. Light konnte hören, wie er wie ein verwunderter Büffel durch das Unterholz brach.

Das Ganze hatte weniger als eine Minute gedauert. Mit dem Messer in der Hand sprang Light vorwärts, um seinen Tomahawk zu holen. Das andere Messer zog er aus der Brust des Spaniers, der zu Boden gesackt war. Mit einer schnellen Bewegung und ohne zu zögern schnitt er dem Mann mit dem blutigen Messer die Kehle durch.

Nachdem er einen kurzen Blick auf den Mann geworfen hatte, den er mit seinem Pfeil getötet hatte, richtete er seine Aufmerksamkeit auf das Wesen, das, die Arme schützend um den Kopf geschlungen, auf dem Boden hockte. Light schnitt den Riemen durch, mit dem es an den Baum gebunden war.

»Komm. Wir müssen weg von hier.«

Light blickte in ein starres Auge.

»Scharfes Messer.«

Die Worte klangen guttural, als ob sie tief aus dem Innern des Mannes kämen. Ein dichter brauner Bart bedeckte das Gesicht des Wesens. Das Haar auf seinem Kopf war dick und lang. Nur Nase, Augen und Stirn waren zu sehen. Der große Kopf saß ohne

Hals auf Schultern die so breit waren, dass sie nicht zu dem Rest des kleinen Körpers zu gehören schienen.

»Kannst du laufen?«, fragte Light.

»Nicht weit.«

Light hockte sich nieder und hängte seinen Bogen und den Köcher mit Pfeilen über Zees Schulter.

»Klettere auf meinen Rücken. Wir müssen los.«

Zet schlang die dünnen krummen Beine um Lights schlanken Körper und klammerte sich mit großen, muskulösen Händen an seine Schultern. Als Light sich aufrichtete, bemerkte er, dass der Mann weniger wog als Maggie. Light umfasste die Beine des Zwerges, und als seine Hand an etwas Klebriges stieß, stöhnte Zet vor Schmerzen auf.

»Bist du schwer verletzt?«, fragte Light.

»Nicht sehr.«

Während sie auf dem Wildpfad rasch vorankamen, lief die Szene vor Lights geistigem Auge noch einmal ab. Krüger war derjenige, der entkommen war. Würde er nach dem Misserfolg zum Kielboot zurückkehren? Wenn Vega so war, wie MacMillan ihn geschildert hatte, würde er den Überbringer schlechter Nachrichten nicht willkommen heißen.

Es war denkbar, dass Krüger Vega nicht nur Maggie beschrieben, sondern ihm auch erzählt hatte, dass sie mit ihrem Mann die Nächte getrennt von den anderen verbrachte. Wahrscheinlich war der Mann, den Light angegriffen hatte, entsandt worden, um sich auf ihn zu stürzen und Maggie zu rauben. Vega war sicherlich nicht so dumm, nur vier Männer loszuschicken, um ein befestigtes Anwesen zu stürmen. Light folgerte, dass sich das Piratenschiff dieser Seite des Flusses so weit genähert hatte, dass die Männer ans Ufer waten konnten, und dass es in genügend großem Abstand unterhalb des Anwesens auf sie warten würde, um sie nach Beendigung ihres Auftrages wieder an Bord zu nehmen.

Gelegentlich hörte Light, wie der kleine Mann auf seinem Rücken leise aufstöhnte. Als sie in die Nähe von MacMillans Zuhause kamen, tauchte Viele Flecken auf dem Pfad vor ihnen auf. Nachdem der Indianer einen Blick auf Light und Zet geworfen hatte, stieß er den Ruf der Nachteule aus, drehte sich um und lief voran zum Anwesen.

Eli hasste seine Schwäche und bemühte sich, langsam aufzustehen und sich nicht vorzubeugen, damit ihm nicht schwindlig wurde. Er fühlte sich in seinem Stolz verletzt, da Aee MacMillan die Arbeit verrichtete, die er nicht erledigen konnte, weil er vom Fieber geschwächt war. Nun saß er auf einer Bank hinter dem Haus und reinigte die Gewehre, die Krüger für nutzlos gehalten und über Bord geworfen hatte, bevor er mit dem Kanu davonfuhr. Nachdem Viele Flecken davon berichtet hatte, ließ MacMillan die Gewehre aus dem schlammigen Wasser herausholen.

Eli beobachtete Aee, die an der Seite ihres Vaters sowie Calebs und Pauls arbeitete, um das zu tun, was zum Schutz ihres Hauses nötig war. Sie füllte die Wasserfässer, die Caleb aus der Scheune geholt hatte für den Fall, dass das Haus beschossen würde, und sie entfernte alle Sträucher und Blumen, die dicht am Haus wuchsen.

Seit ihrem Wortwechsel hatte Aee ihn ignoriert.

Als ihr Vater sie bat, Brot und Fleisch für das Mittagsmahl auszuteilen, gab sie Paul Elis Portion, damit er sie ihm brachte. Irgendwie störte Eli das. Er war vielleicht grob zu ihr gewesen, aber sie hatte nicht davor zurückgeschreckt, es ihm mit gleicher Münze zurückzuzahlen. Es ging nicht an, dass sie ihre Nase in seine Angelegenheiten steckte.

Aee war tüchtig. Daran bestand kein Zweifel. Keine Aufgabe schien ihr zu schwer. Sie hatte ihre Kentuckybüchse immer griffbereit und nahm sie stets mit, wenn sie sich einer neuen Aufgabe zuwandte.

»Wie schnell kannst du neu laden?«, fragte Eli, als sie mit der langen Kentuckybüchse an ihm vorüberging.

»Ich wette, so schnell wie Sie.«

»Zwölf Sekunden?«

»Zehn.«

Er schnaubte verächtlich, da er wusste, dass sie das ärgern würde.

»Ich nehme an, ein Klugschwätzer und Besserwisser wie Sie kann das in acht Sekunden.«

»So ungefähr. Woher weißt du, dass du es in zehn Sekunden schaffst? Hast du eine Uhr?«

»Ich zähle ›Eselskarren‹ und bin auf eine halbe Sekunde so genau wie die beste Uhr, die Sie je gesehen haben.«

»Eselskarren?«, fragte er, wobei er wieder verächtlich schnaubte.

»Ja, das habe ich gesagt. Haben Sie Bohnen in den Ohren?«

»Ich habe dich gehört«, sagte Eli verwirrt. »Ich verstehe bloß nicht, was Eselskarren damit zu tun haben, wie schnell du die Büchse laden kannst.«

»Eselskarren, Eselskarren, Eselskarren. Drei Sekunden, Sie dämlicher Schwede.«

Eli lachte leise. »Wir zählen auf deine Weise und schließen eine kleine Wette ab, wenn das hier vorbei ist. Ich wette, ich kann dich schlagen, ganz gleich, ob du Eselskarren oder Eselswagen zählst.«

»Wenn dies vorbei ist, so hoffe ich, dass Sie hochnäsiger Stiesel flussabwärts in eine Stadt fahren, wo Sie jede Menge verheirateter Frauen finden, die Sie mit ihren Kuhaugen anglotzen können. Sie haben offensichtlich nicht genug Verstand, um sich eine eigene Frau zu suchen.«

Aee schritt ruhig davon und ließ Eli vor Wut spuckend zurück. Sobald sie hinter der Hausecke war, blieb sie stehen, stampfte mit dem Fuß auf und stieß einen Fluch aus, den sie manchmal von ihrem Vater gehört hatte. Dieses verdammte Stinktier machte sie wahnsinnig! Er hatte die Einladung abgelehnt, an ihrem Tisch zu essen, aber als er ärztliche Hilfe brauchte, war er schnell genug gekommen.

Sie wünschte jetzt, dass sie ihm statt des Weidenrindentees »Waldtee« zu trinken gegeben hätte. Aee und ihre Schwestern nannten das Gebräu, das ihre Mutter aus Culverwurzeln kochte, wegen seiner abführenden Wirkung »Waldtee«. Wenn man einen Becher davon getrunken hatte, hielt man sich am besten immer in der Nähe des Waldes auf ... Mein Gott! Warum hatte sie bloß nicht daran gedacht!

Sie brach in Gelächter aus, bevor sie sich den Mund zuhalten konnte. Sie lehnte die Stirn gegen die Wand des Hauses und stellte sich vor, wie der angeberische, hochnäsige Schwede wie von einem Wespenschwarm gejagt zum Wald rannte. Es schüttelte sie vor Lachen.

Als sie sicher war, dass sie ihr Kichern unter Kontrolle hatte, richtete sie sich auf. Ihr Gesicht war gerötet, Tränen standen ihr in den Augen, lose Haare klebten an den schweißnassen Wangen. Sie nahm den Hut ab, um sich das Gesicht mit dem Hemdsärmel abzuwischen. Immer noch kichernd warf sie ihre Zöpfe zurück und ließ ihren Hut fallen. Als sie sich bückte, um ihn wieder aufzuheben, sah sie Eli an der Ecke des Hauses stehen. Mit der Schulter lehnte er an der Hauswand.

Als sie sein Stirnrunzeln erblickte, musste sie bei dem Gedanken an den »Waldtee«, der ihr noch in frischer Erinnerung war, wieder losprusten. Sie hätte das Lachen nicht unterdrücken können, selbst wenn ihr Leben davon abgehangen hätte.

»Hat dich jemand gekitzelt?«

»An... ge... ber –« Die Worte erstickten in ihrem Lachen. »O ..., o ..., ich wünschte, ich hätte daran gedacht.«

»Woran gedacht?«

»O ... Waldtee!«, platzte sie heraus, schnappte ihr Gewehr und rannte sich vor Lachen ausschüttend zur Scheune.

»Wovon redet sie?«, murmelte er. »Was zum Teufel ist Waldtee?«

Es war die goldene Abendzeit. Eli sah, wie Paul und Maggie, gefolgt von MacMillan, aus dem Wald kamen und sich dem Haus näherten. Maggie ging mit gesenktem Kopf und war offenbar unglücklich. Sie kam an ihm vorbei, ohne in anzublicken, und verschwand in der kleinen Stube am Haus, in der Light ihre Bündel abgestellt hatte. MacMillan ging zur Scheune.

»Was ist geschehen?«, fragte Eli, als Paul müde auf die Bank sank.

»Vega hat an der mit Gestrüpp bewachsenen Insel flussabwärts angelegt. Mac und Light halten es für wahrscheinlich, dass er seine Männer etwa eine Meile von hier am Ufer abgesetzt hat und dass sie durch den Wald kommen werden.«

»Warum ist Maggie so traurig?«

»Sie wollte Light begleiten. Er hat gesagt, sie soll hier bleiben.«

»Ich bin erstaunt, dass er sie nicht mitgenommen hat.« Seine Stimme klang sarkastisch.

»Mon Dieu, Eli. Mir gefällt nicht, was zwischen dir und Lightbody im Gange ist.«

»Mir auch nicht.«

»Was meinst du damit?«

»Ich meine, Herrgott noch mal, dass Maggie mehr verdient, als von einem Halbblut durch die Wildnis zu einem gottverdammten Berg geschleppt zu werden, den er nie gesehen hat.«

»Zum Teufel!«, zischte Paul. »Hast du vergessen, wer er ist? Hast du vergessen, dass sie seine Frau ist?«

»Sie ist nicht seine Frau.« Eli schnaubte verächtlich. »Sie haben nicht vor einem Priester oder Friedensrichter gestanden.«

»Woher weißt du das?«

»Sie hat mir erzählt, dass sie auf einem Felsvorsprung über dem Fluss geheiratet haben. Was für eine blödsinnige Hochzeit ist das?«

»Für sie scheint es zu genügen. Lass die Finger von ihr. Mon Ami, sie liebt ihn.«

»Blödsinn! Sie ist von ihm abhängig.«

»Sie ist bei ihm, weil sie bei ihm sein will. Du musst das akzeptieren.«

»Sie hatte keine Gelegenheit zu wählen.«

»Ho! Sie hätte jeden haben können, den sie wollte. Sie will ihn.« Paul strich sich mit den Fingern durch das dunkle, lockige Haar. »Ich wünschte, wir wären nicht gekommen, um Light zu suchen. Ich wünschte, wir würden immer noch auf dem Ohio gutes Geld verdienen.«

»Ich konnte nicht weiterleben, ohne es zu wissen.«

»Und jetzt?«

Eli zuckte die Schultern. »Er ist ein Mann, ein Mischling.«

»Aber ein zivilisierter, mon ami. Er hat dir das Leben gerettet.«

»Er wollte vor Maggie angeben.«

Paul holte tief Luft. »Wie kannst du so etwas sagen, wenn er dein Leben gerettet hat?«

»Ich habe ihm gedankt. Was hätte ich deiner Meinung nach tun sollen? Ihm die Füße küssen?«

»Lass seine Frau in Ruhe.«

»Denkst du, ich begehre sie, weil sie ihm gehört?«

»Ja, das denke ich. Du willst ihm etwas wegnehmen.«

»Und wenn ich es tue?«

»Du bereitest nur dir und ihm Ärger.«

»Was ist mit Maggie? Sie sollte in einem komfortablen Haus mit schönen Dingen leben.«

»Sie hat, was sie wünscht, mon ami.« Pauls Stimme klang müde. »Lass sie in Ruhe. Er stand auf und blickte auf seinen Freund herab. »Ich kenne dich, seit wir kleine Burschen waren. Bis jetzt hast du mich noch nie enttäuscht.«

Eli saß da, beobachtete die Glühwürmchen und dachte an all die Zeit, die er und Paul zusammen verbracht hatten. Als sie Jungen waren, arbeiteten sie auf den Flussanlegestellen für Essen und einen Schlafplatz. Paul war der Einzige, der sie vor Schlimmerem bewahrte. Obwohl er kaum fünf Jahre älter war, schien Paul reifer zu sein und war es auch. Als Eli an die vielen Jahre dachte, konnte er sich an keine Zeit erinnern, in der er und sein Freund so uneins gewesen waren.

Der Bastard war zwischen sie gekommen.

Plötzlich fiel ihm auf, dass Maggie nicht wieder aus der Stube herausgekommen war. Er ging zur Tür.

»Maggie?«

Im Halbdunkel sah er, dass sie neben der niedrigen Bank stand, auf die Light ihre Bündel gelegt hatte. Sie blickte zur Tür, aber sie antwortete ihm nicht. »Brauchen Sie etwas aus Ihrem Bündel? Ich werde eine Kerze holen.«

»Gehen Sie, Eli. Ich will hier bei Light sein.«

Eli erschrak nicht nur über ihre Worte, sondern auch darüber, dass sie wie im Traum gesprochen hatte. War etwas geschehen, was sie so erschreckt hatte, dass sie nicht mehr recht bei Sinnen war?

»Maggie,« sagte er leise, »Light ist nicht hier.«

»Sagen Sie das nicht. Er ist wohl hier.« Sie strich liebevoll mit den Fingern über das Bündel, das Light getragen hatte, seit sie St. Louis verlassen hatten.

»Paul hat gesagt, dass Light flussabwärts gegangen ist.«

»Gehen Sie, Eli. Ich will hier bei Light sein«, wiederholte sie.

Verwirrt begab Eli sich zur Tür.

Maggie bemerkte kaum, dass er gegangen war. Sie ließ sich auf die Knie fallen, umschlang das Bündel und presste eine Wange an die lederne Hülle. Sie schloss die Augen und sah Lights schmales, ernstes Gesicht vor sich. Sie spürte, wie seine sanften Hände ihr Haar streichelten.

Komm zurück, Light. Komm zurück, komm zurück.

Ich werde dich nie verlassen, mon amour.

Du hast mich hier gelassen. Ich liebe dich, Light.

Du bist mein Schatz, chérie.

Ich bin dein, Light. Komm zurück.

# Kapitel 14

Viele Flecken kehrte mit acht Kriegern vom Lager der Osage zurück; sie ritten alle auf gefleckten Pferden. Sie musterten erst Eli und Paul mit stoischer Miene, dann ignorierten sie sie und hörten aufmerksam MacMillan zu, als dieser zu ihnen trat. Auf einem Pferd saßen zwei. Eine kleine Gestalt glitt herab. Eli hörte, wie Bee ihrem Vater berichtete, dass ihre Mutter den größten Teil des Weges zur Höhle zu Fuß zurückgelegt hatte, statt auf dem Wagen zu fahren.

»Kein Anzeichen dafür, dass das Baby kommt?«

»Sie sagt nein. Gelber Mais kommt mit Viele Flecken, um ihre Sprüche zu sagen, wenn das Baby da ist.«

Die Krieger waren alle jung und muskulös. Jeder trug neben seinem Bogen und Köcher eine Keule, die durch eine mehrere Zentimeter aus dem Ende herausragende Metallklinge noch gefährlicher gemacht worden war. Ihre Hosen waren an den Seiten mit Perlen und Fransen verziert. Kleine bunte Federn schmückten ihr Haar, und um ihren Hals hingen Amulette aus Metall.

Die Pferde wurden angepflockt, und ein Krieger ließ sich auf die Fersen nieder, um sie zu bewachen. Die übrigen Krieger und Viele Flecken verschwanden in der Dunkelheit. MacMillan kehrte dorthin zurück, wo Eli und Paul warteten.

»Die Osage werden den Norden und den Osten

übernehmen, Linus, Aee und Bee werden unten am Fluss Wache halten, falls Vega versuchen sollte, sich auf Kanus herumzupirschen.

»So viel ich weiß, Monsieur, wollen Indianer nachts nicht kämpfen.«

»Glauben Sie nur die Hälfte von dem, was Sie über Indianer hören, Mr Deschanel«, sagte MacMillan und lachte amüsiert. »Die Osage sind die besten Nachtkämpfer, die ich je gesehen habe. Sie lassen dort, wo sie sind, keinen durch. Ich lege meine Hand für sie ins Feuer. Sie sehen im Dunkeln wie Eulen. Obendrein gibt es keine Feiglinge unter ihnen. Wenn sie dich gern haben, haben sie dich gern. Wenn nicht, sind sie ekelhafter als ein stinkender Skunk.«

»Wird Light vor dem Morgen zurück sein, Monsieur?«

»Es hängt davon ab, was er findet. Wo ist Mrs Lightbody?«

»Dort drinnen.« Eli wies mit einem Kopfnicken auf die offen stehende Stubentür.

»Sie hat es schwer genommen, als ihr Mann fortging. Ihrem hübschen kleinen Gesicht sieht man an, wie sie leidet.«

»Monsieur, was soll ich Ihrer Meinung nach jetzt machen?«, fragte Paul, der das Thema wechseln wollte.

»Rühren Sie sich nicht vom Fleck. Es braucht sich nur ein Blatt zu bewegen, schon bekommen wir ein Signal. Denken Sie nicht, sie müssten jetzt umherstreifen. Sie könnten für einen von Vegas Männern gehalten und totgeschossen oder ... mit einer Axt erschlagen werden.«

»Anscheinend denken Sie, Lightbody weiß genug, um nicht totgeschossen oder … mit einer Axt erschlagen zu werden«, sagte Eli gereizt.

»Mir scheint, er weiß, was er tut. Er versteht sich sowohl auf das Spurenlesen als auch aufs Kämpfen. Ich habe es sofort gewusst, als ich seinen Namen hörte. Es gibt keinen Indianer oder Weißen von hier bis zu den Bergen, der nicht von Scharfes Messer gehört hat.«

»Und wir sind ein paar Pilger, auf die man aufpassen muss. Das denken Sie doch.« Elis Ton war kaum höflich zu nennen.

»Ja, das stimmt. Sie mögen vielleicht auf dem Fluss gut sein, aber Sie haben keinen blassen Dunst von Indianern. Sonst wären Sie nie mit einer Zwei-Mann-Besatzung hier heraufgekommen«, antwortete MacMillan in ebenso kühlem Ton.

»Wir haben es doch geschafft, nicht wahr?«

MacMillan schnaubte verächtlich. »Ihr hattet Glück, dass Ihr heil an den Delaware vorbeigekommen seid, die sich leise wie eine Schlange auf euch hätten stürzen können. Man kann ebenso wenig erraten, was sie als Nächstes machen werden, wie man erraten kann, wann man den nächsten Fieberanfall bekommen wird.«

»Monsieur,« sagte Paul rasch, »die Gewehre sind gereinigt und geladen, falls sie benötigt werden.«

»Dafür danke ich Ihnen. Ich werde sie den Osage erst aushändigen, wenn …« MacMillan sprach nicht weiter, da sie den Schrei einer Nachteule vernahmen. Er stand still. »Viele Flecken kommt.«

Es war eine dunkle Nacht. Die Mondsichel war durch die dahinziehenden Wolken kaum zu sehen.

Die drei Männer suchten mit den Augen den Waldrand ab. Stille umhüllte die Siedlung wie ein Mantel, bis MacMillan seine hohlen Hände an den Mund hielt und den leisen Ruf eines sehr jungen Käuzchens imitierte. Die Antwort kam aus der Nähe, und zwei Schatten tauchten aus dem Wald auf. Sie bewegten sich auf das Haus zu.

»Light!« Maggie stürzte aus der Tür und rannte an den Männern vorbei, die beim Haus warteten. »Light ... Light.«

»Oui, chérie«, rief Light.

»Du bist zurückgekommen!«

»Natürlich, chérie.«

»Was hast du mitgebracht?«, fragte MacMillan und rief dann aus: »Jesus! Es ist Zet!«

»Vorsichtig, Monsieur. Sein Bein wurde verletzt, als sie ihn mit einem Haken und einer Angelleine vom Baum holten.«

»Verdammte Hurensöhne!«

MacMillan nahm Zet den Bogen und den Köcher von der Schulter und hob den kleinen Mann von Lights Rücken herunter.

»Verdammte Hurensöhne«, fluchte er erneut, als Zet leise aufstöhnte. »Viele Flecken, hol Aee. Sie ist irgendwo unten am Fluss.«

Kaum war Light von seiner Last befreit, da schlang Maggie die Arme um ihn.

»Geht es dir gut, Light?«

»Mir geht es gut, ma petite. Das Blut stammt von dem kleinen Mann.« Über ihren Kopf hinweg sprach er zu MacMillan. »Vier Männer waren ans Ufer gekommen. Einer von ihnen ist entwischt. Es ist Krüger. Er ist in östlicher Richtung geflohen.«

»Es waren vier, und Sie haben drei davon getötet?«, fragte MacMillan.

»Morgen werden Sie sie auf dem nördlichen Pfad finden. Zet kann Ihnen die genaue Stelle beschreiben.« Light ging mit Maggie davon, die sich noch immer eng an ihn schmiegte. »Ich muss mich waschen, chérie.« Nachdem er im ausgehöhlten Baumstamm am Brunnen das Blut von den Händen abgewaschen hatte, legte er einen Arm um sie und drückte sie fest an sich.

»Ich bin bei unseren Sachen geblieben, Light, wie du mir gesagt hast. Ich möchte dich nie wieder fortlassen.« Sie hob ihren Mund, damit er ihn küsste. »Mein ... Mein Herz war tot.«

»Mon amour, mon trésor. Es hat mich beruhigt, zu wissen, dass du in Sicherheit warst.« Er bedeckte ihr Gesicht mit Küssen. »Es wird noch öfter vorkommen, dass wir uns für eine Weile trennen müssen. Ich werde aber immer zu dir zurückkommen.«

Sie blickte zur Krankenstube, wo Kerzen brannten.

»Was hast du getan, Light? Hast du jemanden getötet? Haben sie Zet verletzt?«

»Ja, mein Liebling. Ich fand ihn, als ihn vier Bootsleute quälten. Einer von ihnen war Krüger.«

»Ah! Dieser Mann ist nicht gut. Ich denke, er ist wahnsinnig, Light. Eines Tages wirst du ihn töten.«

»Oui. Er ist ein böser Mann. Es wird gut sein, wenn wir ihn los sind.«

»Es war gemein, was sie Zet angetan haben. Ich bin stolz, Light, dass du ihn gerettet hast.«

»Ich hätte Krüger getötet, wenn ich mein zweites Messer rechtzeitig hätte ziehen können.«

Sie nahm Lights Hand, hielt sie an ihre Lippen und küsste sie.

»Ich liebe dich, Light.«

»Ich liebe dich, mein Schatz.«

»Ich sollte nachsehen, ob ich Zet helfen kann.«

»Oui, chérie. Tröste den kleinen Mann.«

Zet lag auf dem Bett, auf dem Eli in der Nacht zuvor gelegen hatte. Sein Hosenbein war aufgeschlitzt. Im Schenkel hatte der Haken das Fleisch bis zum Knochen aufgerissen.

MacMillan versuchte, Maggie am Betreten der Stube zu hindern, aber sie schlüpfte an ihm vorbei, ging schnurstracks zum Bett und blickte sorgenvoll auf das groteske Gesicht des kleinen Mannes hinab.

»Tsch-tsch-tsch.« Maggie schüttelte den Kopf und schnalzte mit der Zunge, wie es ihre Freundin Biedy zu Hause immer zu tun pflegte. »Es war gemein, was sie mit dir gemacht haben, Zet«, sagte sie und strich ihm das buschige, dichte Haar aus dem entstellten Gesicht. »Ich bin froh, dass Light sie getötet hat.«

Das starre Auge blickte sie beunruhigt an; das Lid des anderen Auges hing schlaff herunter und bedeckte das Auge fast ganz. Die Nase bestand nur aus zwei Nasenlöchern in einem Gesicht, das von einem dichten braunen Bart bedeckt war. Der Kopf war im Vergleich zum kleinen Körper des Mannes groß und sah aus, als wäre er in einem Schraubstock zusammengequetscht worden. Ein Auge, ein Nasenloch und ein Mundwinkel saßen höher als die auf der anderen Seite.

Maggie schien keine Notiz von dem entstellten Gesicht zu nehmen. Sie fuhr fort, die schiefe Stirn zu streicheln und beruhigende Worte zu murmeln.

»Aee wird kommen und dein Bein behandeln. Ich und Light haben Gonoscheikraut für Elis Fuß gesammelt. Davon ist noch viel übrig. Wir werden es auflegen, falls Aee nichts Besseres hat. Das Kraut hat Elis Fuß geheilt.«

MacMillan, Paul und Eli blickten sie verwundert an. Light amüsierte sich über ihre Gesichtsausdrücke. Er war außerordentlich stolz auf seine junge und schöne Frau und wunderte sich überhaupt nicht über ihre Reaktion auf den entstellten kleinen Mann.

»Hol Lappen aus unserem Gepäck, Light. Er blutet fürchterlich.«

»Aee wird die Wunde nähen müssen, Madame«, sagte MacMillan. »Viele Flecken ist losgegangen, um sie zu holen. Ich schätze, sie kommt gerade. Ich höre ihr Mundwerk.«

Aee, die Osage sprach, war schon zu hören, bevor sie erschien. Sie kam ohne Hut und trug einen alten schwarzen Wollmantel. Sie ging direkt zum Bett.

»O, Zet! Ich kriege Zustände! Was ist passiert?« Aee blickte auf die Wunde und ignorierte Maggie.

»Ich ... war ein bisschen unvorsichtig, mein Mädel.« Die Stimme klang tief, es war eine Männerstimme.

Aee zog rasch ihren Mantel aus und warf ihn auf das Fußende des Bettes.

»Diese Hunde! Viele Flecken hat gesagt, dass Mr Lightbody sie getötet hat. Ich hoffe, sie hatten höllische Schmerzen, bevor sie starben.«

»Er hat Krüger nicht getötet,« sagte Maggie, »aber er wird es noch tun.«

»Zet, es ist eine große Wunde. Ich muss sie nähen.« Aee betrachtete die Wunde eingehend und tupfte das Blut weg, das noch immer hervorsickerte. »Verdammt! Ich wünschte, Ma wäre hier.«

»Ängstige dich nicht, Mädel. Du wirst das schon gut machen«, versicherte ihr Zet.

»Pa, wir brauchen Essig, um die Wunde zu reinigen. Und hol Milch für Zet. Du weißt, wie gern er sie trinkt. Ich gehe und hole Mamas Korb mit den Sachen zum Verarzten.«

Eli ergriff die Kerze. »Ich helfe dir.«

Aee drehte den Kopf so rasch herum, dass die Zöpfe flogen.

»Denken Sie, Sie schaffen das, Sie Stadtmensch? Mamas Korb enthält Kräuter und Leinen und Zwirn und andere Dinge. Er könnte für sie etwas zu schwer sein.«

Er presste die Lippen zusammen. »Spar dir deine frechen Antworten und geh schon«, brummte er und folgte Aee.

Paul warf einen kurzen Blick auf Aees Vater, um zu sehen, wie er Elis Worte aufgenommen hatte. Er staunte, dass MacMillan grinste.

»Sie streiten sich, dass die Funken stieben. Ist das nicht die verrückteste Sache, die man je gesehen hat? Aee hat bisher niemals einem Kerl irgendwelche Beachtung geschenkt. Natürlich waren es nicht viele, die vorbeigekommen sind. Sie sagt, sie kann den Schweden nicht ausstehen. Ich soll ihn rausschmeißen. Selbstverständlich nicht Mr und Mrs Lightbody«, fügte er hastig hinzu. »Nur den

218

Schweden. Natürlich weiß sie, dass auch Sie gehen würden«, sagte er zu Paul. »Sie sind ja dicke Freunde.«

Paul straffte die Schultern. »Eines ist sicher, Monsieur. Mein Freund und ich werden nicht bleiben, wenn wir nicht mehr willkommen sind. Wir werden gehen, sobald dies vorbei ist. Darauf können Sie sich verlassen.«

»Seien Sie nicht beleidigt, Franzose. Hier führen nicht die Weiber das Regiment. Auch wenn wir mit ihnen zusammenleben und auf ihre Wünsche hören. Sie und ihr Freund sind hier so lange willkommen, wie Sie bleiben möchten.«

»Wir sind ihnen für Elis Behandlung zu Dank verpflichtet. Er wird dafür mit Geld oder Waren bezahlen.«

»Ach, Sie bleiben, bis Vega verschwindet. Das ist die ganze Bezahlung, die ich brauche.«

»Das werden wir tun, egal, ob wir willkommen sind oder nicht, Monsieur.«

Als Aee und Eli zurückkehrten, trug er den Korb, und Aee hielt eine Lampe. Eli setzte den Korb am Fußende des Bettes ab. Er nahm den Leinenflecken von Zees Bein, um die Wunde zu betrachten.

»Ich habe schon ein paar Matrosen zusammengeflickt. Möchtest du, dass ich es tue?«, fragte er Aee.

»Nein. So ungeschickt, wie Sie sind, nähen Sie ihm vielleicht noch aus Versehen den Mund zu.«

MacMillan musste lachen, und der kleine Mann kicherte, obwohl er danach Grimassen schnitt.

»Dann tun Sie's, Miss Sauertopf«, knurrte Eli und ging hinaus.

Aee ignorierte seine letzte Bemerkung, schob ein

Stück Wildleder unter Zees Schenkel und schickte sich an, die Wunde mit Essig auszuwaschen.

»Es wird weh tun, als ob du mit einer heißen Heugabel gestochen würdest, Zet. Ich hasse es, das zu tun, aber ich muss. Ma sagt, es eitert, wenn wir es nicht machen. Sie hat das irgendwoher. Wenn wir keinen Essig haben, können wir auch Whisky nehmen, aber Essig ist am besten.«

Aee plauderte unablässig, während sie Zees Wunde nähte und verband. Als sie fertig war, deckte sie ihn zu, brachte ihm mit Beerenmarmelade gefüllte Kekse und bestand darauf, dass er aß.

»Morgen hole ich ein Schilfrohr vom Fluss und schneide es so zurecht, dass du damit Wasser trinken kannst. Ma hat das einmal gemacht, als ich krank war.« Maggie hob seinen Kopf und hielt ihm den Becher an den Mund, damit er Wasser trinken konnte. Der Blutverlust hatte ihn durstig gemacht.

Obwohl der Schmerz fast unerträglich war, hatte Zet nicht ein einziges Mal gestöhnt, als Aee die Wunde am Bein nähte, mit Salbe bestrich und mit einem sauberen Tuch aus Leinen umwickelte. Singender Vogel hielt seine Hand. Er wäre eher gestorben, als ein Zeichen der Schwäche zu zeigen.

Aee bereitete einen starken Grog aus Whisky und Honig, und Maggie hielt ihm den Becher wieder an den Mund, damit er trinken konnte.

»Schlaf jetzt, Zet. Du wirst dich schon morgen früh besser fühlen.«

Es war die schönste Zeit in Zees Leben. Zwei junge Frauen behandelten ihn, als wäre er ein normaler Mann. Sie hatten ihn berührt, mit ihm gesprochen und ihn gepflegt, ohne auch nur anzudeuten, dass er so hässlich war, dass sogar er selbst es vermied, sein Spiegelbild im klaren Teich zu betrachten. Sie hatten ihm viel mehr Beachtung geschenkt, als er je erwartet hatte. Sein schiefer Mund lächelte unter dem dichten Bart. Bevor er einschlief, dankte er den Flusspiraten, dass sie ihn mit einem Haken vom Baum gezogen hatten.

Light hockte auf den Fersen und erklärte den drei Männern, was er mit angehört hatte, als Vegas Männer und Krüger miteinander redeten. Er sprach bewusst leise, als er deren Plan erwähnte, Maggie zu entführen.

Eli fluchte.

»Sie haben Frauen an Bord. Sie sprachen darüber, dass Krüger es mit einer von ihnen getrieben hat.«

Light berichtete in möglichst knappen Worten über Zet und das, was die Piraten mit ihm vorgehabt hatten. Er vermied jedoch, im Einzelnen zu schildern, wie er die drei Männer getötet hatte. MacMillan fragte nicht, da er wusste, dass er von Zet die ganze Geschichte erfahren würde.

»Sie werden in dieser Nacht wahrscheinlich nicht angreifen, aber die Krieger werden trotzdem zusammen mit Caleb und Linus Wache halten. Sie wären enttäuscht, wenn sie so rasch wieder fortgeschickt würden«, sagte MacMillan. Nach kurzem Schweigen fuhr er fort: »Ich vermute, Sie sind jetzt neugierig geworden, nachdem Sie Zet gesehen haben.«

»Ja, Monsieur«, bestätigte Paul. »Man sieht so einen wie ihn nicht jeden Tag.«

»Für die, die nicht gewohnt sind, ihn zu sehen, ist

er eine Überraschung. Vor Jahren war er bei den Delaware. Er weiß nicht genau, wie er zu ihnen kam und wie lange er dort gewesen ist. An die Zeit davor erinnert er sich kaum. Ich weiß nicht, warum sie, niederträchtig, wie sie sind, ihn nicht getötet haben. Aber es hat den Anschein, dass sie befürchteten, er könnte als Geist zurückkommen und eine Seuche oder etwas ähnliches mitbringen. Als eine Gruppe Krieger der Osage ihn einer alten Frau raubte, die sich um ihn gekümmert hatte, versuchten sie nie wieder, ihn zurückzuholen. Sie waren vielleicht froh, ihn los zu sein, weil sie dachten, er sei eine schlechte Medizin. Nicht so die Osage. Sie glauben, er hat magische Kräfte. Sie rechnen es ihm als Verdienst an, wenn es viel Wild gibt, die Ernten gut ausfallen und ihre Frauen fruchtbar sind.«

»Warum haben sie ihn dann ziehen lassen, wenn er eine so gute Medizin ist?«, fragte Eli, der noch immer schlechter Laune war.

»Sie haben ihn nicht ziehen lassen. Vor einigen Jahren brachte ihn Viele Flecken hierher. Zet hatte beinahe vergessen, Englisch zu sprechen. Er sagte, dass er ein wenig mit sich selbst geredet hätte. Nachdem er eine Weile mit uns gesprochen hatte, erinnerte er sich an einige der Worte. Ich schwöre, er ist kein Dummkopf. Irgendwie hat er es geschafft, am Leben zu bleiben. Seine schrecklich krummen Beine sind zum Laufen schlecht geeignet. Daher hat er klettern gelernt. Wie ein Eichhörnchen klettert er blitzschnell einen Weinstock hinauf und springt von einem Baum zum anderen. Er ist das behendeste Ding, das man je gesehen hat. Am Erdboden ist er allerdings weniger flink. In letzter Zeit bleibt er die meiste Zeit hier. Viele Flecken nimmt ihn ab und an zu den Osage mit. Sie würden ihn nicht weglassen, wenn Miz Mac nicht wäre. Der Häuptling ist der Sohn des Bruders ihrer Mutter.«

MacMillan wartete, bis das Gesagte ins Bewusstsein der Männer gesickert war, und fuhr dann fort:

»Ich und Zet haben einige Signale vereinbart. Als ihr vor dem Sturm an der Sandbank angelegt habt, wusste ich das. Als ihr versucht habt, das Boot von dem Hindernis im Fluss loszubekommen, wusste ich das. Ich wusste auch, dass ihr einen Verletzten hattet. Deshalb kamen wir.«

»Was hätten Sie getan, wenn wir Sie überwältigt hätten?«, fragte Eli.

»Der Erste, der eine bedrohliche Bewegung gemacht hätte, wäre von einem Pfeil getroffen worden. Zet ist nicht groß, aber er kann mit einem Pfeil jedes beliebige Ziel treffen.« Zu Light gewandt sagte MacMillan: »In den Wigwams wird man sich noch lange Geschichten darüber erzählen, wie Scharfes Messer Zet vor den Flusspiraten rettete.«

»Die Osage haben ihm nicht diesen Namen gegeben.«

»Sie wissen warum, nicht wahr?«

»Sie würden warten, bis er einen gewählt hätte.«

»Er hat sich keinen gewählt. Wir mussten ihm irgendeinen Namen geben. Also nannten wir ihn Zet. Er liebt diesen Namen. Er fühlt sich so als Teil der Familie«, erklärte MacMillan. »Die Osage hielten es für richtig, dass ich ihm einen Namen gab, weil wir beide weiß sind. Nun nennen auch sie ihn Zet.«

»Ich war völlig überrascht,« fuhr MacMillan fort, »als Mrs Lightbody nicht mit der Wimper zuckte, als sie ihn sah. Es sind Bootsleute gekommen, die ihn nicht sehen wollten. Meine Kinder sind an ihn gewöhnt. Wir achten nicht mehr darauf, wie er aussieht. Er ist Zet. Er kümmert sich um uns. Wir kümmern uns um ihn.«

Aee und Bee saßen während der langen kalten Nacht abwechselnd bei ihm. Der kleine Mann schlief unruhig und schrie manchmal im Schlaf auf. Aee, eingewickelt in eine Decke, sprach besänftigend mit ihm und nickte wieder ein, wenn er sich beruhigt hatte.

MacMillan lud Light und Maggie ein, die Nacht im Haus zu verbringen. Maggie zerrte an Lights Hand, und Light lehnte höflich ab. Nun saß Light, der nicht in einen tiefen Schlaf sinken wollte, mit dem Rücken zur Ulme im Hof, und Maggie lag auf seinem Schoß.

Sie hatten lange miteinander geflüstert, zärtliche Worte gewechselt, wie Liebende das zu tun pflegen, die getrennt gewesen sind, und sich immer wieder innig geküsst. Maggie hatte ihm erzählt, dass sie sich ihm ganz nahe gefühlt hatte, als sie bei seinen Sachen saß. Sie hatte erklärt, dass sie, wenn sie die Augen schloss, ihn sehen und mit ihm sprechen konnte. Sie hatte sich eng an ihn geschmiegt, und ihre Herzen schlugen im gleichen Takt. Er war wirklich ihr Ein und Alles, und sie war seins.

Nachdem Maggie eingeschlafen war, lenkte er seine Gedanken auf die Zeit, in der sie ihre Reise zu ihrem Berg fortsetzen würden. Er sehnte sich danach, diesen Ort zu verlassen, den eingeschnappten Schweden und den besorgten Franzosen nicht mehr sehen zu müssen und auch die Last los zu sein, MacMillan und seine Familie vor den Flusspiraten schützen zu helfen.

Er legte die Decke fest um seine schlafende Frau, um sie vor der Kälte zu schützen. Bis heute Nacht waren sie nie länger als ein paar Minuten voneinander getrennt gewesen. Er hatte nicht gedacht, dass eine Trennung für wenige Stunden ihr solche Qualen bereiten würde. Ihre Liebe zu ihm war wirklich genauso tief und innig wie seine zu ihr.

Light vernahm die nächtlichen Geräusche und fragte sich jetzt, ob es ratsam für sie beide sein würde, allein durch die Prärie zu reiten. Was wäre, wenn ihm etwas zustieße? Er konnte den Gedanken nicht ertragen, dass seine Frau mutterseelenallein herumirrte. Sie war sein Sonnenschein. Sie war der Wind. Sie war der Mond und die Sterne.

Er presste seine Lippen auf ihre Stirn. Als er den Kopf hob, roch er die frostige Luft. Der Nachtwind trug den Geruch trockenen Laubes zu ihm. Er sollte sich auf den Winter vorbereiten, aber zuerst musste er sich mit Ramon de la Vega befassen.

Light dachte an etwas, was Will Murdock vor zwei Jahren gesagt hatte, als sie von Pittsburgher Piraten angegriffen wurden. Er und Will hatten die Felle der Tiere nach St. Louis gebracht, die sie im Winter gefangen hatten. Jefferson war mitgekommen, um Vorräte zu kaufen.

»Wenn wir sie voneinander trennen, können wir sie schlagen«, hatte Will gesagt, nachdem sie eine Stunde festgelegen hatten.

Der Plan funktionierte. Da Light schneller laufen konnte als seine Freunde, war er es, der sich zeigen und flüchten sollte. Vier der Piraten folgten ihm. Er lockte sie in den Wald, da er wusste, dass er seine Verfolger dort abschütteln konnte. Er hatte ein großes Hornissennest erspäht und schlug es mit dem Kolben seiner Büchse vom Baum, als er daran vorbeilief. Der Hornissenschwarm griff seine Verfolger an. Um sich vor den Stichen der wütenden Insekten zu schützen, rannten sie zum Fluss zurück und sprangen ins Wasser. Inzwischen hatten Jeff und Will die anderen vier Piraten mit einigen brennenden Pfeilen ins Jenseits befördert.

Light überlegte, dass Vega bereits drei Mann seiner Besatzung verloren hatte. Um ihn weiter zu schwächen, mussten noch mehr Männer vom Boot gelockt werden. Aber wie?

Light dachte darüber nach, bis die Wolken sich verzogen hatten und die Mondsichel hell leuchtete.

Am Morgen wollte er zu Caleb gehen und ihm seinen Plan darlegen. Er hatte den Schwarzen sofort gemocht und war sich sicher, dass er ihm helfen würde. Der Mann war MacMillan treu ergeben und hatte in vieler Hinsicht ein ähnlich gutes Verhältnis zu diesem wie die freien Schwarzen in der Gegend um St. Charles zu Jefferson Merrick.

Light war jetzt leichter ums Herz, und er nickte, eine Wange an Maggies Haar geschmiegt, ein.

# Kapitel 15

Ramon de la Vega war wütend. Er suchte das Ufer mit seinem Fernrohr ab und sah keinen der Männer, die bei Tagesanbruch zu ihm stoßen sollten. Im Morgengrauen hatte er sich, eine Beschädigung seines Bootes riskierend, eine Meile den Fluss hinabtreiben lassen, um zum Treffpunkt zu gelangen.

Überzeugt, dass die Frau, die er in seine Gewalt bekommen wollte, von seltener Schönheit war, hatte er zusammen mit dem Deutschen drei seiner verlässlichsten Männer entsandt. Der Mann, mit dem sie zusammen war, war ein Mischling. Krüger hatte gesagt, der Mann bestehe darauf, getrennt von den anderen die Nacht mit ihr zu verbringen, wahrscheinlich um seine sexuellen Perversionen ausleben zu können.

Vier Mann mussten doch in der Lage sein, mit einem einzigen Halbblut fertig zu werden. Sollte der Deutsche aber die anderen Männer in eine Falle gelockt haben und lebend wiederkommen, so sollte er lange vor seinem letzten Schnaufer wünschen, tot zu sein.

»Julio!«

»Si, señor.«

»Schicke Dixon ans Ufer, damit er sich dort umsieht.«

Julio zögerte und fragte dann: »Allein?«

»Si, du Narr. Wie viele Männer sollen denn noch dafür nötig sein? Sag ihm, er soll nach einem Anzeichen suchen, ob sie da waren und sich flussabwärts davongemacht haben.«

Julio ging und stieß einen der Ruderer, die an Deck schliefen, mit dem Fuß an. Der Mann fuhr auf und drehte sich mit geballter Faust zu Julio um.

»Steh auf«, sagte Julio laut und zischte dann mit leiser Stimme: »Beweg deinen Arsch oder ich schneide dir die Kehle durch.« Laut fuhr er fort: »Der Señor wünscht, dass du an Land gehst.«

»Wozu?«

»Um zu schauen, ob du eine Spur von den Männern findest, die zum Anwesen des Siedlers geschickt wurden. Der Señor kriegt bald Zustände«, fügte er flüsternd hinzu.

Noah Dixon sprang auf und warf einen ängstlichen Blick auf Vega. Schon wenige Tage nach ihrem Ablegen in Natchez hatte er erfahren, wie grausam der Mann sein konnte. Weil Noah darüber gemurrt hatte, dass er zwölf Stunden lang hatte rudern müssen, ließ der Spanier ihn von den Männern festhalten, während er ihm das Ende des Zeigefingers abhackte. Vor Schmerz war er bewusstlos geworden. Er war erst zu sich gekommen, als Julio ein glühendes Eisen an das Ende seines Finger gehalten hatte, um die Blutung zu stoppen.

Dixon war ein schmächtiger, agiler junger Mann, der noch keine zwanzig Jahre alt war. Er stieg in das Kanu, mit dem Krüger gekommen war, und griff nach dem Paddel. Während er den Fluss überquerte, betete er zu Gott, dass er den Mut finden würde, das Kanu am Ufer zurückzulassen und durch den

Wald zum Anwesen des Siedlers zu fliehen. Er hatte gehört, wie Vega zu Julio sagte, dass er das Anwesen jetzt nicht angreifen lassen wolle, aber vorhabe, etwas später mit einer größeren Mannschaft zurückzukehren. Der Deutsche hatte Vega erzählt, dass bei MacMillan Schwarze seien, an deren Namen er sich jedoch nicht erinnern konnte. Vega glaubte, dass einer von ihnen sein Flüchtling Caleb sein könnte.

Der Gedanke, zu desertieren, schien Dixon immer verlockender. Es war mehr als wahrscheinlich, dass er es ohnehin nicht schaffen würde, lebendig nach Natchez zurückzukehren. Sollte er getötet werden, so wäre es ihm lieber, wenn das beim Siedler geschähe als bei dem verrückten, aufgeblasenen kleinen Dandy, der so gerne zu Peitsche und Degen griff.

Vega hatte einen armen Bastard beinahe zu Tode gepeitscht, weil dieser das indianische Mädchen angefasst hatte, das er selbst hatte vernaschen wollen. In einem Wutanfall hatte er einen anderen Mann mit seinem Degen durchbohrt, als dieser am Ruder eingeschlafen war. Dixon war befohlen worden, mitzuhelfen, die Leiche über Bord zu werfen, und hatte gesehen, wie sie sich um die eigene Achse drehend den Fluss hinabtrieb.

Noah gab freimütig zu, dass auch er sich am frivolen Treiben an Bord beteiligt hatte. Er hatte gleichfalls mit der weißen Hure geschlafen, da er geil wie ein zweischwänziger Ziegenbock und sie willig war. Er hatte es jedoch noch mehr deswegen getan, weil er nicht wollte, dass die Männer ihn aufzogen, wenn er es nicht tat.

Er versuchte nicht an die indianischen Mädchen zu denken, die im Opiumrausch in der Kajüte hockten; denn er konnte nichts für sie tun. Die Fahrt flussabwärts würde mindestens drei Wochen dauern – weniger lange, wenn sie das Segel benutzen konnten. Würden die Frauen noch am Leben sein, wenn sie Natchez erreichten?

Er ließ das Kanu auf eine Sandbank auflaufen, schaute zurück zum Kielboot und hob eine Hand, bevor er in den Wald eintauchte. Er hatte keine Waffe. Vega hielt sie unter Verschluss und erlaubte der Mannschaft lediglich, ihre Brotmesser bei sich zu haben. Eine Ausnahme machte er nur dann, wenn das Boot angegriffen wurde. Dixon war so mit sich beschäftigt gewesen, dass er vergessen hatte, Julio um ein Gewehr oder einen Dolch zu bitten.

Im Wald war es düster, kühl und still. Die Wasservögel, die aufgeflogen waren, als er sich dem Ufer näherte, hatten sich weiter unten am Fluss wieder niedergelassen. Als er sich außer Sichtweite des Fernrohrs des Spaniers befand, blieb er stehen und lehnte sich an den Stamm einer hohen Eiche. Was sollte er tun? Er war das erste Mal allein, seit er sich auf diesem verfluchten Boot hatte anheuern lassen.

Er suchte mit den Augen den Wald ringsum ab. Nichts bewegte sich außer einem Eichhörnchen, das damit beschäftigt war, Eicheln für den Winter zu vergraben. Er fragte sich, was die Männer davon abhielt, zum Boot zurückzukehren. War es ihnen nicht gelungen, die Frau gefangen zu nehmen? Es war unwahrscheinlich, dass vier Männer nicht in der Lage waren, einen Mann zu überwältigen, wenn Krüger die Wahrheit gesagt hatte. Dixon drehte sich der Magen um bei dem Gedanken daran, dass ein Mann getötet und eine Frau geraubt werden sollte, damit sie von diesem Scheißkerl vergewaltigt wurde.

Er erinnerte sich an seine Mutter und seine Schwestern, die an einem sumpfigen Flussarm lebten. Er hatte gewiss Dinge getan, von denen seine Mutter, wie er hoffte, nie erfahren würde, aber er hatte keine Frau entehrt und keinen Mann getötet, mit Ausnahme eines Delaware, der versucht hatte, ihn zu töten.

Nachdem Dixon unbewusst seine Entscheidung getroffen hatte, machte er sich auf den Weg durch den Wald und hielt manchmal an, um festzustellen, ob Stimmen zu hören waren. Was wäre, wenn er Rico und den Männern auf ihrem Rückweg zum Treffpunkt begegnete? Sie würden ihn bestimmt töten, wenn sie dachten, dass er desertieren wollte, und der Siedler würde ihn töten, wenn die Leute vom Boot die Frau entführt hatten.

Der Gedanke veranlasste Dixon, innezuhalten. Das Leben daheim war gut. Er wollte nicht hier an diesem einsamen Ort sterben. Wenn er zum Kielboot zurückkehrte, um dem Spanier zu berichten, dass er nichts gesehen hatte, und wenn dieser ihm nicht glaubte, so würde er ihn mit dem Degen durchbohren, als würde er eine Fliege totschlagen.

Während er mit dem Rücken zu einem großen Baum stand und nur das Geräusch herumflatternder Vögel zu hören war, bekam er plötzlich Angst. Ein Schauer überlief ihn und er hielt den Kopf schräg, um zu lauschen. Da hörte er ein leises Geräusch hinter sich. Ehe er sich umdrehen konnte, traf ihn ein Schlag am Hinterkopf. Er stürzte bewusstlos zu Boden.


Nach einem Frühstück, das aus Brot, heißem Haferschleim und Tee bestand, verließ Light Maggie und Aee, die Zet in der Krankenstube bemutterten. Er ging zu dem kleinen Fluss hinab, wo er, wie MacMillan gesagt hatte, Caleb finden würde. Der riesige Schwarze war gerade dabei, einen großen Wels zu enthäuten. In seinem Gürtel steckten ein Messer und ein Tomahawk. Ein starker Bogen und ein Köcher mit Pfeilen lagen in Reichweite. Caleb lächelte Light an, als er näher kam.

Caleb war eine seltsame Mischung aus Muskelkraft und scharfer naiver Intelligenz. Sein Körper war, gestählt durch lebenslange schwere Arbeit, sehr muskulös, doch seine Hände waren erstaunlich flink, als er mit dem Messer den Fisch enthäutete. In den großen goldfarbenen Augen lag eine Spur von Traurigkeit, doch schien er von Natur aus eher heiter zu sein als verbittert über die schweren und entwürdigenden Jahre, die er als Sklave verbracht hatte.

Light grüßte ihn mit einem Kopfnicken.

Caleb erwiderte den Gruß.

»Sie haben einen guten Bogen«, sagte Light und hob das über eineinhalb Meter lange Schießwerkzeug hoch, das aus sorgfältig ausgesuchtem Eschenholz gefertigt und mit zwei zusammengedrehten Büffelsehnen versehen war.

»Jawohl«, sagte Caleb verschmitzt lächelnd. »Viele

Flecken hat mir beigebracht, wie man ihn macht und damit schießt. Mista Mac hat mir gezeigt, wie man mit dem Gewehr schießt, aber ich spanne den Bogen schneller und treffe immer das, worauf ich schieße.« Er schwenkte sein Fischmesser. »Und ich muss keine Bleikugeln, keine Ladepfropfen, keine Feuersteine und kein Schießpulver mit mir herumschleppen.«

Ein flüchtiges Lächeln zeigte sich auf Lights Gesicht und verschwand gleich wieder.

»Viele Flecken sagt, dass Vega vor Tagesanbruch flussabwärts gefahren ist und wieder angelegt hat. Er wartet auf die Männer, die er losgeschickt hat, um mich zu töten und meine Frau zu entführen.«

»Dieser Teufel verrechnet sich, wenn er denkt, er kriegt das kleine Fräulein.«

»Was wird Vega als Nächstes unternehmen? Glauben Sie, dass er umkehrt und wieder flussabwärts fährt, wenn er feststellt, dass er drei Mann verloren hat?«

Calebs Gesicht drückte fassungsloses Erstaunen aus, da ihn niemand außer MacMillan jemals nach seiner Meinung gefragt hatte.

»Nein. Wenn dieser Keine-Haare-Mann ihm sagt, dass Caleb hier ist, wird er es nicht tun. Leute wie er verkraften es schlecht, wenn ein Nigger flüchtet. Er möchte mich zurückhaben und mich mit seiner Peitsche in Stücke hauen, damit er sich gut fühlt.«

»Ich habe gehört, dass er schon zwei Mal hier war und jedes Mal nach Ihnen gefragt hat.«

»Er ist sehr wütend, weil ich geflohen bin und er mich immer noch nicht gefasst hat.«

»Wenn er mit acht Mann Besatzung gestartet ist, so

hat er jetzt nur noch fünf, vier zum Rudern und einen am Steuer. Ich habe eine Idee, wie man die Zahl seiner Männer noch weiter verringern könnte, wenn Sie und Viele Flecken mir helfen.«

»Ich spreche nicht für Viele Flecken, Mista Light, aber meine Hilfe bekommen Sie.«

Light ließ sich auf die Fersen nieder und erklärte Caleb seinen Plan, während er mit einem Stöckchen eine Skizze des Flusses in den Schmutz zeichnete.

»Wenn er hier festgemacht hat« – Light steckte das Stöckchen in den Boden – »und Viele Flecken sagt, dass das so ist, dann ist dort eine Sandbank, die etwa sechs Meter breit ist. Dahinter befindet sich eine Stelle, die dicht mit Büschen und Bäumen bewachsen ist.

»Man kann sich schnell verstecken.«

»Das ist die Idee. Wir wollen Sie als Lockvogel benutzen, Caleb. Ich rechne damit, dass Vega Sie sieht und einige seiner Männer losschickt, um Sie zu fangen. Viele Flecken und ich werden auf der Lauer liegen.«

Caleb lachte über das ganze Gesicht. »Ich kann der betrunkenste Nigger sein, den Sie je gesehen haben, Mista Light. Und ich kann rennen wie eine gesengte Katze.«

Auch Light lachte. Er mochte den Mann immer mehr.


Als sie das Anwesen verließen, legte Light im Wald ein schnelles Tempo vor. Maggie lief hinter ihm, Viele Flecken und MacMillan bildeten die Nachhut. Paul, Eli und Linus hoben Gräber für die Leichen aus, die Linus und Caleb am Morgen hergebracht hatten. Viele Flecken hatte sich verächtlich über das Begräbnis geäußert, aber MacMillan hatte darauf bestanden.

Aee pflegte Zet, der in der Nacht Fieber bekommen hatte, und behielt die unzufriedenen Osagekrieger im Auge, die auf dem Anwesen herumstreunten. Sie waren enttäuscht, weil es keinen Kampf gegeben hatte, und wollten am liebsten wieder davonreiten.

Da Krüger möglicherweise im Wald umherstreifte, bestand Light darauf, dass Maggie bei ihm war, obwohl MacMillan bezweifelte, dass das richtig war.

»Meine Frau geht dorthin, wohin ich gehe«, sagte Light mit einer solchen Entschiedenheit, dass der Siedler nichts mehr zu erwidern wusste.

In ihren wildledernen Hosen und mit dem alten Hut, unter dem sie ihr Haar verborgen hatte, sah Maggie wie ein schlanker Junge aus. Sie trug ihren Bogen und ihren Köcher mit Pfeilen über der Schulter und hielt mit Light leicht Schritt. Sie war glücklich. Light hatte ihr erklärt, was er vorhatte. Er bezog sie ein. Sie würde neben ihm stehen und ihn stolz machen. Der Wald war still und erholsam nach dem turbulenten Aufenthalt auf dem Anwesen. Maggie liebte den Wald und wünschte sich, dass ihre Füße zu Flügeln würden. Sie wollte laufen, laufen, laufen.

Sie gingen eine halbe Stunde in gleichmäßigem Tempo. Sie hörten nur Vögel, die Eichhörnchen und die Buschschwanzratten, die durch das Blättergewirr huschten. Viele Flecken bog vom Pfad ab, um zu sehen, wie weit Caleb inzwischen gekommen war, der in einem Kanu mit zwei Krügen flussabwärts fuhr. In den Krügen sollte Vega, der die Gegend mit dem Fernrohr absuchte, Whisky vermuten.

Light streckte abrupt einen Arm aus, um Maggie am Weitergehen zu hindern und sie ins dichte Unterholz neben dem Pfad zu ziehen. MacMillan folgte.

Eine ganze Weile verging, bis sich Light vorsichtig auf die Knie erhob, ohne dass er vom Pfad aus gesehen werden konnte. Er wartete einen Moment, bevor er Maggie und MacMillan ein Zeichen gab.

»Irgendwas ist vor uns. Keine Vögel.«

»Ein Tier?«

»Nein.«

Als Light das Zwitschern der Vögel wieder vernahm, richtete er sich ganz auf. Leise setzten sie ihren Weg auf dem Pfad fort. Maggie erinnerte sich, dass sie ruhig bleiben sollte, als sie mit dem Bogen in der Hand Light folgte. Light hatte gesagt, die Nerven seien ein schlimmerer Feind als der niederträchtigste Delaware.

Sie hatten gerade einen dichten Bestand von Sumach passiert, da lag keine zwölf Meter von ihnen entfernt ein Mann auf dem Boden. Noch einmal verließen sie den Pfad und warteten im Unterholz, bis Light winkte. Danach näherten sie sich vorsichtig der bewegungslos daliegenden Gestalt. MacMillan kniete neben dem Mann nieder, während Light sich bemühte, die leiseste Bewegung und den leisesten Laut in der Umgebung wahrzunehmen.

»Er ist nicht tot. Gottverdammich, er ist nur ein Junge mit Pfirsichflaum auf den Wangen. Warum hat ihn jemand niedergeschlagen?« MacMillan

drehte Dixon um. »Zum Teufel! Wenn er ein Gewehr oder ein Messer bei sich hatte, so hat er es
jetzt nicht mehr. Er hat nichts außer einem Brotmesser.«

»Ich wette, dass das der gemeine Kerl Krüger war«,
sagte Maggie.

»Es war kein Tomahawk, mit dem er niedergeschlagen wurde. Er wäre tot gewesen.«

Viele Flecken kam vom Fluss angelaufen. »Caleb
kommt. Was ist das hier?« Er berührte Dixon mit seinem Fuß. »Soll ich ihn töten?«

»Nein. Er ist nur ein Junge.«

»Wir müssen gehen«, drängte Light. »Wir können
uns auf dem Rückweg um ihn kümmern ... falls er
dann noch hier ist.«

»Wer auch immer ihn niedergeschlagen hat, er
hat uns gehört.«

Bevor sie oberhalb der Stelle aus dem Wald traten,
an der Caleb mit seinem Kanu anlegen sollte, gab
Light den anderen ein Zeichen, damit sie zurück-
blieben. Er kroch vorwärts, um durch die Büsche zu
lugen. Nun konnte er hören, dass Caleb am Schilfgürtel entlang fuhr. Er schien betrunken und sang
etwas, was er ein »Klagelied« nannte.

Light schlich zurück in den Wald, wo die anderen
warteten.

»Caleb ist fast hier. Wenn sie ein Boot schicken,
wird er so tun, als ob er sie nicht bemerkt, bis sie fast
am Ufer sind. Dann wird er zu diesem Baum rennen.« Light zeigte auf einen Baum, der beim letzten
Sturm entwurzelt worden war.

»Töten wir?«, fragte Viele Flecken.

»Vielleicht«, antwortete Light. »Wir werden sehen,

was sie machen. Verwendet nur die Bogen. Keine Gewehre. Wir wollen Vega so lange wie möglich im Unklaren lassen.«

»Willst du Gefangene nehmen?«, fragte Viele Flecken MacMillan.

Dieser zuckte die Schultern. »Wenn sie wie der Deutsche sind, töte ich sie. Ich kann diese Sorte in der Nähe meiner Weibsbilder nicht gebrauchen.«

»Töte sie jetzt«, riet Viele Flecken.

»Sie können sehen, dass er für Piraten nichts übrig hat«, sagte MacMillan zu Light. »Es waren solche Leute, die seine beiden Jungen im letzten Jahr töteten. Er denkt, es waren welche von Vegas Boot. Die Kinder spielten am Ufer, und die Bastarde benutzten sie als lebendige Zielscheiben.«

Light wies Maggie einen Platz hinter einem Baum zu, dessen Äste so niedrig waren, dass Maggie sie erreichen und höher hinaufklettern konnte, falls es nötig sein sollte.

»Chérie, du beobachtest alles um dich herum. Krüger ist vielleicht in der Nähe. Ruf mich, falls du etwas siehst.«

»Sei vorsichtig, Light.«

Er steckte eine Locke, die herabhing, unter ihren Hut, und seine Augen sagten ihr, wie sehr er sie liebte.

»Wirst du mir gehorchen?«

»Ja, Light.«

»Bleib hier. Ich werde nach Caleb sehen. Sein Leben ist jetzt in Gefahr.«

Als Light die Sträucher auseinander bog, um sich Calebs Vorstellung anzusehen, hatte er fast den Eindruck, dass der große Schwarze tatsächlich betrun-

ken war. Dieser zog gerade das Kanu auf die Sandbank und fiel dabei zweimal hin. Er lag jedes Mal lachend da. Dann stand er auf, um einen Blick auf das
Kanu zu werfen, das Dixon zurückgelassen hatte. Er
torkelte eine Weile herum und nahm immer wieder
einen Schluck aus dem Krug. Er fing an, laut, kla-
gend und falsch zu singen.

»S'ist nur ein armer Wanderer
In der Welt von Sünde und Leid.
Er schleppt sich immer weiter
Durch die Welt von Sünde und Leid.«

Caleb fiel auf die Knie, verharrte eine Weile in dieser
Stellung, ließ sich dann auf den Rücken fallen und
goss sich die Flüssigkeit aus dem Krug in den Mund.

Light ahmte den Ruf eines Ochsenfrosches nach,
damit Caleb wusste, dass er da war. Danach sah er,
dass vom Kielboot ein Kanu ins Wasser gelassen wurde. Zwei Männer, einer davon mit einem langen Gewehr bewaffnet, stiegen ins Kanu und ergriffen die
Paddel. Ein vornehm gekleideter Dandy hielt ein
Fernrohr in der Hand und winkte den Männern zu,
damit sie sich beeilten. Als das Kanu nicht mehr als
etwa zehn Meter von der Sandbank entfernt war,
wiederholte Light den Ruf.

Caleb setzte sich auf und wischte mit dem Handrücken über seinen Mund. Er schaute auf die Männer
im Boot und stand gemächlich auf.

Lauf, Caleb. Jetzt!

Der große Mann lief torkelnd ein paar Schritte, ergriff seinen Krug und drehte sich um. Er blickte auf
die Männer, die mit dem Kanu bis zur Sandbank ge-

fahren waren und ausstiegen. Lights Herz hämmerte, als Caleb einen Schritt auf die Männer zuging. Dann drehte er sich blitzschnell um und rannte in Richtung Wald.

»Erschießt ihn! Erschießt ihn!« Die Worte drangen vom Kielboot her über das Wasser.

Der Mann, der das lange Gewehr trug, zögerte und schob seine Mütze zurück. Er wagte nicht, seinen Schuss zu vergeuden, bis er den im Zickzack zwischen den Bäumen laufenden Mann deutlich vor sich sah. Er legte das Gewehr an und schoss durch die Büsche auf Caleb. Der andere Mann folgte in langsamerem Tempo. Caleb lockte sie zum umgestürzten Baum und hielt immer gerade so viel Abstand zu ihnen, dass sie ihn von Zeit zu Zeit sehen konnten.

Einige hundert Meter vom Fluss entfernt machten die Bootsleute eine kurze Pause. Der Mann mit der roten Mütze hielt die Büchse schussbereit. Er drehte sich um neunzig Grad und suchte mit den Augen die Bäume ab. In diesem Moment rief MacMillan:

»Wir haben euch im Visier. Das Gewehr nieder!«

Der Mann mit der roten Mütze fuhr herum und zielte mit dem Gewehr in die Richtung, aus der er die Stimme vernommen hatte. Er feuerte nicht. Ein Pfeil, der von nirgendwo zu kommen schien, traf ihn mit einem dumpfen Laut in die Brust. Der andere Mann blickte entsetzt zu Boden, dann hob er die Hände über den Kopf. Sicherlich würde auch er jeden Moment sterben. Er wartete zitternd. Erst kamen ein Weißer und ein Indianer hinter dem umgestürzten Baum hervor, dann tauchte der Schwarze auf, den sie hatten fangen sollen.

Er war gar nicht betrunken! Es war eine Falle!

Dies wurde dem Mann vom Boot klar, als Light und Maggie schweigend aus dem Wald kamen. Maggies Hut war heruntergefallen. Sie hatte ihn wieder aufgesetzt, ohne sich die Zeit zu nehmen, ihre vielen Locken unter die Hutkrempe zu stopfen. Vor Staunen blieb dem Mann der Mund offen stehen. Dies war die wunderschöne Frau, die der Deutsche beschrieben hatte. Er blickte zu dem Mann neben ihr. Krüger hatte gesagt, es wäre so leicht, das Halbblut zu töten.

Erst blickten sie ihn an, dann richteten sie ihre Aufmerksamkeit auf seinen toten Kumpan. Da streckte der Indianer eine Hand aus und riss dem Toten die rote Mütze vom Kopf.

»Er ist es. Er hatte eine rote Mütze, schwarzes Haar auf dem Kopf, schwarzes Haar im Gesicht.«

»Wenn er es war, dann war es dein Recht, ihn zu töten. Was ist mit dem anderen Kerl. War er auch da?«

»Nein«, erklärte Viele Flecken. »Der Mann hatte schwarzes Haar. Dieser zu mager. Haar nicht schwarz.« Viele Flecken vollführte mit dem Messer eine rasche kreisrunde Bewegung um den Kopf des Toten. Er stemmte den Fuß gegen dessen Gesicht, packte dessen Schopf und riss daran. Er hielt den blutigen Skalp hoch. »Ich bringe ihn zu Plappernder Zunge. Sie soll nicht mehr trauern. Sie soll mir mehr Söhne schenken.«

Nachdem der Mann vom Boot einen kurzen Blick auf seinen skalpierten Kumpanen geworfen hatte, schrie er ängstlich:

»Ich habe niemanden getötet. Nicht einmal ...

nicht einmal einen Indi ...« Er beendete den Satz nicht und sah Viele Flecken furchtsam an. »Vega hat uns an Bord keine Gewehre oder Messer gegeben.«

»Was hat Vega euch gesagt?«

»Fangt den Nigger. Wir sollten ihn, wenn nötig, zum Krüppel machen, aber ihn fangen. Mein Herr, das ist meine erste Fahrt flussaufwärts. Ich wusste nicht, dass er ein Flusspirat ist, der Trappern auflauert, um ihnen ihre Felle wegzunehmen, und indianische Frauen raubt. Ich schwöre bei Gott.«

»Ist der Deutsche zum Boot zurückgekommen?« Bis jetzt hatte Light nichts gesagt.

»Niemand ist zurückgekommen ... bis jetzt. Deshalb hat sich Vega aufgeregt und Dixon losgeschickt, damit er sich umsieht.

»Wie viele Indianerinnen hat er?«

»Drei. Er hat auch eine Weiße, aber sie ist keine Gefangene. Er fesselt die Frauen nicht mehr. Sie küssen ihm die Füße, um das Rauschgift zu bekommen, das er sie rauchen lässt. Dann sitzen sie da, als ob sie nicht einmal wüssten, wo sie sind.«

»Er bekommt es von einem Schiff in New Orleans«, sagte Caleb voller Abscheu und beugte sich über den Toten, um seine Taschen zu durchsuchen. »Er hat nichts außer dem Gewehr.«

»Er hat wie der andere nur sein Brotmesser bei sich«, sagte MacMillan.

»Der andere? Mister, er hat Dixon vor ein paar Stunden ans Ufer geschickt, um Ausschau nach dem Deutschen und nach Rico und den anderen zu halten. Er ist nicht zurückgekommen. Er ist noch fast ein Kind, er rasiert sich noch nicht einmal und hat große Angst, dass Vega ihn umbringt, bevor er nach Hause zurückkehrt. Haben Sie ihn gesehen?«

»Warum machst du dir um ihn Gedanken?«, fragte MacMillan barsch. »Denk lieber nach, wie du deine eigene Haut rettest.«

»Nun ja ... er und ich bemühten uns, am Leben zu bleiben, um nach St. Louis zurückzukehren. Wir hatten die Absicht, über Bord ...«

»Desertieren?«

Der Mann blickte prüfend in die ausdruckslosen Gesichter der Männer und der schönen jungen Frau, die ihn beobachteten. Zuzugeben, dass er desertieren wollte, bedeutete in den Augen eines Flussschiffers, das Planen einer Meuterei einzugestehen.

Er zögerte und sagte dann: »Ich ... glaube, ja, aber wir waren uns nicht sicher, ob wir lebend zurückkommen würden. Vega tötete zwei der Ruderer, hieb Dixons Finger ab, und zwei weitere Männer haben keine Ohren mehr. Einer hat keine Nase mehr.«

»Wie heißt du?«

»Bodkin. Linton Bodkin.«

»Was hast du gemacht, bevor du bei Vega angeheuert hast?«

»Ich habe für einen Böttcher gearbeitet.«

»Warum wolltest du keine Fässer und Zuber mehr machen?«

»Ich wollte sehen ... wie es weiter oben am Fluss ist, glaube ich«, sagte er matt.

»Soll ich ihn töten?«, fragte Viele Flecken.

Bodkin blickte erst bange auf MacMillan und dann auf Light.

»Nein«, antwortete MacMillan augenzwinkernd,

nachdem er den Mann eine Weile hatte schwitzen lassen. »Er hat einen starken Rücken. Wir lassen ihn seinen Freund zurück zum Anwesen schleppen, wenn er nicht schon tot ist.«

»Sie haben Dixon erwischt?«

»Wenn das sein Name ist. Wir haben ihn mit einer Beule am Kopf gefunden. Was für eine Waffe hatte er?«

»Ich glaube, gar keine.«

»Vega hat einen Mann ohne Waffen losgeschickt?«

»Niemand hatte Waffen außer ihm und Julio. Er befürchtete, jemand könnte ihm die Kehle durchschneiden. Er war in letzter Zeit ziemlich ekelhaft.« Mit einem Kopfnicken auf den Toten hindeutend sagte er: »Er gab ihm das Gewehr, weil er wollte, dass er den Nigger fängt oder totschießt. Er kann es nicht ausstehen, wenn etwas nicht nach seinem Willen geht.« Er sah Maggie kurz an und blickte dann weg. Er war froh, dass sie der erniedrigenden Behandlung entgangen war, die sie in den Händen des Spaniers erfahren hätte.

MacMillan hob die Büchse des Toten auf und gab sie Viele Flecken.

»Ich will sie nicht. Zu schwer.«

»Ihr Plan hat funktioniert, Light.« MacMillan warf das Gewehr Caleb zu, der es mit seiner großen Hand auffing. »Vega fehlen zwei weitere Männer – drei, wenn man den zu Boden Geschlagenen dazurechnet. Außer ihm bleiben jetzt nur noch zwei übrig.« Er sah Bodkin an. »Was wird er tun?«

»Er setzt die Frauen an die Ruder.«

»Er wird einen starken Wind, einen guten Steuermann und Glück brauchen, um mit einem Boot dieser Größe flussabwärts zu fahren, ohne auf Grund zu laufen.«

»Julio ist ein guter Steuermann. Ich schätze, er wird es schaffen.«

# Kapitel 16

MacMillan und Viele Flecken gingen mit ihrem Gefangenen im Schlepptau zurück, um Dixon aufzuheben und zum Anwesen zu tragen.

»Wir gehen Vega beobachten.« Während Light Caleb dies sagte, stellte er sich zwischen Maggie und den Toten. Fliegen begannen den blutigen Kopf des Toten zu umschwirren.

»Jawohl. Was machen wir mit ihm?«, fragte Caleb.

»In den Fluss, sobald Vega weg ist.«

»Light,« sagte Maggie und legte eine Hand auf seinen Arm, »wäre es nicht anständiger, ihn zu begraben?«

»Er war einer von der schlimmsten Sorte, chérie. Er verdient kein anständiges Begräbnis.«

»He, he, he.« Ein tiefes Glucksen entrang sich Calebs mächtigem Brustkasten. »Das Fräulein befürchtet, dass er die Fische krank macht, Master Light.«

»Das habe ich nicht gemeint, und Sie wissen das.« Maggie stemmte die Hände in die Hüften und blickte auf den großen Mann.

Caleb wurde sofort sachlich. »Ja. Ich lege ihn in das Loch, das die Baumwurzeln hinterlassen haben.« Er packte den Leichnam an den Füßen und zog ihn zu dem Baum, den der Sturm gefällt hatte. »Und es ist mir egal, ob sich die Wölfe über ihn hermachen«, fügte er leise hinzu.

»Sei wachsam. Krüger hat, soviel wir wissen, kein

Gewehr oder Messer. Aber er wird jetzt zum Äußersten entschlossen sein.«

»Ich passe auf.«

»Was wird Krüger machen, Light?«

»Es gibt nur zwei Leute, zu denen er gehen kann, chérie. Zu Vega oder zu MacMillan. Wir wollen die Augen offen halten und sehen, ob er zu Vega geht.«

Maggie und Light liefen flussabwärts durch den Wald, bis sie zu einer Stelle kamen, wo sie durch die Büsche hindurch Vegas Boot sehen konnten. Der Pirat suchte gerade mit seinem Fernrohr die Gegend ab, wo seine Männer Caleb in den Wald gefolgt waren. Seine Bewegungen waren fahrig, und die Stimme, die über das Wasser drang, klang hoch und wütend. Er sprach abgehackt und schnell spanisch.

Wenn keine Frauen an Bord gewesen wären, hätte Light brennende Pfeile abgeschossen und versucht, das Boot in die Luft zu sprengen.

Während sie das Boot beobachteten, ergriffen zwei Männer und eine blonde Frau die Staken und bemühten sich, das Kielboot zu wenden. Als der Bug in Richtung des Ufers wies, an dem die Kanus lagen, wurden die Staken in den Flussgrund gerammt, um das Boot in dieser Position zu halten.

»Mon Dieu! Er will die Kanone einsetzen.« Light sprang auf. »Chérie. Komm, wir müssen Caleb warnen.«

»Lauf voraus. Ich halte dich nur zurück.«

»Gehorche mir! Ich habe keine Zeit zum Diskutieren«, sagte Light streng.

»Ja, Light.«

Er ließ sie vor sich herlaufen, bis sie zum Pfad kamen. Danach rannte er voraus und spornte sie an, das Tempo zu halten. Er wagte nicht, sie allein zu MacMillans Anwesen zu schicken, da Krüger immer noch irgendwo in der Nähe sein konnte.

Sie liefen im Zickzack durch den Wald. Light hatte keine Ahnung, wie lange es dauern würde, die Kanone zu laden und abzufeuern. Der Narr Vega schickte sich an, in den Wald zu schießen in der Hoffnung, Caleb zu treffen. Er würde das tun, obwohl seine eigenen Männer dort waren. Bodkin hatte Recht: Der Mann hatte den Verstand verloren.

»Caleb!« Light war es egal, ob der Pirat seinen Ruf hörte. »Caleb!«, schrie er. Der Schwarze hörte ihn und hatte die Lichtung bereits halb überquert, als Light ihn einholte. »Beeil dich! Er feuert die Kanone ab.«

Light drehte sich um und rannte auf dem Pfad zurück zu Maggie. Sie beschleunigte ihr Tempo und lief leichtfüßig und schnell. Light war überzeugt, dass sie ihn auf einer kurzen Strecke überholen konnte. Er konnte die schweren Fußtritte und das Atmen des riesigen Mannes hinter ihnen hören.

Bum! Als der Knall sie erreichte, schienen nur Sekunden vergangen, seit sie die Lichtung verlassen hatten. Eine Sekunde später hörten sie, wie die Kugel durch die Bäume hinter ihnen flog.

»Lauf!«, schrie Light, als Maggie langsamer wurde. Er wusste, die größte Gefahr bestand nicht darin, direkt von der Kugel getroffen zu werden, sondern von den Ästen, die sie zerschmetterte.

Es vergingen Minuten. Sie erreichten die Stelle, an der sie kampiert hatten, als der Sturm losbrach. Light rief Maggie, und sie bogen vom Pfad ab, um zum Fluss zu gelangen. Sie standen auf dem hohen Ufer und blickten flussabwärts. Die schnelle Strömung hatte das Vorderende des Kielbootes erfasst und drehte es flussabwärts, bevor Vega einen zweiten Schuss abfeuern konnte. Was jetzt an Bord geschah, war nicht mehr zu sehen.

»Vielleicht fährt er jetzt fort«, sagte Maggie.

»Aber er wird zurückkommen«, erwiderte Caleb resigniert und ließ die mächtigen Schultern sinken.

»O ... Caleb. Sie müssen sich immer Sorgen darüber machen, wieder versklavt zu werden.« Maggie legte ihm eine Hand auf seinen riesigen Arm.

Caleb zuckte zusammen, als ob die Hand ein glühendes Eisen wäre. Sein besorgter Blick glitt zu Light. Eine Weiße hatte ihn berührt. Würde der Scout ihm jetzt sofort das Herz mit dem Messer durchbohren?

»Vieles in der Welt ist nicht richtig, chérie«, sagte Light. »Dazu gehört auch die Sklaverei.« Er drehte sich um und schaute flussabwärts.

Caleb blickte Light voller Dankbarkeit an.

»Caleb muss zu unserem Berg mitkommen, Light.« Maggie folgte ihrem Mann. »Der gemeine Kerl wird ihn dort nicht finden.«

Light sagte nichts, aber Maggies Vorschlag behielt er im Gedächtnis. Er wollte diesen Ort und mit ihm MacMillan, den Schweden und den Franzosen ... verlassen. Sollten sie sich doch um den wahnsinnigen Deutschen, der im Wald Amok lief, kümmern. Schließlich hatte Eli ihn auch hierher gebracht.

Seine ursprüngliche Idee, bei den Osage zu überwintern, ließ sich nicht mehr verwirklichen. Er erkannte jetzt, dass Maggie nicht in der Lage sein würde, sich deren Lebensweise anzupassen. Mehr noch, die Osage würden nicht verstehen, warum die Frau von Scharfes Messer die Tiere nach der Jagd nicht abhängen oder kochen, keine Mokassins fertigen und nicht mit ihm schlafen würde, während andere mit im Wigwam wären. Wenn jemand sie mit der Peitsche schlüge, weil sie ihn nicht bediente, würde sie mit ihrer eigenen Peitsche zurückschlagen. Der Krieger würde kämpfen, und Light wäre gezwungen, ihn zu töten. Es würde Chaos herrschen.

Sie würden nicht bei den Osage überwintern. Light würde nicht dulden, dass sie erniedrigt würde und in Ungnade fiel, weil sie die Lebensweise der Osage nicht verstand.

Während sie zusahen, stemmten sich die Männer auf dem Kielboot mit voller Kraft gegen die Staken, damit ihr hinter der Insel liegendes Schiff nicht von der raschen Strömung erfasst wurde. Es verging mehr als eine Stunde, bis sie den Kampf aufgaben und der Bug sich mit der Strömung drehte. Daraufhin wurde das Segel gesetzt, und der Steuermann nahm seinen Platz am Steuerruder ein. Der aus östlicher Richtung kommende Wind füllte das Segel, und das Boot fuhr flussabwärts.

»Er wartet nicht darauf, dass seine Männer zurückkommen.« Maggie hielt Lights Hand fest.

»Sie sind ihm gleichgültig, chérie.«

»Er wird zurückkehren«, sagte Caleb noch einmal.

»Nicht sobald. Er hat nicht genügend Männer, um gegen die Strömung anzukommen. Wir bringen die Kanus zum Anwesen der MacMillans, damit Krüger sie nicht benutzen kann.«

Light ging voran, als sie sich zurück zur Sandbank begaben, wo die Kanus lagen. Maggie folgte, und Caleb mit dem Bogen über der Schulter und dem Gewehr in der Hand bildete die Nachhut. Es beruhigte Light, zu wissen, dass Caleb da war.

Bei Tagesanbruch hatten Caleb, Linus und vier der Osagekrieger den zweirädrigen Karren genommen, um die Leichen der Männer zu holen, die mit Krüger ans Ufer gekommen waren. Krüger war während der Nacht nicht wie befürchtet zurückgekehrt, um sich die Waffen der Getöteten zu holen. MacMillan nahm die beiden Pistolen und den Säbel und ließ die Brotmesser, die Schuhe und die Kleidung für den, der sie haben wollte, zurück. Die Krieger entkleideten die Leichen, und die drei nackten Männer wurden in ein Grab gelegt.

Auf dem Anwesen war es ruhig. Die Osage waren fort. Sie waren auf ihre Pferde gestiegen und waren mit vielen gellenden Pfiffen und unter Vorführung ihrer Reitkünste zu ihrem Lager jenseits der Salzhöhlen davongaloppiert. Viele Flecken war mit ihnen geritten. Er hatte stolz den Skalp hin und her geschwenkt, den er seiner Frau schenken wollte.

Dixon hatte sich gerade mühsam aufgesetzt, als Bodkin, der mit den Indianern und dem Siedler zwischen den Bäumen auftauchte, am Ort des Überfalls ankam. Sein Kopf fühlte sich an, als hätte ein Maultier ihn getreten, und er sah, als er seinen Freund erblickte, alles so verschwommen, dass er glaubte, er würde träumen. Mit Bodkins Hilfe schaffte er es, MacMillans Anwesen zu erreichen, obwohl er sich manchmal fast lieber hingelegt hätte und gestorben wäre.

Er war völlig überrascht darüber, wie er und Bodkin auf dem Anwesen behandelt wurden. Er hatte gedacht, sie würden eingesperrt oder gefesselt werden. Stattdessen hatte Aee sich ihrer angenommen, das Haar auf Dixons Hinterkopf wegrasiert und eine Heilsalbe aufgetragen. Sie hatte darauf bestanden, dass er sich hinlegte und schlief.

Sowohl für Dixon als auch für Bodkin war es ein Schock, als sie zum ersten Mal den hässlichen kleinen Zwerg erblickten. Dass die MacMillans ihn wie ein Familienmitglied behandelten, war allerdings ein noch größerer Schock für sie. Es war schon eine seltsame Gruppe auf dem Anwesen: der Zwerg, die Indianer, die Schwarzen, das dunkle, stille Halbblut und seine schöne Frau. Dixon war jetzt direkt dankbar dafür, dass der wahnsinnige Spanier ihm befohlen hatte, ans Ufer zu gehen, um seine Männer zu suchen.

Light, Maggie und Caleb kehrten mit dem von Vegas Boot stammenden Kanu aus Birkenrinde sowie dem stabileren Kanu aus Pappelholz zurück, das von Krüger gestohlen worden war. Die Nachricht, dass Vega das Segel gehisst und flussabwärts gefahren war, wurde begrüßt. Keiner von ihnen glaubte jedoch, dass er für immer verschwunden war. Wenn er nicht vor der Winterkälte wiederkehrte, so würde er spätestens im Frühling zurückkommen.

Nachdem MacMillan lange mit Bodkin gesprochen hatte, war er überzeugt, dass er und Dixon tatsächlich nichts anderes waren als das, was sie zu sein schienen: junge Männer, die das Abenteuer gesucht hatten und nun froh waren, nicht mehr auf dem Boot des Spaniers zu sein.

Besorgt um seine Frau und überzeugt, dass das Anwesen in sicheren Händen war, nahm MacMillan seine zweite Tochter Bee mit, um seine Familie nach Hause zu holen. Er wollte, dass sein sechstes Kind dort geboren wurde, wo er es gezeugt hatte.

Eli war es leid, das Lob zu hören, mit dem Scharfes Messer überschüttet wurde. Er musste zugeben, dass es eine heroische Tat gewesen war, den kleinen Mann zu retten, aber er wollte jetzt nicht mehr dauernd davon hören. Zet hatte MacMillan jede Einzelheit berichtet, und der Siedler hatte alles den anderen erzählt. Viele Flecken hatte die Geschichte ausgeschmückt, als er sie gegenüber den Kriegern wiederholte, und sie sahen Lightbody an, als sei er Gott persönlich.

»Sie denken, Sie können die zwei Männer Vegas anheuern, damit sie Ihnen helfen, zu den Bluffs zu gelangen, nicht wahr?« Aee kam aus der Scheune und hielt inne, als sie Eli erblickte, der eine Axt auf dem Schleifstein schärfte.

»Was ist, wenn ich das denke? Je früher wir hier weg sind, desto froher werde ich darüber sein.«

»Je früher Sie weg sind, desto froher werden auch wir sein. Wir sind ja nur arme Leute, die in der Wildnis leben«, sagte sie sarkastisch. »Aber unser Essen ist gut genug für Sie.«

»Keine Sorge, ich werde bezahlen, bevor wir gehen.«

»Ich freue mich, das zu hören. Dann kann ich ja Schnorren als einen Ihrer Mängel streichen.«

Eli legte die Axt weg und musterte Aee, bis sie errötete. Sie war wirklich hübsch. Sie hatte einen geschmeidigen, beweglichen Körper, und das Hemd, das sie trug, schmiegte sich eng an die festen hohen Brüste. Die Nase war gerade, der Mund weich, und die lückenlosen Zähne blitzten weiß. Das dicke dunkelbraune Haar war in der Mitte gescheitelt, und die locker geflochtenen Zöpfe, die ihr bis zur Taille reichten, begannen unterhalb der kleinen Ohren.

»Haben Sie sich satt gesehen?«, fragte sie zornig, nachdem ihr unter seiner intensiven Betrachtung das Blut ins Gesicht geschossen war.

»Ich dachte mir nur gerade, dass du, wenn du ein Kleid anhättest und dein Haar so tragen würdest, wie eine Frau es tragen sollte, fast hübsch wärst ... das heißt, so lange du deinen Mund halten würdest.« Eli drehte den Kopf und grinste.

Wumm! Sie versetzte ihm mit ihrem alten Filzhut einen schmerzenden Schlag auf die Backe. Er war so verblüfft, dass er erst einmal tief Luft holen musste.

Nach der impulsiven Tat rannte Aee zum Haus.

»Verdammt, du kleiner Rappelkopf. Ich werde dir den Hintern versohlen.«

Eli rannte ihr nach. Er bog um die Ecke und sah sie hinter Calebs mächtiger Gestalt verschwinden. Der Schwarze stand, die Hände auf die Hüften gestützt, da und bleckte die Zähne. Er war bereit, sich mit Eli zu schlagen.

»Was wollen Sie, Mista?«

Aee lugte hinter Caleb hervor und grinste.

Eli ging so wütend fort, dass er Maggie gar nicht sah, bis er fast vor ihr stand.

»Warum jagen Sie Aee, Eli? Ist es ein Spiel?«

»Nein, es ist kein Spiel«, brummte er.

»Warum sind Sie dann so wütend?«

»Ich bin nicht wütend!«

»Doch, das sind Sie, Eli. Machen Sie mir nichts vor.«

»Haben Sie nichts anderes zu tun, als Ihre Nase in meine Angelegenheiten zu stecken?«

»Sieh mal einer an! Sie sind doch wütend. Ich mag es nicht, wenn Sie gemein zu Aee sind.«

»Gott hilf mir! Man sollte alle Frauen in einen Sack stecken und in den Fluss werfen!« Eli hob resignierend die Hände und ging davon.

Maggie lachte. »Nun sind Sie ein Rappelkopf«, rief sie ihm hinterher.

Aee kam hinter Caleb hervor.

»Warum reizt du den Mann, Aee?«

»Ich habe ihn nicht gereizt. Er hat mich einfach so wütend gemacht, dass ich ihm einen Schlag versetzt habe.«

»Großer Gott. Ihre Ma wird Sie unter ihre Fuchtel nehmen müssen, wenn sie zurückkommt.« Caleb ging grinsend und kopfschüttelnd weg.

»Ich komme, um nach Zet zu sehen. Ist sein Fieber heruntergegangen?« Maggie steuerte auf die Krankenstube zu, und Aee ging neben ihr.

»Es geht ihm besser. Er möchte nach draußen, kann aber noch kaum auf seinem verletzten Bein stehen.«

»Jemand kann ihn tragen. Ich hole Eli.«

»Nein!«, sagte Aee rasch. »Nicht diesen ... Nichtsnutz. Ich möchte mit ihm überhaupt nichts mehr zu tun haben.«

»Ich dachte, du magst Eli.«

»Nein, ich mag ihn nicht! Da kommt Mr Deschanel. Ihn werde ich bitten.«

Aee holte einen Stuhl aus dem Haus und legte eine Decke darüber. Paul trug Zet heraus und setzte ihn vorsichtig auf den Stuhl.

»Kann ich Ihnen irgendwas bringen, Zet?«, fragte Maggie.

»Ah ... nein, Madame.«

»Ich hole Ihnen eine Klatsche zum Verscheuchen der Fliegen. Mein Gott sind die in dieser Jahreszeit lästig. Hier ist sie. Ist Ihnen warm genug, Zet?«, fragte Maggie.

»Mir geht es gut, Mädel.«

Der hässliche kleine Mann beobachtete, wie sie leichtfüßig zur offenen Tür des Hauses lief.

Pass gut auf deinen Schatz auf, Scharfes Messer.


»Pa kommt.«

Die Sonne war schon untergegangen, und Aee hatte angefangen, sich zu ängstigen, da ihre Eltern noch nicht zurückgekehrt waren. Sie stand in der Nähe des Kuhpferches und sah sie näher kommen. Ihr Vater führte den Ochsen, Bee, die jüngeren Mädchen und eine Indianerin gingen hinter dem Karren.

»Geht es Ma gut?«, rief Aee.

»Es wird nicht mehr lange dauern. Ist alles vorbereitet?«

»Ja, Pa.«

MacMillan ließ den Ochsen bei der Tür halten und ging um den Wagen herum, um seiner Frau beim Aussteigen zu helfen.

»Hör auf, so viel Wirbel zu machen, Mr Mac. Ich

bin durchaus in der Lage selbst auszusteigen. Bei Gott, du tust geradezu so, als sei dies unser erstes Kind.«

Sie stieg vom Wagen und stand einen Moment still, wobei sie sich den großen Bauch hielt. Mehrmals holte sie tief Luft.

»Ist es so weit, Ma?«, fragte Aee.

»Ja. Begrüße deine Tante.«

Aee sprach einige Worte in Osage zu der Frau. Das Einzige, was Maggie verstand, war »Gelber Mais«. Das Haar der Frau war völlig grau, und ihr Gesicht war von vielen Falten durchzogen. Ihre Kleidung war jedoch mit Perlen und Federn geschmückt, und die Decke, die sie um die Schultern trug, war bunt und neu.

Maggie starrte fasziniert auf Mrs MacMillans großen Bauch. Wie sollte dieser große Klumpen nur durch die kleine Öffnung zwischen den Beinen einer Frau hindurchgehen? Jedes Mal, wenn ihre Tante zu Hause ein Kind geboren hatte, war Maggie in den Wald gelaufen, um die Schreie nicht hören zu müssen. Sie war sich nicht sicher, ob sie jetzt bleiben oder gehen sollte. Sie wollte wissen, was es mit dieser Geburt auf sich hatte. Eines Tages würde sie selbst Light Kinder gebären.

Die jüngeren Mädchen waren sofort zu Zet gegangen. Sie waren glücklich, ihn zu sehen, und bombardierten ihn mit Fragen. Linus kam, um den Ochsen und den Karren zur Scheune zu bringen.

Als Aee ins Haus voranging, wo Lampen angezündet waren und Wasser in einem großen gusseisernen Topf siedete, folgte Maggie der Indianerin. Mrs Mac ging in der Stube auf und ab, nachdem sie einen prüfenden Blick auf die Geburtsvorbereitungen geworfen hatte. Sie lächelte ihrer älteren Tochter zu und sprach dann zu MacMillan, der nervös von einem Fuß auf den anderen trat.

»Mr Mac, du solltest eine Wache aufstellen wegen des deutschen Kerls, wenn er tatsächlich so böse ist, wie du gesagt hast. Die Mädchen werden mich versorgen. Wir lassen es dich wissen, wenn du gebraucht wirst.«

MacMillan ging mit besorgtem Gesicht zu seiner Frau, ergriff ihre Hand, hob sie an die Lippen und verließ rasch die Stube.

»Pa ist immer so aufgeregt wie jetzt«, sagte Aee leise zu Maggie. »Ich habe Ma bereits bei den letzten beiden Babys geholfen. Pa benahm sich jedes Mal, als hätte er sich auf einen Hügel roter Ameisen gesetzt. Er sollte sich keine Sorgen machen. Das letzte kam vor vier Jahren. Wir sind jetzt älter, und Ma hat uns gesagt, was zu tun ist. Wenn du möchtest, kannst du bleiben.«

»Was kann ich machen?«

»Nichts.«

»Was wird sie machen?«, fragte Maggie und zeigte auf die Indianerin.

»Sie heißt Gelber Mais. Sie ist eine der ältesten des Stammes. Sobald das Kind geboren ist, wird sie ihm erzählen, wie die Welt und die Geschichte der Osage angefangen haben.«

»Warum tut sie das?«

»Es ist halt etwas, was sie machen.«

»Wird das Kind es verstehen?«

»Natürlich nicht, aber sie denkt, dass es das tut. Es ist Brauch bei den Osage, und meine Ma möchte nicht, dass sie denken, sie habe den alten Sitten den Rücken gekehrt.«

Plötzlich ging Mrs MacMillan in die Ecke der Stube, hob ihren Rock und stellte sich breitbeinig über einen Porzellantopf. Aee eilte zu ihr und hielt sie am Arm fest. Blutiges Wasser schoss hervor. Es lief und lief, bis Maggie unruhig wurde.

»O, pinkelt sie?«, fragte sie Bee.

»Nein. Die Blase voll Wasser, in der sich das Baby befindet, ist geplatzt. Es wird bald kommen.«

Maggie betrachtete Aee und Bee mit neuem Respekt. Sie wussten so viel über so viele Dinge. Die Röte ihrer Gesichter war das einzige Anzeichen dafür, dass sie besorgt und erregt waren. Mrs MacMillan und die Indianerin waren so ruhig, als sei es eine alltägliche Sache, ein Kind zur Welt zu bringen.

Die Mädchen halfen Mrs MacMillan, das Kleid auszuziehen. Darunter trug sie nur ein weißes Unterhemd, das ihr lose von den Schultern hing. Sie raffte es um die Hüften zusammen, kniete sich auf einen mit einem Laken bedeckten Haufen Stroh am Fußende des Bettes und hielt sich an dem Stützbalken fest, der vom Boden bis zum Dach ragte.

Bee kontrollierte die Dinge, die sie brauchen würden: ein scharfes sauberes Messer, Faden, eine Waschschüssel mit warmem Wasser, Fett für die Haut des Neugeborenen und ein zusammengerolltes weißes Baumwolltuch zum Einwickeln des Kindes.

Es war ganz still in der Stube, mit Ausnahme des Gemurmels von Gelber Mais. Mrs MacMillans Hände bewegten sich am Stützbalken auf und ab, während sie zog und presste. Gelegentlich entrang sich ihr ein Stöhnen. Wenn der Schmerz nachließ, schnappte sie laut nach Luft. Gesicht und Hals waren mit Schweiß bedeckt. Aee und Bee standen neben ihr.

Maggie schien das alles sehr lange zu dauern. Es war jedoch nicht mehr als eine halbe Stunde vergangen, als Mrs MacMillan sich halb im Stehen bis zum Äußersten anstrengte.

»Es kommt!«, keuchte sie. »Oh ... oh ...«

Aee kniete vor ihrer Mutter und fing mit beiden Händen das Neugeborene auf, als es aus Mrs Mac-Millans Körper glitt. Das Kind war nass, blutig und runzlig.

»Ein Junge! Pa hat seinen Sohn bekommen!« Aee machte Bee Platz, die rasch die Nabelschnur durchschnitt und zusammenknotete.

Aee stand mit dem Baby in den Armen da. Sie steckte ihm den Finger in den Mund, um den Schleim zu beseitigen, und hob die winzigen Arme in die Luft. Es holte Luft und stieß einen lauten Protestschrei aus.

»Er ist gesund, Ma.« Aee lachte glücklich.

Bee hatte eine flache Schüssel zwischen die Beine ihrer Mutter gestellt. Es vergingen ein oder zwei Augenblicke. Maggie war verblüfft, als sie sah, dass Bee eine Feder nahm und ihre Mutter an der Nase kitzelte. Mrs Mac strengte sich noch einmal an, und die Nachgeburt glitt in die Schüssel. Als das geschafft war, gab Bee der Mutter ein zusammengerolltes Tuch, um die blutige Flüssigkeit aufzusaugen. Mrs MacMillan stand auf und ging zur Längsseite des Bettes.

»Ihm fehlt nichts, Ma. Er hat all seine kleinen Finger und Zehen. Zwei Ohren. Zwei Augen. Alles.« Aee hielt das Baby so, dass ihre Mutter es sehen konnte. »Sieh das Haar, Ma. Und er ist fett wie ein kleines Schwein. Pa wird vor Freude außer sich sein, wenn er ihn sieht. Ich wasche ihn, bevor wir Pa rufen.«

Das Gemurmel von Gelber Mais war mit der Geburt des Kindes lauter geworden. Die Frauen ignorierten sie. Bee half ihrer Mutter, in ein sauberes Nachthemd zu schlüpfen und sich ins Bett zu legen. Dann wusch sie ihr zärtlich Gesicht und Hals mit einem nassen Tuch.

»Ihr habt eure Sache beide gut gemacht.«

Maggie konnte die Augen nicht von dem Baby losreißen. Es war rot wie eine Rübe und hatte dichtes schwarzes Haar. Es erinnerte sie an ein neugeborenes Kätzchen oder Kaninchen. Sie hielt es für das hässlichste Ding, das sie je gesehen hatte, aber sie behielt ihre Meinung für sich, als sie sah, wie stolz Aee und Bee auf ihren neuen Bruder waren.

»Wie werdet ihr ihn nennen«? fragte Maggie.

»Eff natürlich.« Aee lachte. »Aber wir werden ihn Frank rufen.« Aee beendete das Einsalben des Babys, wickelte es in das Baumwolltuch und trug es zu seiner Mutter. »Es sieht aus wie ein Junge, nicht wahr, Ma?«

»Gewiss tut er das. Mein Gott, hat er große Hände. Wie Mr Mac. Ruf ihn lieber, Aee. Du weißt, was für Sorgen er sich macht, wenn es um die Familie geht.«

Aee öffnete die Tür. »Pa«, rief sie. »Ma hat gesagt, du sollst kommen und dir Frank ansehen.«

Ein Freudenschrei ertönte. Dann schien es Aee, als ob ein Schwarm von Männern an der Tür stünde.

Paul klopfte ihrem Pa auf den Rücken. Alle lachten: Light, die Vega-Männer, Paul und sogar Eli Nielson. Hinter ihnen strahlten die Gesichter von Linus und Caleb. Caleb hielt Zet hoch, damit er etwas sehen konnte. Die jüngeren Mädchen drängten in die Stube.

»Ihr könnt nicht alle hereinkommen. Nur Pa.«

»Können wir herein?«, riefen Cee, Dee und Eee im Chor.

»Wenn ihr still seid. Jemand sollte lieber Wache halten wegen des Deutschen.« Sie blickte Eli direkt in die Augen. »Er bricht vielleicht gerade ein, während ihr hier herumgafft.« Sie warf den Kopf zurück und drehte sich um.

Eli stieß einen unterdrückten Fluch aus.

# Kapitel 17

Die Geburt von MacMillans Sohn war ein Anlass zum Feiern. Am folgenden Morgen verkündete der glückliche Siedler, dass heute nicht gearbeitet werden und am nächsten Tag ein Fest stattfinden würde.

Sofort nach der Ankündigung verschwanden Light und Maggie vom Anwesen. Als sie nach mehreren Stunden zurückkehrten, trug Light ein kleines Reh auf den Schultern. Er hängte es an einen Ast hinter dem Haus und zog ihm sorgfältig die Haut ab. Das weiche Fell würde, sobald es gegerbt wäre, das Kinderbettchen des Neugeborenen polstern, und das Fleisch würde für das Fest gebraten werden.

Caleb brachte eine Gans, die gerupft, ausgenommen, gesengt und für den Bratspieß vorbereitet war. Um nicht übertroffen zu werden, hatte Linus eine Klappschildkröte von der Größe eines Waschzubers gefangen. Er nahm sie aus und legte große Stücke weißen Fleisches beiseite, die für Fleischpasteten gekocht werden sollten.

Am Vormittag kam Viele Flecken, um Gelber Mais nach Hause zu holen. Später kehrte er mit einem wilden Truthahn für das Fest und dem Fell eines jungen Waschbären sowie einer Wiege für den neugeborenen Sohn zurück. Er ließ alles vor der Tür zu Boden fallen und ritt mit einem wilden Schrei, der das schlafende Kind weckte, davon.

Eli und Paul brachten von ihrer Ladung einen Sack Mehl, einen Sack Kaffeebohnen und einen Ballen bedruckten Stoffes für Mrs MacMillan.

Kürbis wurde gekocht, Pasteten wurden gemacht, Zwiebeln, Kartoffeln und Rüben wurden für Fleischpasteten vorbereitet. Mrs MacMillan, die den neugeborenen Sohn in den Armen hielt, dirigierte die Mädchen. Selbst das jüngste hatte etwas zu tun. Zet wurde ins Haus gebracht. Der Verband wurde von seinem Bein entfernt, damit Mrs Mac die Wunde inspizieren konnte. Sie lobte Aee für das, was sie getan hatte, und Zet wurde erlaubt, am Tisch zu sitzen und Nüsse für den Kürbiskuchen zu knacken.

Bodkin und Dixon hackten Holz und sorgten dafür, dass die Feuer brannten. Sie freuten sich, dass sie an der Feier teilnehmen durften, waren sich aber dennoch bewusst, dass sie ständig beobachtet wurden. Sie konnten es den Siedlern nicht übel nehmen, dass sie vorsichtig waren.

Am Nachmittag zeigte Bodkin MacMillan, wie sein Vater im bergigen Land von Tennessee im Freien einen Ofen errichtete, indem er starke, aber biegsame Weidenruten in einem Kreis von der Größe eines Waschbottichs in den Boden steckte. Er bog die oberen Enden der Ruten zusammen, so dass sie eine kleine, kuppelförmige Hütte bildeten. Ganz oben ließ er ein kleines Loch und bedeckte das Gestell zentimeterdick mit Schlamm, den er in Eimern vom Fluss holte. Ein langsam brennendes Feuer trocknete den Schlamm, bis er so hart wie gebrannte Ziegelsteine war. Am nächsten Tag würde der Ofen für das Braten des Truthahns oder der Gans funktionsfähig sein.

Trotz der Festtagsstimmung suchten wachsame Augen den Waldrand nach einem Zeichen von Otto Krüger ab. MacMillan hatte erwogen, mit Viele Flecken über ihn zu sprechen. Er und die Osagekrieger würden den Wald absuchen, bis sie ihn oder ein Anzeichen dafür fänden, dass er flussabwärts gefahren war, wo die Delaware ihn hoffentlich fangen würden. MacMillan war sich nach dem, was Zet angetan worden war, sicher, dass die Osagekrieger Krüger nicht nur töten, sondern zu Tode foltern würden, und seine Schreie sowie der Geruch verbrannten Fleisches würden die Feier verderben. Er beschloss, einen weiteren Tag zu warten.

Es war Eli, der an einem unerwarteten Ort auf den verrückten Deutschen stieß.

Seit Aee Eli als einen Schnorrer bezeichnet hatte, wurmte ihn das. Seit seinem zwölften Lebensjahr war er stets seinen Verpflichtungen nachgekommen, und niemals hatte er jemanden auch nur um ein Stück Brot gebeten. Er hatte beabsichtigt, MacMillan bei seiner Abreise einen Sack Tabak zu geben, aber er beschloss, das jetzt schon zu tun. Damit wollte er dessen frechen Tochter das Maul stopfen.

Da angenommen wurde, dass Vega das Anwesen angreifen würde, war Elis Kielboot den kleinen Flussarm hinauf gestakt worden, wo es inmitten dicker Weiden festgemacht worden war. In dem Moment, da Eli das Boot betrat, wusste er, dass noch jemand da war. Er zog die Pistole aus seinem Gürtel.

Krüger kam aus der Kajüte heraus. Er stand mit dem Rücken zur Tür und hatte die Fäuste in die Hüften gestemmt. Er war schmutzig, sein Hemd war zerrissen. Sein kahler Schädel wies blutige Kratzer auf. Wie Eli vermutete, rührten sie von Krügers Flucht durch die Brombeersträucher, als er vor Light davongerannt war. Die Augen, die Eli aus dem von Whisky geröteten Gesicht anstarrten, waren hasserfüllt und fiebrig.

»Was machst du da, Otto?«

»Es ist mein Boot.«

»Du hast es mir verkauft, um deine Schulden in St. Louis zu bezahlen.«

»Mein Boot!«

»Du wirst hier keine Waffen finden.«

»Whisky –.«

»Weder Whisky noch Schießpulver. Du hast mir bereits zwei Fässchen Schießpulver gestohlen und zu den Piraten mitgenommen.«

Krüger zuckte die Schultern. »Er ist fort.«

»Warum bist du nicht mitgefahren?«

»Er hat mich zurückgelassen. Ich bin zu meinem Boot zurückgekehrt.«

»Du gehörst nicht mehr zu meiner Besatzung. Du bist desertiert. Ich könnte dich deswegen erschießen. Wenn MacMillan dich sieht, wird er dich wegen dem, was du dem kleinen Kerl angetan hast, totschießen.«

»Bah!«, sagte Krüger verächtlich. »Ich habe es nicht getan.«

»Du hast dabei gestanden und es die anderen tun lassen. Es ist das Gleiche.«

»Ich habe niemanden getötet. Der Mischling tötet.«

»Du hast diese Flussratten hergebracht, damit sie ihn töten und seine Frau entführen.«

»Sie ist meine Frau!« Krüger pochte sich mit der Faust an die Brust.

»Du dummer Hurensohn. Du hast den Verstand verloren.«

»Er wird mir meine Frau geben, oder ich töte ihn.«

»Ihr hattet eure Chance. Vier von euch kamen, um ihn zu töten. Ihr habt es nicht einmal bis zum Anwesen geschafft.«

Eli empfand ungewollt Stolz auf Baptiste Lightbody.

Als Krüger einen Schritt auf ihn zumachte, spürte Eli deutlich, wie sehr Krüger ihn hasste. Während er auf den nächsten Schritt wartete, wusste er, dass er nur einen Schuss hatte, um Krüger zu stoppen, falls dieser ihn angriff. Er war sich bewusst, dass er, noch vom Fieber geschwächt, dem übergeschnappten Deutschen bei einem Kampf Mann gegen Mann nicht gewachsen war.

Otto war seit St. Louis gereizt. Er war nicht damit fertig geworden, dass er sein Boot verkaufen musste, um seine Schulden zu bezahlen. Er wäre sonst Gefahr gelaufen, erschossen zu werden. Dass er Eli und Paul für seine Schwierigkeiten verantwortlich machte, zeugte von seiner Unvernunft. Sein irrationales Verhalten eskalierte, als sie Light und Maggie begegnet waren und Otto seine Wut gegen sie richtete.

»Nimm ein Kanu und fahr zurück, Otto. Ich möchte nicht, dass du getötet wirst.«

»Ich bleibe hier auf meinem Boot.«

»Gottverdammich! Du kannst nicht hier bleiben. Wenn MacMillan dich nicht tötet, tut es Lightbody.«

»Was geht dich das an? Du bist auf ihrer Seite.«

»Zum Teufel, ja. Ich bin auf ihrer Seite. Was hast du erwartet?«

»Ich will Nahrungsmittel haben.«

»Nimm Vegas Kanu. Es liegt an der Anlegestelle. Dort befindet sich auch das Kanu, das du gestohlen hast, als du desertiert bist.«

»Du denkst, das weiß ich nicht?«

»In der Kajüte befindet sich ein Sack mit getrocknetem Fleisch und auch ein Sack Rosinen. Nimm, was du brauchst. Du kannst Fische fangen und entlang der Flussufer Enteneier sammeln. Du wirst nicht verhungern.«

Krüger sagte nichts. Eli hielt die Pistole auf ihn gerichtet.

Krüger grinste, als er in die Kajüte zurückwich. Sobald er außer Sicht war, griff er hinter sich und zog die lange Klinge heraus, die er sich am Rücken in den Gürtel gesteckt hatte, als er Eli auf das Boot kommen hörte. Er hatte das Messer schon vor Wochen in der Kajüte versteckt, als er merkte, dass der Schwede und der Franzose sich gegen ihn verschworen hatten.

Mit einem listigen Lächeln verstaute er eilig Nahrungsmittel in einem Beutel, dann nahm er die Werkzeuge, die er mitnehmen wollte: ein Beil, eine Säge, eine Hand voll großer Nägel und ein Seil. Er wickelte alles mitsamt dem Messer in eine Decke. Danach versteckte er ein Brecheisen hinter einem losen Brett für den Fall, dass sich der Schwede entschließen sollte, alle Werkzeuge vom Boot zu holen, bevor er zurückkommen konnte.

Krüger kam aus der Kajüte heraus, ging ohne einen Blick oder ein Wort an Eli vorbei und sprang vom

Boot. Eli begab sich in die Kajüte, hob den Sack Tabak auf seine Schulter und folgte Otto zur Anlegestelle. Er behielt ihn im Auge, während dieser sein Bündel ins Kanu warf, einstieg und zum Paddel griff.

Eli ging am Ufer entlang, bis Krüger den Fluss erreichte und hinter dem hohen Ufer verschwand. Erst dann steckte er seine Pistole in den Gürtel und kehrte um.


Gegen Abend nahm Eli Paul beiseite und erzählte ihm von der Begegnung mit Otto.

»Mon Dieu, Eli. Er hat den Verstand verloren. Du hättest ihn nicht gehen lassen sollen.«

»Du denkst, ich hätte ihn erschießen sollen? Er hat, soviel ich weiß, niemanden getötet.«

»Er hat Vegas Männer hergebracht, die Maggie rauben wollten. Nicht nur Light hörte sie davon reden, sondern auch Zet, sagt MacMillan.«

»Es ist ihnen nicht gelungen.«

»Mon Dieu, Eli. Hätte Light die Männer nicht gefunden, so hätten sie Zet getötet und wären hierher gekommen, um sich an Light heranzuschleichen. Maggie hätte getötet werden können.«

»Ich konnte ihn einfach nicht erschießen, Paul. Ich hätte es getan, wenn er noch einen Schritt auf mich zugegangen wäre, aber er tat es nicht.«

»Ist er für immer davongefahren?«

»Das weiß ich genauso wenig wie du. Kräftig wie er ist, könnte er in dem Birkenrindenkanu bei starker Strömung vierzig oder fünfzig Meilen am Tag flussabwärts schaffen, wenn er wirklich nach St. Louis zurückkehren will. Er schafft es vielleicht, mit heiler Haut an den Delaware vorbeizukommen.«

»Er könnte Vega einholen.«

»Zum Teufel noch mal! Er müsste inzwischen wissen, dass dem Mann nicht zu trauen ist.« Elis Augen wanderten zu Aee, die einen Eimer aus dem Haus in die Scheune trug.

Paul sah das Interesse in den Augen seines Freundes, als dieser MacMillans Tochter nachblickte, und plötzlich kam ihm ein Gedanke.

Eli wandte seinen Blick wieder Paul zu. »Es beunruhigt mich, dass Otto von Maggie als seiner Frau spricht. Das beweist, dass er geistesgestört ist.«

»Ho!« Paul nahm die Pfeife aus dem Mund und klopfte die Asche aus dem Pfeifenkopf. »Kannst du es ihm verübeln, dass er das Mädel haben will, mon ami? Bist du nicht selbst in sie verliebt?«

Eli kniff den Mund zusammen, und seine Pupillen verengten sich. Eine Minute lang schwieg er. Dann sagte er:

»Ich habe sie gern. Ich finde, dass sie nicht mit Lightbody in der Wildnis umherlatschen soll. Sein Leben könnte durch einen Schuss, einen Pfeil oder einen Schlangenbiss ausgelöscht werden. Sie wäre allein.«

»Hast du vor, hinter ihnen herzulatschen?«, fragte Paul mit ausdrucksloser Stimme, die sein Missfallen erkennen ließ. Als Eli nicht antwortete, sagte er: »Heuere Dixon und Bodkin an, und lass uns flussaufwärts zu den Bluffs fahren. Noch ein paar Monate, und es wird dort alles vereist sein.«

»MacMillan hat gesagt, wir würden keine Schwierigkeiten haben, flussabwärts zu fahren. Im Frühjahr wollen die Trapper ihre Felle hinabschaffen.«

»Wir müssen erst noch hinauf, mon ami.«

»Light will noch hundert Meilen flussaufwärts fahren und dann quer durch die Prärie zu den Bergen gelangen.«

»Hast du nicht alles über Lightbody erfahren, was du wissen wolltest?«, fragte Paul leise.

»Ich weiß nicht«, erwiderte Eli aufrichtig.

»Sein Leben ist anders als deines, Eli. Er hat seine Wertvorstellungen und du deine.«

»Seine Lebensweise ist die eines Wilden. Sie taugt nichts für ...«

Paul hob eine Hand. »Was hat er getan, was du unter den gleichen Umständen nicht getan hättest? Ja, er hat getötet. Er hat einen starken Selbsterhaltungstrieb. Kannst du ihm das übel nehmen?«

»Warum verteidigst du ihn ständig?«

»Was hast du gegen ihn? Er hat dir nichts getan und dir nichts weggenommen.«

»Ich sage, er hat.«

»Eli, sei vernünftig.«

Das Gespräch wurde plötzlich unterbrochen, als MacMillan mit einem Krug Whisky und einem kleinen Becher aufkreuzte. Aber die Unterredung hatte Paul Anlass gegeben, über seinen Freund und dessen Faszination für Baptiste Lightbodys Frau beunruhigt zu sein.

»Es kommt selten vor, dass wir Grund zum Feiern haben oder gute Freunde hier sind, mit denen wir anstoßen können.« MacMillan war in gehobener Stimmung. »Lasst uns auf Eff Frank MacMillan trinken.«


Die Nacht war kühl. Der herbstliche Mond schwamm in einem Meer von Sternen. Alle, mit Ausnahme von

Mrs MacMillan und dem Neugeborenen, saßen im Hof um ein kleines Feuer herum. Caleb, Linus und Zet waren genauso gespannt wie die Kinder, die mit aufgerissenen Augen dasaßen und begierig lauschten, als Paul, Eli und Bodkin Geschichten erzählten. Dixon war in Gegenwart der Mädchen so schüchtern, dass er kein Wort sagte, aber seine Blicke glitten oft zu Bee.

Eli schenkte MacMillan einen Sack Tabak. Der Siedler war überglücklich.

»Bei Gott, Eli, es ist zu viel für das bisschen Verarzten. Der Tabak wird bis nächstes Jahr reichen.«

Eli grinste Aee verschlagen an. »Ich hoffe, bis dahin werde ich mit einem weiteren Sack zurück sein.«

Aus der Geborgenheit von Lights Armen heraus beobachtete Maggie, wie Aee von Zeit zu Zeit einen flüchtigen Blick auf Eli warf, und als Paul erzählte, wie in einer Stadt am Fluss eine Bardame auf der Straße hinter Eli herjagte, so dass er auf sein Boot springen und es vom Ufer abstoßen musste, damit sie ihn nicht erreichen konnte, warf Aee den Kopf zurück, schürzte die Lippen und schnaubte verächtlich.

»Die Dame wollte ihm eine Bratpfanne über den Schädel hauen. Sie sagte mir: ›Er hat das Blut eines Ziegenbocks in sich.‹« Jeder lachte über die Geschichte, aber Eli interessierte besonders Aees Reaktion darauf. Sie warf ihm einen eisigen Blick zu und lächelte Bodkin zuckersüß an.

Fünf Meilen flussabwärts hatte sich Ramon de la Vegas Frust durch ständiges Saufen in Wut verwandelt.

Er lief auf dem Deck auf und ab und stieß Flüche gegen die verkleinerte Mannschaft aus. Ein plötzlicher Windstoß, der vom Süden kam, hatte das Kielboot auf eine Sandbank geworfen. Die beiden Männer der Besatzung und die Frauen hatten sich stundenlang an den Staken abgemüht, aber das Boot hatte sich nicht vom Fleck gerührt.

Vega hatte seinem Ärger Luft gemacht, indem er das junge Delawaremädchen grausam missbrauchte. Dann hatte er es gezwungen, sich zu entblößen und sich selbst zu berühren. Im Drogenrausch hatte es ihm gehorcht. Danach hatte er es ausgepeitscht. Das befriedigte ihn sexuell mehr als der Geschlechtsakt, den er zuvor vollzogen hatte. Er peitschte schließlich alle Frauen aus, besonders brutal aber die Weiße, die sie die Hure nannten.

Die anderen Männer an Bord empfanden Ekel über die Vorstellung des indianischen Mädchens und waren schockiert über die grausame Behandlung der Frauen, aber sie protestierten nicht. Ihre Angst vor dem Spanier war zu groß.

Die Weiße, die von einer Hure in einem Bordell geboren wurde, nachdem diese Hunderten von Männern in Pittsburgh zu Diensten gewesen war, war von ihrer Mutter Betsy genannt worden. Betsy war zwölf Jahre alt und wusste bereits, wie sie Männern gefallen konnte, als ihre Mutter an Pocken starb. Ein Leben in Verderbtheit war das einzige, was sie kannte. Nun, sechs Jahre nach dem Tode ihrer Mutter, spreizte sie bereitwillig die Beine für jeden Mann, der das wollte, solange sie etwas dafür bekam.

Auf Vegas Boot hatte sie Nahrung und einen

Schlafplatz bekommen, aber bis jetzt war sie von dem vornehm gekleideten kleinen Dandy nicht ausgepeitscht, sondern eher ignoriert worden. Sie hatte seiner Mannschaft als Hure gedient, seine Kleidung gewaschen, seinen Nachttopf geleert und das indianische Mädchen gewaschen, bevor er mit ihm schlief. Dafür hatte er ihr eine Prise des weißen Pulvers gegeben, das sie alles vergessen ließ.

Allmählich häufte sich in ihr versteckter Groll an. Nach den Peitschenhieben brannte ihr nicht nur der Rücken wie Feuer, auch ihre Kopf- und Bauchschmerzen hatten sich verstärkt. Seit Tagen hatte sie wenig gegessen, und jedes Mal wenn sie auf den Topf ging, hatte sie Blut im Stuhl gefunden. Sie wusste, dass sie bald sterben würde. Sie hatte angefangen, den Tod als Befreiung von ihren Schmerzen herbeizusehnen.

Nach seinem Wutanfall gönnte sich Vega eine halbe Stunde Ruhe. Als Betsy im Dunkeln in der Nähe der Kajüte kauerte, erwachte sie plötzlich aus ihrem benebelten Zustand. Neben ihr befanden sich die beiden Fässchen mit Schießpulver, die der Deutsche in seinem Kanu mit sich führte, als sie ihn an Bord brachten. Der Deckel des einen Fässchens war aufgestemmt worden, als die Kanone abgefeuert worden war. Das Fässchen war nicht wieder zugenagelt worden. Betsy schob den Deckel so weit zur Seite, dass sie eine Hand tief hineinstecken konnte.

Langsam und vorsichtig holte sie eine Hand voll schwarzen Pulvers nach der anderen heraus, verteilte es um das Fässchen herum und streute es entlang der Kajütenwand. Sie war erstaunlich ruhig. Bald würden ihre Qualen und die der Indianerinnen ein Ende haben.

Als der Spanier eine halbe Stunde später nach Julio schrie, hatte die Spur des schwarzen Schießpulvers die Kajütentür erreicht.

»Steig über Bord und sieh nach, wie weit wir festsitzen.«

Julio riss erstaunt die Augen auf. »Señor, ich kann nichts sehen. Denken Sie nicht, dass wir bis zum Morgen warten sollten?«

»Am Morgen werden wir eine leichte Beute sein.« Der Spanier kreischte vor Wut. »Steig über Bord, oder ich steche dich ab, du dreckiges Schwein.«

»Ich ... ich brauche ein Licht, Señor.« Julio zitterte so, dass er nicht sprechen konnte.

»Gib ihm ein Licht.«

Betsy stand so schnell auf, wie es ihr schmerzender, zitternder Körper zuließ. In der Kajüte schlug sie einen Funken und zündete erst eine Kerze an, dann hielt sie die Flamme an den Docht der Laterne. Mit dem Körper das Kerzenlicht vor der schwachen Nachtbrise schützend, reichte sie Julio, als er zur Tür kam, die Laterne. Betsy wartete, bis die Kerzenflamme stark genug brannte. Dann ging sie hinaus, bückte sich und hielt die Flamme an die schmale Pulverspur.

Lächelnd blickte die Frau, die als Hure bekannt war, direkt in Vegas schreckerfüllte Augen, als er die zischende blaugrüne Flamme beobachtete, welche die Kabinenwand entlangraste. Die Laterne, die der wie gelähmt dastehende Julio in der Hand hielt, warf in den wenigen Sekunden, die es dauerte, bis die Flamme die Fässchen mit Schießpulver erreichte, ein schauriges Licht. Das Letzte, was Betsy vor dem grellen Lichtblitz sah, war das erschrockene Gesicht Ramon de la Vegas.

Die Explosion war meilenweit zu hören.

Auf dem Anwesen wurden die Kinder zu Bett geschickt. Die Männer saßen weiter am kleinen Feuer und unterhielten sich über viele Dinge. MacMillan glaubte, dass Missouri bei der wachsenden Zahl von Menschen, die zuwanderten, bald in die Vereinigten Staaten aufgenommen werden würde.

»Dann passt auf. Die Landgrabscher werden in Scharen den Fluss heraufkommen. Wer klug ist, steckt sich vor dem Ansturm ein Stück Land ab.«

Light lachte hinter vorgehaltener Hand. Es war die gleiche Prophezeiung, mit der MacMillan ihn zu ködern versucht hatte, damit er bliebe und ein Dorf gründen helfe.

»Die Indianer sind freundlich«, fuhr MacMillan fort. »Die Osage sind mächtig nette Leute. Behandle sie richtig, und versuch nicht, ihre Sitten zu ändern. Zum Teufel noch mal! Manche ihrer Sitten sind besser als unsere.«

»Vorsicht, Mac«, scherzte Eli. »Sie haben eine Stadt, ehe Sie sich versehen. Sie haben hier zwei junge Burschen und zwei hübsche Töchter.«

»Nun ja ... das hatte ich dabei nicht im Sinn.«

Eli sah, wie Aee errötete, und mit einem leichten Schmunzeln fuhr er fort:

»Nein wirklich. Es würde nicht lange dauern, ein paar Häuser zu errichten. Gerade hier die Flussbiegung wäre eine gute Lage für eine Stadt. Sie könnten sie MacMillanville nennen.«

»Das ist ein guter Name«, sagte Bodkin. Als alle Blicke sich auf ihn richteten, wurde er feuerrot.

»Sehen Sie, Mac. Sie haben schon einen Böttcher. Geben Sie ihm eine Frau, und Sie haben MacMillanvilles ersten Geschäftsmann.«

Paul sah die Blicke, die Eli Macs ältester Tochter zuwarf. Als Aee abrupt aufstand und ins Haus ging, lehnte Eli sich, die Hände hinter dem Kopf verschränkt, zurück und sagte kein Wort mehr. Nach einer Weile folgte Bee ihrer Schwester.

Die Männer tranken mäßig. Alle außer Light nahmen einen Schluck, wenn der Krug weitergereicht wurde. Sie patrouillierten abwechselnd durch den Wald, der das Haus umgab. Als der Mond genau über ihnen stand, war es Zeit für Lights Runde. Maggie ging, ihn fest an der Hand haltend, mit ihm.

Maggie liebte es, mit Light nachts durch den Wald zu streifen. Sie liebte die nächtlichen Geräusche, das Rascheln einer Buschschwanzratte im Laub, den Ruf einer Eule oder den Schrei eines anderen Nachtvogels. Am meisten gefiel ihr, wenn ein Wolf den Mond anheulte oder seine Gefährtin rief. Im Dunkel der samtenen Nacht glaubte sie fast, dass sie und Light die einzigen Menschen auf der ganzen Welt seien.

Sie sprachen nicht. Sie verstanden sich auch ohne Worte.

Als Caleb kam, um sie abzulösen, sprachen sie eine Weile leise mit ihm und krochen dann unter ihre Decken. Maggie schmiegte sich eng an Light, um sich an seinem Körper zu wärmen und sich in seinen Armen geborgen zu fühlen.

»Aee und ich wollten morgen ein Bad nehmen, aber nun kann ich nicht. Ich habe heute meine monatliche Unpässlichkeit bekommen. Ma sagt, ich soll nicht ins Wasser gehen, wenn ich blute.«

»Warum?«

»Es würde aufhören, und ich könnte krank werden.«

»Davon habe ich noch nichts gehört, mein Liebling. Indianerinnen baden zu dieser Zeit sogar mehr als sonst.«

»Ich bekomme kein Kind, Light«, teilte Maggie ihm sachlich mit.

»Das ist mir klar. Hast du gehofft, du seist schwanger, ma petite?«

Maggie dachte einen Moment lang nach, bevor sie antwortete.

»Nein. Ich möchte, dass wir erst zu unserem Berg kommen.«

»Sollen wir bis dahin lieber nicht mehr miteinander schlafen? Es ist die einzige Möglichkeit sicher zu sein.«

»Dann will ich nicht sicher sein.« Maggie stützte sich auf, und ihr Gesicht war ganz nah an seinem, als sie sagte: »Wenn ein Kind zu wachsen beginnt, so wird es einfach mit uns vorlieb nehmen müssen.«

Light lachte und umarmte sie. »Mein Juwel, jeder Tag mit dir ist kostbar.«

»Ich habe keine Angst, die Kinder zu bekommen, Light.«

»Hast du vorher Angst davor gehabt, mon amour?« Er strich ihr eine Haarsträhne aus dem Gesicht.

»Ich ... habe mich davor gefürchtet. Meine Tante schrie immer entsetzlich, wenn sie ein Kind bekam.

Mrs Mac hat überhaupt nicht geschrien. Sie hockte sich einfach hin, hielt sich am Pfosten fest, und nach einer Weile glitt das Kind heraus. Es war nass und blutig ... und hässlich. Ich habe nicht gesagt, dass es hässlich ist, weil Aee ständig sagte, wie hübsch es sei.«

»Du hast davor noch nie gesehen, wie eine Frau ein Kind zur Welt bringt?«

»Ich habe ein Reh gesehen. Ich habe ihm den Kopf gerieben, während das Kitz herauskam.«

»Mon Dieu! Es hat sich von dir streicheln lassen?«

»Ja. Tiere haben vor mir keine Angst. Das weißt du doch.«

Maggie legte den Kopf an seine Brust und eine Hand auf die Stelle über seinem Herzen. Sie spürte es gern schlagen. Als sie ein Krachen vernahm, das sich wie Donnern anhörte, hob sie den Kopf.

Light hatte es auch gehört.

»Wird es regnen, Light?«

»Es sind keine Wolken am Himmel, chérie.«

Ein unklares Gefühl veranlasste ihn aufzustehen. Er blickte sich um und lauschte. Der Mond schien, die Sterne leuchteten hell, die Nacht war still ... aber irgendwie unheimlich.

Der Himmel im Osten war durch einen rosa Schein erhellt.

# Kapitel 18

Der Tag brach an, und der Geruch von Holzfeuer vermischte sich mit Bratenduft. Linus begann bereits bei Tagesanbruch eine Hinterkeule des Rehs zu schmoren. Die anderen Teile des Tieres hingen in der Räucherkammer.

Bodkins Ofen stand eine Weile im Mittelpunkt der Aufmerksamkeit. Aee stieß einen Schrei der Verwunderung aus. Mrs MacMillan kam aus dem Haus, um ihn sich anzusehen und um festzustellen, wie er funktionierte. Unter einem eisernen Gitter, das auf Steinen aus dem Fluss lag, brannte ein Feuer aus Hickoryscheiten. Der Ofen war so groß, dass der Truthahn und die Gans gleichzeitig darin Platz hatten. Das Fett, das von den Vögeln herabtropfte, zischte, brannte und rauchte. Bodkin genoss das Lob der Frauen.

Beim Morgenkaffee sprachen die Männer über den lauten Knall, den sie am Abend zuvor gehört hatten.

»Am Himmel war keine einzige Wolke«, sagte MacMillan. »Vielleicht hat es weit weg ein Gewitter gegeben, und ein Blitz hat den Wald in Brand gesetzt.«

»Wenn das der Fall war, Monsieur, so ist das Feuer inzwischen erloschen.«

»Es klang mehr wie eine Explosion.« Als Eli das Bum-Bum hörte, musste er an die beiden Pulverfässchen denken, die Krüger gestohlen hatte. Er war von Sinnen und wusste genug über Sprengstoff, um die Ladungen hochgehen zu lassen.

»Vielleicht hat der Deutsche eines der Pulverfässchen in die Luft gejagt.«

»Otto würde das Schießpulver nicht ohne guten Grund vergeuden. Es wäre auch mehr als ein Fässchen nötig, um einen solchen Krach zu machen.« Eli erkannte, dass MacMillan nicht viel Ahnung von Sprengstoff hatte.

»Der Deutsche hat das Schießpulver auf Vegas Boot gelassen, nicht wahr, Noah?« Bodkin hockte neben dem Ofen und spaltete mit einem Beil Hickoryholz.

»Es stand neben der Kanone, als ich das Boot verließ. Vega hatte drei weitere Fässchen, die er unter Verschluss hielt«, sagte Dixon scheu. Er fühlte sich unter diesen Männern nicht wohl genug, um zu wagen seine Meinung offen zu äußern, und wenn die Mädchen in der Nähe waren, war er noch schweigsamer.

»Was glauben Sie, Light?«, fragte Paul.

Light zuckte die Schultern. Was auch immer geschehen war, es hatte sich weder um eine Gefahr für ihn oder Maggie gehandelt noch um eine Gefahr für das Anwesen. Light dachte über andere Dinge nach.

Allen war zum Feiern zumute. Das Wetter war herrlich, es wehte kein Lüftchen, und es war so angenehm warm, wie ein süß duftender Herbsttag nur sein kann. Die Männer trugen den langen Tisch aus dem Haus in den Hof. Danach rasierten sie sich und kämmten ihr Haar, und die, die ein sauberes Hemd hatten, zogen es an.

Die Frauen schlüpften in ihre besten Kleider, nachdem das Essen zu Mrs MacMillans Zufriedenheit fertig war. Die Mädchen der MacMillans trugen die gleichen Kleider, die sie angehabt hatten, als Light und Maggie zum Essen gekommen waren: grobes blaues Leinen mit weißen Krägen. Aee holte ein Kleid für Maggie, aus dem die elfjährige Cee herausgewachsen war. Es war für Dee beiseite gelegt worden, bis sie hineinwachsen würde. Es glich den anderen, nur war das Blau dunkler und vom vielen Waschen ausgebleicht. Aus dem besonderen Anlass trug jedes Mädchen ein blaues Band im Haar.

Maggie war nie in Gesellschaft von Frauen gewesen, die ungefähr so alt wie sie waren. Sie lachte und kicherte mit ihnen über Dees verheddertes Haar und die Tatsache, dass Cee mit ihren elf Jahren schon so groß war wie sie selbst. In Cees Alter war es in Ordnung, wenn man die Fußknöchel sehen konnte, aber sobald sie Bees Alter erreichte, würde das nicht mehr schicklich sein.

Aee glaubte noch nie eine so hübsche Frau gesehen zu haben wie Maggie. Sie konnte nicht verstehen, warum Maggie das Interesse des Schweden an ihr so gleichgültig war. Aee kämmte lange Maggies schönes gelocktes Haar, führte dann das Band vom Nacken hinter den Ohren nach oben und band ihr auf dem Kopf eine Schleife. Als Maggie sich im Spiegel sah, war sie von dem Band entzückt.

»Lös deine Zöpfe, Aee, und binde dein Band wie meins.«

»Ma sagt, dass erwachsene Frauen in den Städten ihr Haar nicht offen tragen«, sprach Aee und vergaß dabei, dass sie Maggie nie mit hochgestecktem Haar gesehen hatte.

Maggie blickte betroffen. »Ich schon. Ich bin eine erwachsene Frau.«

»Natürlich, Maggie. Aber du bist anders.«

»Wieso bin ich anders? Ich will nicht anders sein!«

»Nun ja ... ich meine, du bist ... so hübsch.«

»Bist du doch auch. Ich will nicht hübscher sein als du «, sagte Maggie traurig und leise.

»In Ordnung, Bee, lass uns unser Haar offen tragen.«

»Was wird Ma sagen?«

»Ich denke, sie wird nichts dagegen haben ... dieses eine Mal nicht.«

Als die Mädchen aus dem Zimmer kamen und sich zur Inspektion in einer Reihe aufstellten, stand Maggie neben Aee. Mrs MacMillan musterte sie alle genau und lachte dann.

»Du meine Güte! Ich weiß nicht, wann ich je hübschere Mädchen gesehen habe. Cees Kleid passt Ihnen ausgezeichnet, Maggie.«

»Ich hatte vor langer Zeit ein Kleid wie dieses. Wir lebten damals in Kentucky. Eine Dame zeigte mir, wie man das hier macht.« Sie hob den Rock mit den Händen an und machte einen Knicks.

»Das ist sehr hübsch.«

»Wir wollen uns jetzt Light, Eli und Paul zeigen.« Maggie nahm Eee bei der Hand und zog sie zur Tür.

Der verdammte Schwede wird Augen machen, wenn er sie sieht! Dieser Gedanke schoss Aee durch den Kopf, als sie hörte, wie Pferde in den Hof galoppierten.

Weder MacMillan noch seine Frau hatten ihren indianischen Freunden beibringen können, ihre Pferde im Korral hinter der Scheune zu lassen. Der Besitz eines Pferdes galt als Beweis für die Bedeutung eines Mannes. Sie wollten vor den Weißen angeben. Viele Flecken und seine Krieger ließen ihre Pferde neben der Haustür stehen.

»Wir kommen essen.«

»Ihr seid stets willkommen.«

»Wir hören große Krach. Zet macht großen Zauber für Macs Sohn.«

MacMillan kratzte sich am Kinn, um sein Lächeln zu verbergen, und blickte auf Zet.

»Mein Sohn hat Glück, dass Zet unser Freund ist.«

»Er wird viel Zauber brauchen, um stark zu werden«, sagte Zet feierlich, wobei er sein starres Auge auf Viele Flecken richtete.

Lights dunkle, ernste Augen glitten vom kleinen Mann zum Siedler. Die beiden wussten nur zu gut, dass man über den Glauben der Osage nicht spotten durfte. Light war sich bewusst, wie fern er den Verwandten seiner Mutter war. Sein Vater, Pierre Baptiste, hatte seine Mutter wahnsinnig geliebt und sich wie MacMillan sehr tolerant gegenüber dem Glauben ihrer Verwandten verhalten.

Als Light geboren wurde, war er, wie seine Mutter ihm erzählt hatte, so klein, dass er von seinem Vater in einer Hand gehalten werden konnte. Seine Großmutter war sehr beunruhigt, weil er einen so kleinen Körper hatte, dass er vielleicht nicht überleben würde. Sie steckte die Nachgeburt in einen

Beutel und hängte ihn in die Zweige einer Eiche, damit das zerbrechliche Kind stark wurde. Das Kind gedieh. Seine Mutter nannte ihn Baptiste Lightbody.

Light dachte jetzt, dass es ein guter Name für einen Mann sei. Sein Vater sah seinen Sohn heranwachsen und war stolz auf ihn, obwohl sie sehr verschieden waren. Pierre Baptiste war ein hoch gewachsener, stämmiger Mann mit goldblondem Bart; sein Sohn war schlank und dunkel.

Light konzentrierte sich wieder auf die Gegenwart, als MacMillan Viele Flecken und seine Krieger auf Osage bat, ihre Pferde an die Bäume am Waldrand zu binden, da Mrs MacMillan das Neugeborene an den Tisch bringen wollte und die Pferde Fliegen anlockten.

Sehr diplomatisch, dachte Light. MacMillan war ein guter Mann. Light gefiel es, wie er die Schwarzen und den kleinen, verkrüppelten Zet behandelte. MacMillan respektierte die Osage, und sie respektierten ihn.

Hätte Light nicht den brennenden Wunsch, auf seinem Berg zu leben, so würde er sich versucht fühlen, einige Meilen von hier entfernt eine Stelle zu suchen und dort ein Haus zu bauen. Aber nein. Bald würden die Menschen unter Nutzung des Flusses als Straße nach dem Westen in großer Zahl ins Land strömen, und er würde genauso wenig Ruhe haben wie vorher in St. Charles.

Maggie und die Mädchen kamen aus dem Haus, und jedes brachte einen Teller zum Tisch. Maggie stellte ihren hin und eilte zu Light. Sie hob ihren Rock an und machte vor ihm einen Knicks, wie sie es vor Mrs MacMillan getan hatte. Ein glückliches Lächeln lag auf ihrem Gesicht.

»Ma petite! Du siehst großartig aus!« Lights Augen strahlten. Er hatte sie nie mit einem Band im Haar oder in einem Kleid mit weißem Kragen gesehen. Sie sah entzückend aus, aber für ihn war sie am schönsten, wenn sie in ihren Lederhosen mit Bogen und Peitsche über den Schultern neben ihm durch den Wald schritt.

»Schau doch, mein Band.« Sie wirbelte mit einem glücklichen Lachen herum. »Sieh dir Aee an, Light. Ist sie nicht hübsch?« Maggie ergriff Aees Hand und zog sie dorthin, wo Light mit dem Rücken zur Hauswand stand.

Aee errötete und sie versuchte, ihre Hand wegzuziehen. Der Schwede hatte ausnahmsweise zu sprechen aufgehört und schielte zu Maggie.

»Mademoiselle.« Light machte eine höfliche Verbeugung, und Maggie kicherte.

»Bee,« rief sie, »komm und zeige dich Light.«

Bee tat so, als habe sie Maggies Ruf nicht gehört, und eilte ins Haus.

Eli wunderte sich erneut über Maggies Naivität. Es war selten für eine Frau, so schön zu sein, und noch seltener fand man eine, die so offen und ehrlich war. Die Frauen, die er gekannt hatte, einschließlich Orah Delle Carroll, Sloans Tochter, hatten ihre Gefühle immer sorgfältig verborgen. Eine so offene Freude, wie Maggie sie zeigte, wäre undenkbar bei Frauen, die erzogen worden waren, sich in einer Weise zu benehmen, die als schicklich galt.

Elis Augen ruhten auf Aee. Es freute ihn, dass sie wusste, dass er sie betrachtete, und dass es sie ärgerte. Sie war einen Kopf größer als Maggie, aber doch drahtig und gertenschlank. Sie fühlte sich offensichtlich nicht wohl, aber sie war nicht weggelaufen wie ihre Schwester. Ihre Augen waren über ihn weggegangen, als sei er Luft.

Seit Aee ihm mit ihrem Hut einen Hieb versetzt hatte, hatte sie ihn völlig ignoriert, bis auf die verletzende Bemerkung, die sie nach der Geburt ihres Bruders gemacht hatte. Sie war eine Frau, die in den meisten Situationen selbst zurechtkommen und ihrem Mann zur Seite stehen würde. Außerdem war sie eine schlagfertige sture Göre. Aber mit ihrem braunen Haar, das ihr wellig bis zur Taille herabhing, war sie eine sehr hübsche dazu.

Maggie verließ Light und ging hinüber zu den Indianerpferden. Eli stand aufs äußerste beunruhigt auf. Er warf einen kurzen Blick auf Light und dachte, er würde bestimmt zu ihr hingehen, aber Light sah ruhig zu, wie sie den halb wilden Pferden die Nase rieb und ihnen etwas ins Ohr flüsterte. Sie tätschelte ihnen die Köpfe, und ihre Nase berührte fast die Nüstern der Pferde. Die Krieger, die an der Hauswand hockten, sahen zu und unterhielten sich murmelnd.

»Was zum Teufel?« Eli stürzte los, um den Hof zu überqueren und zu ihr zu gelangen. Light trat ihm in den Weg.

»Lassen Sie sie.«

»Um Himmels willen! Sie kann doch durch einen einzigen Biss das halbe Gesicht verlieren!«

»Lassen Sie sie!«, befahl Light mit leiser Stimme und eiskalter Miene.

»Ich ... verstehe Sie nicht!«

Da sah Light ihn direkt an. Die schwarzen Augen blickten kalt.

»Nein, Sie verstehen mich nicht ... und auch meine Frau nicht. Halten Sie Abstand.«

Die beiden Männer starrten sich an. Da spürte Light eine kleine Hand in seiner und schaute in Maggies Gesicht. Sie hatte die Worte nicht gehört, die zwischen ihnen gefallen waren. Sie lächelte.

Paul, der neben Zees Stuhl hockte, war Zeuge des Wortwechsels zwischen Eli und Light und hatte den Atem angehalten. Es war wichtig, dass sein Freund seine Aufmerksamkeit auf jemand anders richtete. Wenn er weiterhin für Maggie Lightbody Interesse zeigte, so würde ihr Mann ihn töten.

MacMillans älteste Tochter Aee war hübsch – auf andere Weise als Maggie, und sie passte viel besser zu Eli. Mac hatte die Lage richtig eingeschätzt, als er sagte, bei beiden würden die Funken stieben. Es war wirklich besser, wenn sie sich gegenseitig die Hörner boten, statt sich gleichgültig zu sein. Der Gedanke, der Paul schon eine Weile im Kopf herumging, wurde allmählich konkreter.

Der Tisch sah aus, als sei er für das Erntedankfest gedeckt. Die Frauen warteten eine Weile, während die Männer Speisen auf ihre Teller häuften und sich zum Holzschober zurückzogen, um dort auf Baumstümpfen sitzend zu essen. MacMillan trug Zet mitsamt dem Stuhl und dem Teller dorthin, wo die Männer aßen. Viele Flecken und seine Krieger genierten sich überhaupt nicht, sich selbst zu bedienen, und nahmen viel Fleisch, aber wenig von den anderen Speisen. Aee und Bee füllten Teller für die jüngeren Mädchen und danach für ihre Mutter, die am Ende des Tisches mit Frank auf dem Schoß saß.

Caleb und Linus hielten sich im Hintergrund und taten so, als ob sie Fleisch vom Spieß schneiden müssten.

»Caleb und Linus, was trödelt ihr da hinten herum? Ihr werdet nichts von der Gans abkriegen, wenn ihr nicht herkommt. Du meine Güte, ihr wisst doch, dass man sich nicht zurückhalten darf, wenn die Osage hier sind. Sie werden sonst alles, was auf dem Tisch ist, in kürzester Zeit alleine wegputzen.«

»Ja, Miss Aee. Wir kommen.« Caleb schob Linus vor sich her, und sie erschienen am Tisch.

»Nehmt reichlich, aber lasst noch Platz für den Kürbiskuchen.«

Aee ging zum Feuer, um aus einem großen Topf Tee in einen Becher zu gießen.

Linton Bodkin stellte seinen Teller ab und rannte zu ihr.

»Madame, kann ich Ihnen helfen?«

»Danke, Mr Bodkin. Wenn Sie das zu Zet bringen könnten?« Zu Eli blickend, fuhr sie fort: »Alle anderen können sich selbst bedienen.«

Die Teller wurden wieder und wieder gefüllt. Aee schnitt den Kürbiskuchen und den süßen Pudding an und bedeckte die übrigen Speisen mit einem Tuch, um sie vor den Fliegen zu schützen.

MacMillan ging ins Haus und kam zu Maggies Entzücken mit einer Fiedel wieder. Er klemmte sie sich unters Kinn und spielte ein lustiges Lied.

»In Ordnung, Mädchen. Zeigt ihnen, wie ihr tanzen könnt.«

»Ach ... Pa.« Bee protestierte, aber Cee packte sie

an der Hand und zog sie mit sich. Die beiden jüngsten MacMillans fassten sich an den Händen, und als die Musik begann, galoppierten sie durch den Hof. Bee und Cee begannen zu tanzen, wobei ihre Röcke ihnen um die Knöchel wirbelten und ihr langes Haar auf ihrem Rücken hin und her flog.

Zet klatschte im Takt der Musik in die Hände. Erst folgte Bodkin seinem Beispiel, und dann taten es auch Paul, Eli und Dixon. Maggie stand auf und klatschte mit den anderen in die Hände.

Als MacMillan das Lied beendet hatte, blickte er voller Stolz auf seine Töchter.

»Sind sie nicht einmalig? Sie tanzen, seit sie laufen können. Kommt, tanzt mit ihnen.«

Bodkin reichte Cee die Hand. »Ich habe eine Schwester zu Hause, die so alt ist wie du.«

Dixon trat schüchtern an Bee heran. Sie nahm seine Hand, sah ihn aber nicht an.

»Möchten Sie nicht tanzen?«, fragte die vierjährige Eee Paul.

Paul verbeugte sich höflich. »Mademoiselle, ich fühle mich geehrt.«

»Und Sie tanzen mit mir, Mr Nielson.« Dee lächelte Eli mit ihren Zahnlücken an.

»Ich wollte dich gerade bitten.«

MacMillan begann zu fiedeln. Als die Paare im Hof umherwirbelten, stand Maggie neben Light und klatschte in die Hände. Light wusste, dass sie tanzen wollte, aber er konnte sich nicht überwinden, sie an der Hand zu nehmen und mitzutanzen. Er hatte nie getanzt und es nie gewollt, und er würde sich dumm vorkommen, wenn er es jetzt täte. Aber er wollte, dass Maggie sich amüsierte.

»Tanz mit Paul, chérie«, sagte Light, als die Musik geendet hatte und die Paare die Partner tauschten.

»Es macht dir nichts aus, wenn ich tanze?«

»Nein, mein Liebling.«

Light saß ruhig da, während Maggie mit Paul tanzte. Maggies Lachen klang ihm süßer in den Ohren als die Musik. Sie hatte den Kopf zurückgeworfen und atmete mit offenem Mund. Er liebte sie so sehr, dass er versucht war, die Hand nach ihr auszustrecken und sie sich zurück zu schnappen.

Der Tanz war lang, und als er vorüber war, ließen sich die erschöpften Tänzer zu Boden sinken, um sich auszuruhen. Maggie kam zu Light. Er legte einen Arm um sie und zog sie zu sich herunter, damit sie neben ihm saß.

Die Feier ging weiter. Bodkin bat Light um Erlaubnis, mit Maggie zu tanzen. Sie tanzte wieder mit Paul. Eli kam weder in ihre Nähe noch tanzte er ein zweites Mal. Nach einer Weile spielte Aee die Fiedel, und MacMillan tanzte mit seinen Töchtern.

Am späten Nachmittag, als Viele Flecken und seine Krieger zu ihrem Lager zurückkehren wollten, gab MacMillan ihnen einen kleinen Beutel Tabak für ihren Häuptling mit. Nachdem sie auf ihre Pferde gestiegen waren, ritt jeder Krieger an Maggie vorbei und ließ die Feder fallen, die an der Mähne seines Pferdes befestigt gewesen war.

Maggie hob jede Feder auf und steckte sie sich ins Haar. Danach blickte sie Light fragend an.

»Sie ehren dich, Liebling.«

»Warum?«

»Sie denken wie ich, dass du magische Kräfte hast.«

Nachdem der Tisch abgeräumt und ins Haus zurückgebracht worden war, führte MacMillan Bodkin und Dixon in den Schuppen, um ihnen seine Pottascheproduktion zu zeigen. Sobald die Männer um die Ecke verschwunden waren, wandte sich Paul an Eli.

»Hast du mit ihnen gesprochen und sie gefragt, ob sie zu den Bluffs anheuern?«

»Noch nicht.«

»Du solltest das lieber tun, mon ami. Wartest du noch einen Tag länger, so wird Mac Bäume für ihre Hütten fällen.«

Eli schnaubte verächtlich. »Bodkin kann seine Augen nicht von Aee lassen, und Dixon glotzt wie ein angestochenes Kalb, wenn Bee in der Nähe ist. Welche Chance haben wir, dass sie anheuern?«

»Du wirst sie nicht bekommen, wenn du es nicht versuchst, mon ami.«

»Ich habe gedacht, dass MacMillan uns vielleicht hilft, einige Osage anzuheuern, und vielleicht können wir Light überzeugen, als Dolmetscher mitzukommen.«

»Das wird er nicht tun.«

»Woher weißt du das? Plant er etwa, den Winter hier zu verbringen?«

»Er hat nichts gesagt.«

»Mista Eli!« Linus kam angelaufen. »Mista Eli!«

Eli stand auf. »Was zum Teufel ist jetzt los?«

Linus schnappte nach Luft, als er vor ihm stand. Das Einzige, was er hervorbringen konnte, war: »Ihr ... Boot! Ihr ... Boot!«

Das genügte. Eli rannte los. In drei Minuten war er unten am Creek. Er bog um die Rhododendronbüsche und lief zu den Weiden, wo das Flachboot festgemacht worden war. Es war nicht mehr da, aber das Kabinendach und der Mast ragten aus dem Wasser.

Eli fluchte. »Hurensohn!«

»Was ist passiert? Was ist ... ach ... Mon Dieu!«, rief Paul schwer atmend vom Laufen.

»Die Ladung ist ruiniert.«

»Bis auf das, was wir in MacMillans Höhlen verstaut haben.«

»Ich bringe ihn um!« Der Name des Täters kam ihm nicht über die Lippen, aber jeder wusste, wer gemeint war.

»Kann es repariert werden?«

»Ich weiß es nicht ... noch nicht.«

»Der Bastard hat es absichtlich zerstört.«

Caleb kam mit Zet auf dem Rücken angerannt. MacMillan, der sich für einen Mann seiner Größe flink bewegte, folgte nicht weit hinter ihm. Sie alle standen am Ufer des Creeks und betrachteten das, was von dem Flachboot noch zu sehen war.

»Gott steh mir bei! Gott steh mir bei!« Caleb schüttelte den Kopf. »Ich war erst heute Morgen hier. Da war noch alles in Ordnung.«

»Paul und ich waren noch vor dem Essen hier. Wir wuschen uns und wechselten die Hemden«, sagte Eli.

»Gottverdammich!«, stieß Bodkin hervor. »Hat der verrückte Deutsche das getan?«

»Er muss es gewesen sein«, sagte Paul. »Er wusste, wo er die Löcher machen musste, um es zu versenken.«

»Es ist eine verdammte Schweinerei.« MacMillan trat ans Ufer. »Wir holen die Ochsen und ziehen es heraus. Wir werden hier eine Weile schaufeln müssen, um das Ufer abzutragen und eine Rampe zu bauen.«

»Ich habe kein Geld, um dafür zu bezahlen. Ich habe alles in die Ladung gesteckt.«

»Niemand hat hier nach Geld gefragt.«

Eli fluchte wieder. »Ich hätte den Bastard erschießen sollen, als ich die Möglichkeit dazu hatte.«

»Wir können das Boot herausziehen und auf Blöcke setzen, aber ich weiß nicht, wie man es repariert«, sagte MacMillan. »Ich bin kein Zimmermann. Allerdings kann Caleb das meiste reparieren.«

»Ich habe noch nicht viel mit Booten zu tun gehabt, Mista Mac.«

»Noah und ich haben an einigen Booten in Natchez gearbeitet«, sagte Bodkin.

»Ich schätze, der ganze Tabak ist jetzt auch verdorben«, sagte MacMillan wehmütig. »Für das allein könnte ich ihn über einem Feuer rösten.«

»Er ist jetzt fort. Nachdem er das getan hat, wird er so schnell wie möglich flussabwärts fahren. Er weiß, dass ich ihn töten werde, wenn er mir noch einmal unter die Augen kommt.«

# Kapitel 19

Light beobachtete einen Zug Wildgänse am Himmel, die mit lang gestreckten Hälsen ihrem Anführer zu den Nahrungsplätzen flussabwärts folgten. In den letzten Tagen war ein Schwarm von Zugvögeln nach dem anderen auf dem Weg nach Süden über das Anwesen hinweg geflogen. Das erinnerte ihn daran, dass die Zeit knapp wurde und er sehr bald eine Hütte für sich und Maggie zum Überwintern errichten musste.

Alle Männer auf dem Anwesen mussten mit anpacken, um Elis Boot aus dem Creek zu ziehen. Nur so konnte er den Schaden abschätzen und auch MacMillans Boot die Durchfahrt zum Fluss wieder ermöglichen. Am ersten Tag schufteten die Männer vom Morgengrauen bis zur Abenddämmerung mit Schaufeln und selbst gefertigten Werkzeugen, trugen das Ufer ab und machten aus glitschigem Schlamm eine Rampe.

Müde und schmutzig trotteten sie den Pfad entlang zum Haus. Aee brachte einen Eimer warmen Wassers zum Waschen heraus. Eli bemerkte, dass sie sich neuerdings angewöhnt hatte, statt der Segeltuchhosen ein Kleid zu tragen.

»Ich nehme an, Sie lachen sich darüber jetzt zu Tode«, sagte er, als Aee das nasse Handtuch vom Nagel an der Tür über der Waschbank abnahm und ein trockenes hinhängte.

»Über Ihr Boot? Warum sollte ich mich darüber freuen? Es ist eine traurige Sache. Eine verdammte Schweinerei bleibt eine Schweinerei.« Sie zog die dunklen Brauen zusammen und legte die Stirn in Falten. »Ich hatte gehofft, Sie würden sich längst auf dem verfluchten Ding befinden und jetzt nicht mehr hier sein.«

»Mac hat mich eingeladen, den Winter über hier zu bleiben. Ich bin dabei, darüber nachzudenken.« Eli grinste sie herausfordernd an, drehte sich um und spritzte sich mit beiden Händen Wasser ins Gesicht. Er griff nach dem Handtuch. Als ihm eins in die Hand gedrückt wurde, nahm er es und wollte sich damit das Gesicht abtrocknen. Es war nass und sandig. Er öffnete ein Auge und sah, dass Aee mit dem trockenen Handtuch über der Schulter ins Haus ging.

Verdammtes Weib. Immer musste sie das letzte Wort haben.

Nachdem die Männer zu Abend gegessen hatten, gingen sie in den Hof. Die Frauen setzten sich an den Tisch, um zu essen, und räumten dann ab. Light freute sich, als er sah, dass Maggie mithalf. Er erkannte allmählich, dass es gut für sie war, bei den MacMillans zu sein, wo selbst das kleinste Kind eine Aufgabe zu erledigen hatte. Maggies Eltern hatten nie von ihr verlangt, auch nur irgendetwas im Haus zu tun.

Am Nachmittag des nächsten Tages brachte Caleb die Ochsen zum Creek. Paul und Eli wateten zum Boot und befestigten die Seile. Als das getan war, wateten alle Männer, bis auf MacMillan, der die Ochsen antreiben musste, ins Wasser, um sich mit aller Kraft gegen eine Stange zu stemmen. Das Flachboot bewegte sich langsam, knarrte und bebte. Nur dank den vereinten Anstrengungen der Ochsen und der Männer rührte es sich nach und nach von der Stelle.

Als sich das Flachboot schließlich in einer Position befand, von der aus es die glitschige, schlammige Rampe hinaufgleiten konnte, legten Männer und Ochsen eine Pause ein. Kiefernäste wurden abgehauen und auf die Erde gelegt, damit die Ochsen bei der nächsten Anstrengung einen Halt fanden.

Bei Sonnenuntergang war das Boot endlich auf festem Grund, und Eli konnte den Schaden abschätzen. Sowohl am vorderen als auch am hinteren Ende der Kajüte waren Bretter mit einem Brecheisen hochgestemmt worden. Dadurch war das Boot rasch gesunken. Sowohl das Steuerruder als auch die Werkzeuge fehlten. Vermutlich waren sie über Bord geworfen worden. Die Säcke mit Tabak waren aufgerissen und die Mehl- und die Whiskyfässer aufgebrochen worden. Die Zerstörung war überflüssig, da das Mehl, der Tabak, das Salz und das Schweineschmalz sowieso vom Wasser verdorben worden wären. Der Whisky wäre mit Flusswasser verdünnt, aber nicht völlig unbrauchbar geworden. Ein Fass mit handgeschmiedeten Nägeln, das selbst für Krüger zu schwer gewesen war, war umgekippt worden.

Werkzeuge waren in der Wildnis eine Kostbarkeit. Sie konnten oft über Leben oder Tod entscheiden. Die Beile, Hämmer, Sägen, Äxte, Bohrer, Meißel, Stemmeisen, Ziehmesser und Hobel lagen alle am Grund des Creeks. Mit diesen Werkzeugen hätte ein Mann fast alles bauen können.

Ballen bedruckten Stoffes, die Eli zu einem hohen Preis von einem Lagerhaus in St. Louis gekauft hatte, waren durchnässt und schmutzig. MacMillan sagte, sein Weibsvolk würde die Textilien waschen, so dass es kein kompletter Verlust wäre.

»Sie können sie gerne behalten«, sagte Eli.

Als die Dunkelheit hereinbrach, trug Eli nass und erschöpft die Stoffballen vom Boot zum Haus und ließ sie vor der Haustür auf die Erde fallen. Er sah so müde und entmutigt aus, dass Aee ihm aus dem Weg ging, da es kein Vergnügen sein würde, ihn jetzt noch zu ärgern.

Es war ein langer und miserabler Tag gewesen. Die Männer wuschen sich in den Trögen mit warmem Wasser, die die Frauen in die Krankenstube getragen hatten. MacMillan gab denen trockene Kleidung, die keine hatten. Als das Abendessen vorbei war, legten sich alle schlafen.

Maggie und Light hatten sich in den letzten Nächten in der Scheune ein Lager gemacht, nachdem sie sich geweigert hatten, Calebs und Linus' Angebot anzunehmen, in ihrer kleinen Hütte hinter der Pottaschefabrik zu wohnen. Sie breiteten ihre Decken auf einem Haufen gemähten Grases aus und waren froh, allein zu sein.

»Hast du es warm genug, Light?« Maggie zog ihm die Decke bis über die Schultern und schmiegte sich an ihn. Er war bis zu den Hüften nass gewesen, als er aus dem Wasser kam.

»Wie kann mir nicht warm sein, mein Schatz, wenn du in meinen Armen liegst?«

»Ich möchte nicht, dass du krank wirst.«

»Mach dir keine Sorgen. Da ist etwas, was ich mit dir besprechen möchte.«

»Etwas Schlimmes?« Maggie hob den Kopf, der auf seiner Schulter lag. Er drückte ihn wieder herunter.

»Wir brauchen eine Stelle zum Überwintern. Ich hatte daran gedacht, Caleb zu bitten, weitere hundert Meilen in Richtung unseres Berges mit uns zu ziehen, aber ich möchte es nicht im Winter riskieren. Ich denke, wir sollten einige Meilen flussaufwärts eine Hütte errichten. Im Frühjahr werden wir unsere Reise fortsetzen.«

»Ich gehe, wohin du gehst, Light. Mir gefällt es hier, aber es ist nicht unser Zuhause.«

»O, meine süße Frau.« Light drückte sie fest an sich, und küsste die Lippen, die sie ihm darbot.

»Wann gehen wir?«

»Bald. Morgen helfe ich noch, die Werkzeuge vom Grund des Creeks zu bergen. Am nächsten Tag möchte ich mich zum Osagelager begeben und dem Häuptling sagen, dass ich vorhabe, hier zu überwintern. Es sind die Verwandten meiner Mutter.«

»Soll ich dich begleiten?«

»Es wäre besser, wenn du hier bleiben würdest, mein Liebling.«

»Wie lange wirst du weg sein?«

»Nicht länger als einen Tag.«

»Ich mache, was du sagst, Light.« Maggies kleine Hand glitt von seiner Brust hinab zu seinem flachen Bauch. »Willst du mich, Light? Ich habe meine monatliche Unpässlichkeit nicht mehr.«

Light erschauerte, hielt den Atem an und drehte sich zu ihr.

»Ob ich dich will, chérie? Bis zu meinem letzten Tag werde ich dich wollen, oder bis ich alt und grau bin.«

»Wir werden auf unserem Berg sein, Light, wenn das da grau wird.« Sie berührte sein im Nacken zusammengebundenes Haar.

»Tut es dir nicht Leid, ma petite, dass du mit mir gekommen bist? Das ist kein leichtes Leben.« Er strich mit den Fingern über ihre Wange.

»Es tut mir kein bisschen Leid. Ich will nie wieder zurück.«

Light rollte sie auf den Rücken und blickte ihr ins Gesicht. Es war bleich und schön, und ein Lächeln spielte um die Lippen. Ihr Atem auf seinem Gesicht war warm und süß. Der leise Laut, der aus ihrer Kehle drang, war eine Einladung, der er nicht widerstehen konnte. Langsam und behutsam berührte sein Mund ihre Lippen. Sein Kuss war erst zart, wurde jedoch schnell immer heißer und inniger.

Die Leidenschaft dieser kleinen Frau erregte ihn so, dass er sofort bereit war.

»Aaahhh ... mon amour.«


Oberhalb des Anwesens hatte MacMillan an einer Biegung des Creeks aus Stämmen eine Plattform gebaut. Die Frauen konnten sie betreten, wenn sie dort Wasser schöpfen wollten, um den gusseisernen Waschkessel zu füllen. Das war leichter als schwere Eimer voll Wasser aus dem tiefen Brunnen im Hof zu ziehen.

Bei dem Feuer, welches das Wasser im dreibeinigen Kessel erwärmte, und einem Holztrog, der mit

Wasser zum Spülen gefüllt war, spielten Aee und Maggie mit einer Peitsche, die manchmal zum Antreiben der Ochsen verwendet wurde. Aee, die versuchte, einen von einem Ast herabhängenden Zweig zu treffen, schleuderte den Peitschenriemen vorwärts. Er wickelte sich um den Ast.

»Mist!«

»Wenn du das so machst, kann man dir die Peitsche wegnehmen.«

Maggie wickelte den Lederriemen vom Ast. »Light sagt, man soll mit dem Handgelenk eine kleine ruckartige Bewegung machen, bis man gelernt hat, wie weit der Peitschenriemen reicht. Wenn er sich um etwas herumwickelt, kann man ihn nicht zurückziehen.«

»Ich werde es nie so gut können wie du«, jammerte Aee.

»Doch. Der Lederriemen dieser Peitsche ist ja auch breiter und schwerer als meiner. Versuch es noch mal, Aee.«

Aee warf den Peitschenriemen wieder mit einem Ruck zurück über ihre Schulter und starrte auf den Zweig, den sie nicht getroffen hatte.

»Ich stelle mir vor, dass dieser Zweig der Hintern des Schweden ist.«

Maggie lachte, dann fragte sie sachlich: »Warum magst du Eli nicht? Er schenkt euch die ganzen Stoffe.«

»Er palavert nur und tändelt herum und ist nicht im Stande zu schießen!«

»Warum sagst du das? Er ist wohl im Stande zu schießen!«

»Nun ja, ich werde von ihm jedenfalls keine Geschenke annehmen. Ich werde seine alten Stoffe waschen, trocknen lassen und zusammenrollen. Dann werde ich sie ihm vor die Füße werfen und ihm sagen, er soll sie der ersten verheirateten Frau schenken, die ihm ins Auge fällt. Ich will die Stoffe nicht haben.«

»Warum willst du sie nicht nehmen? Du kannst Kleider für dich und deine Ma daraus nähen. Er möchte sie euch geben. Nebenbei gesagt, Aee, es gibt hier keine verheirateten Frauen außer mir und deiner Ma.«

Aee blickte das andere Mädchen an und schüttelte den Kopf. Manchmal war Maggie zu blöd. Sie hatte keine Ahnung, dass Eli verknallt in sie war. Aber Light wusste es, und wenn der dumme Schwede sie weiterhin mit den Augen verschlang, würde es Ärger geben.

»Ich nehme nichts von diesem großspurigen Gockel, und damit basta.«

Maggie kicherte, und Aee musste mitlachen. Was Aee an Maggie unter anderem so gefiel, war, dass sich ihre Stimmung blitzschnell ändern konnte. Wenn sie wütend war, so dauerte das niemals lange.

»Los. Denke dir, dass der Zweig Elis Hintern ist, und versuch ihn zu treffen.«

Die Peitsche schnellte vor, und der Riemen wickelte sich wieder um den Ast.

»Mist!« Aee warf die Peitsche hin. »Ich habe den Hintern des Schweden wieder nicht getroffen!«

Maggie brach in lautes Gelächter aus.

»Es liegt an der schweren alten Peitsche, Aee. Ich hole meine und bin gleich wieder da.« Maggie rannte durch den Wald zum Anwesen.

Die letzte Woche war eine der aufregendsten in Aees Leben gewesen. Außer ihren Schwestern hatte sie keine weißen Mädchen ihres Alters gekannt. Die Begegnung mit Maggie war eine neue Erfahrung für sie. Nach dem zu urteilen, was sie gelesen hatte, glaubte Aee nicht, dass sich verheiratete Frauen so verhalten sollten, wie Maggie es tat.

Es fiel ihr schwer, Maggie als verheiratete Frau zu betrachten. Verheiratete Frauen trugen Kleider, kochten, pflegten den Garten und hatten Babys. Sie benutzten keine Peitschen, warfen keine Messer und sprachen nicht mit Tieren. Diese Frau, die wie eine Puppe aussah, begleitete ihren Mann in die Wildnis, in die noch keine Weiße vor ihr gekommen war. Ihr Mann vergötterte sie, dachte Aee verträumt. Es war offensichtlich, dass auch sie ihn liebte. Wenn er in der Nähe war, wanderten ihre Augen ständig zu ihm.

Es ist schwer, nicht neidisch zu sein, dachte Aee, als sie etwas flüssige Seife aus einem irdenen Krug in den gusseisernen Kessel goss. Sie fragte sich, wie es wäre, wenn sie einem Mann so nahe wäre, dass sie seine Gedanken, Hoffnungen, Träume teilte und bereit war, alles zu tun, um ihn glücklich zu machen.

Es kam ohne Vorwarnung.

Als sie den Holzdeckel auf den Seifenkrug legte, verschloss ihr eine grobe Hand den Mund, und sie wurde mit einem Ruck hochgehoben.

Aee war so überrascht, dass sie sich ein oder zwei Minuten lang nicht zur Wehr setzte. Inzwischen befand sie sich zwischen den Sumachbüschen, die am Rande der Lichtung wuchsen, und wurde zum Creek geschleppt. Sie war stark, und als sie sich zu wehren begann, hatte es der Angreifer schwer, sie festzuhalten. Sie stemmte die Hacken in den Boden und holte mit der Faust aus, traf aber nur den Arm des Mannes, der sie fortzog. Sie stieß mit ihrem Ellbogen zu und traf eine empfindliche Stelle an seinem Körper. Er stöhnte vor Schmerzen auf und ließ sie fallen.

Sie war sofort auf den Beinen, drehte sich rasch zu ihrem Angreifer um und öffnete den Mund, um laut zu schreien. Sie brachte nur ein Quietschen hervor. Eine Faust so groß wie ein Schinken traf sie ins Gesicht und schlug sie zu Boden.

Aee sah nur noch Sternchen vor ihren Augen, dann fiel sie in eine tiefe Ohnmacht.


Maggie rannte, noch immer über Aees Vergleich des Zweiges mit Elis Hintern kichernd, zum Anwesen, stürzte in den Schuppen, in dem Light ihre Bündel gelassen hatte, und schnappte ihre Peitsche. Sie rollte sie zusammen, schwang sie über die Schulter und steckte den Griff in ihren Gürtel.

Maggie wünschte sich, dass Aee Eli ebenso gern hatte wie sie. Er war unglücklich und sah die meiste Zeit finster drein. Das war aber sicherlich nicht nur darauf zurückzuführen, dass Krüger sein Boot versenkt hatte. Er hatte sie angebrummt, als sie ihn fragte, warum er Light beobachtete, und er hatte ihr gesagt, sie solle sich um ihre eigenen Angelegenheiten scheren, als sie ihm vorgehalten hatte, dass er Aee aufzog. Vielleicht gefiel ihm Aee. Er lachte immer nur dann, wenn er sie aufzog.

Mit ihrem zahmen Huhn im Arm kam Eee auf Maggie zu, als sie den Schuppen verließ.

»Hallo, Miz Lightbody. Was machst du?«

»Ich helfe Aee beim Waschen.«

»Möchtest du das Huhn halten?«

»Gewiss. Wie heißt es denn?« Maggie kniete sich hin und nahm das zahme Vögelchen entgegen. Es machte es sich auf Maggies Arm bequem und schloss die Augen.

»Es heißt Huhn.« Eee streichelte den roten Kamm auf dem Köpfchen des Huhnes.

»Das ist ein guter Name. Ich hatte einmal einen Hund, der hieß Hund.«

»Hund? Ich könnte es nicht Hund nennen, weil es ein Huhn ist.«

Maggie gab Eee ihr Haustier zurück und stand auf. »Ich muss Aee helfen.«

»Kann ich mitkommen?«

»Wenn du deiner Mutter Bescheid sagst, kannst du.«

»Sie wird mich nicht gehen lassen. Ich soll den Mehlsack aufhalten ... und ich hab keine Lust dazu.«

»Aber du musst deiner Ma folgen. Ich komme zurück, wenn wir mit dem Waschen fertig sind, und wir werden Blinde Kuh spielen. Würde dir das Spaß machen?«

»Ich denke schon«, sagte Eee unwillig.

Maggie rannte durch den Wald zum Creek und sang dabei eines ihrer Lieblingslieder.


»Yankee Doodle ist das Lied,
Das die Amerikaner lieben.
Pfeife, singe oder spiel es,
Ob beim Feiern oder Siegen.«

»Aee, Eee wollte mitkommen, aber –«

Etwas stimmte nicht. Aee war nicht da, und der Seifenkrug war umgeworfen. Maggie war sofort auf der Hut und stand still wie ein Reh. Dann hörte sie ein Geräusch, das sich von den Geräuschen des Waldes unterschied – einen unterdrückten Laut. Schnell und leise wie eine Waldmaus bewegte sie sich durch die Sumachbüsche zur Lichtung am Creek.

Da lag Aee wie tot auf der Erde. Krüger kniete vor ihr und streifte ihr gerade den Rock hoch. Er war so damit beschäftigt, dass er Maggies Kommen nicht bemerkte.

»Hände weg von ihr!« Maggie stieß die Worte mit schriller Stimme hervor.

Krüger sprang auf und drehte sich zu ihr um. »Ich bin gekommen, um dich zu holen«, rief er.

Maggie konnte den Wahnsinn in seinen Augen flackern sehen. Sie holte tief Luft, steckte zwei Finger in den Mund und stieß zwei lange laute Pfiffe aus.

»Verdammt! Lass das sein!«

Maggie riss die Peitsche von ihrer Schulter und holte zum Schlag aus, als er sich ihr einen Schritt näherte. Sie ließ sein Gesicht keinen Moment aus den Augen.

Der Deutsche beobachtete sie mit einem amüsierten Lächeln. Die Chance, sie zu kriegen, war schneller gekommen, als er gedacht hatte. Er hatte auf der Lauer gelegen, seit die beiden Frauen zum Creek gekommen waren und ein Feuer unter dem Kessel angezündet hatten. Als Maggie weggegangen war, hatte er beschlossen, sich zunächst auf die andere zu stürzen, um sein Verlangen zu befriedigen.

Sobald Maggie zurückkäme, wollte er sie sich schnappen.

»Dummes Weib«, murmelte er. »Denkst du etwa, du kannst mich mit dieser albernen Peitsche abhalten?«

Der erste Schlag beantwortete seine Frage. Das Ende des Peitschenriemens traf sein Gesicht und hinterließ auf einer Wange eine tiefe klaffende Wunde. Das Fleisch war bis zum Knochen aufgerissen. Er blieb stehen und griff sich ins Gesicht.

»Ooohhh ... au! Gottverdammich!«

Wutentbrannt holte Maggie erneut aus und schlug mit aller Kraft ein zweites Mal zu. Diesmal traf sie den Arm, den er erhoben hatte, um das Gesicht zu schützen. Er blutete an der Stelle, wo das gegabelte Ende des Peitschenriemens die Haut weggefetzt hatte. Er stieß einen weiteren hilflosen Schrei aus, versuchte, den Lederstreifen zu fangen, und stellte fest, dass es so war, als ob er eine angreifende Klapperschlange zu packen versuchte.

Immer wieder schlug sie zu und traf ihn am Ohr, an der Schulter, am Hals. Er blutete überall und wich zurück.

Die einzigen Waffen, die Maggie gegen diesen verrückt gewordenen Mann anwenden konnte, der über hundert Pfund mehr wog als sie, waren die Peitsche und ihre laute Stimme. Sie nutzte beides. Während sie ihn verfolgte, holte sie ein weiteres Mal tief Luft.

»Ju-al-al-al-li. Ju-al-al-al-li. Ju...!« Ihr Jodeln hallte im Wald wider.

»Ich töte diesen Mischling. Soll er nur kommen ...«

Krüger schaffte es, sein Messer hinten aus dem

Gürtel zu ziehen. Als er es hervorholte, zerfetzte sie ihm die Haut auf dem Handrücken, und er ließ das Messer fallen, bevor er es verwenden konnte. Er brüllte vor Wut und beugte sich vor, um es aufzuheben. Maggies Peitsche zerfetzte sein Hemd von der Schulter bis zur Hüfte und hinterließ eine blutige Spur auf seinem nackten Rücken.

Maggie wurde müde. Sie ließ es zu, dass der Peitschenriemen sich einmal um seinen Arm wickelte, aber sie riss den Riemen zurück, bevor er danach greifen konnte. Noch ein Fehler wie dieser, und das Auspeitschen wäre beendet.

Otto Krüger war wie ein Wilder. Blut rann ihm über das Gesicht und vermischte sich mit dem Schaum vor seinem Mund. Er schrie vor Wut, wich jedoch nicht zurück. Als ihn erneut ein heftiger Peitschenschlag ins Gesicht traf, stürzte er sich auf sie.

»Runter, Maggie«, befahl Light. Seine Stimme kam von hinten.

Krüger war nur noch einen Meter von ihr entfernt, als sie sich zu Boden warf. Lights Messer flog zielsicher und schnell über sie hinweg. Krüger torkelte zurück, stolperte über die eigenen Füße und stürzte hin.

»Sie ist meine ... Frau.« Das waren seine letzten Worte, während das Blut aus seinem Mund schoss.

Light stand so lange über Krüger, bis er sicher war, dass er tot war. Dann kniete er sich neben Maggie hin und nahm sie in die Arme.

»Mon trésor! Mon amour!« Seine Stimme klang rau vor Sorge.

»Du hast ihn getötet, nicht wahr? Ich wusste, dass du kommen würdest.«

»Ich habe ihn getötet. Ich komme immer, wenn du mich rufst, mein Liebling.«

»Aee! Er hat Aee wehgetan.« Maggie blickte um sich.

Eli stürmte schwer atmend auf die Lichtung. Seine Blicke glitten über Krüger, der mit Lights Messer in der Brust auf dem Rücken lag. Dann eilte er dorthin, wo Aee bewusstlos auf der Erde lag. Er sah ihre entblößten weißen Beine.

»Allmächtiger Gott!« Er zog ihr den Rock herunter. »Was hat dieser wahnsinnige Bastard mit ihr gemacht?«

Sie sah so ... schutzlos aus, wie sie da lag. Sie war nicht mehr die stolze, freche Frau, sondern ein junges, hübsches Mädchen, das von dem Deutschen überwältigt worden war. Eli drehte Aees Kopf zur Seite. Er sah, dass eine Wange verletzt und blutunterlaufen war. Die Lippen waren geschwollen und bluteten. Er fluchte wieder. Der Bastard hatte sie mit der Faust ins Gesicht geschlagen.

Plötzlich durchfuhr ihn ein furchtbarer Gedanke – was hatte Krüger dem Mädchen noch angetan? Ohne zu zögern, hob er ihren Rock hoch. Ihre Unterwäsche war in Ordnung. Gott sei Dank! Der Kerl hatte Aee nicht vergewaltigt. Eli bedeckte rasch wieder die Schenkel, als ihr Vater und Paul erschienen.

Nach dem Auflegen eines mit kaltem Wasser getränkten Tuches kam Aee wieder zu sich. Sie setzte sich auf und blickte benommen um sich. Was machte der Schwede hier? Er sah besorgt drein und stützte sie mit dem Arm, den er um sie gelegt hatte.

»Versuch noch nicht aufzustehen. Er hat ziemlich

hart zugeschlagen.« Eli nahm Paul das nasse Tuch ab und wischte ihr sanft das Blut vom Gesicht.

»Wo ... ist er?«

»In der Hölle, wohin ich ihn schon vor einigen Tagen hätte schicken sollen«, sagte Eli aufgebracht. »Ich bin schuld, Aee. Ich habe ihn am Tag der Feier gesehen und gehen lassen. Ich war überzeugt, dass er flussabwärts fahren würde, nachdem er mein Boot kaputtgemacht hat.«

»Maggie?«

»Ihr geht es gut.«

Maggie, in Lights Armen geborgen, erzählte ihm, was geschehen war. Die Spuren, die Krügers Leiche aufwies, zeugten von dem erbitterten Kampf der kleinen Frau gegen den wahnsinnigen Mann.

»Hätte er die Peitsche erwischt, so hätte ich das Messer geworfen.«

»Das hast du richtig gemacht, mein Schatz.« Light strich ihr das Haar aus der Stirn und küsste sie.

Er war stolz auf sie. Sie hatte sich sofort zu Boden fallen lassen, als er sprach, damit er sein Messer werfen konnte. Aber im Nachhinein zitterte er bei dem Gedanken an die Gefahr, in der sie geschwebt hatte.

Maggie berührte Lights Wange mit den Fingerkuppen. »Ich wusste, dass du kommen würdest«, sagte sie noch einmal.

Nachdem MacMillan sich davon überzeugt hatte, dass es Aee gut ging, hockte er sich neben Light und Maggie hin.

»Ihre kleine Frau versteht, mit dieser Peitsche umzugehen«, sagte MacMillan. »Sie hat ihn in Schach gehalten, bis Sie hier waren. Madame, ich habe noch nie jemanden so schnell laufen sehen wie Ihren Mann. Er ist sofort losgerannt, als er ihre Pfiffe hörte. Einen Augenblick war er da, im nächsten war er fort. Wir wussten, dass etwas nicht in Ordnung war. Wir sind ihm nachgerannt, aber es war, als ob wir eine gesengte Katze verfolgten. Wir konnten ihn nicht einholen. Dann hörten wir Ihr Jodeln. Ich habe noch nie so etwas gehört.«

»Geht es Aee gut?«

»Sie hat eine aufgeplatzte Lippe. Ansonsten scheint sie unverletzt, aber sie wird wütend wie eine Hornisse sein.«

Maggie reckte sich hoch und hielt ihre Lippen ganz dicht an MacMillans Ohr.

»Er hat versucht, ... in Sie ... einzudringen. Aber er hat es nicht geschafft ...«

MacMillan war von ihren offenen Worten überrascht. Dann nickte er.

»Ich danke Gott dafür. Und Ihnen auch, Madame, weil Sie sie gerettet haben.«

# Kapitel 20

»Ich werde nicht weggehen und den Stoff im Waschkessel lassen«, protestierte Aee.

»Zum Teufel mit dem Stoff!« Eli hielt sie am Ellbogen fest und geleitete sie zum Haus zurück. Danach
stand er dabei, als ihre Mutter und ihre Schwestern
sie umringten.

Aee hielt das nasse Tuch weniger zur Linderung
der Schmerzen an ihre Backe als vielmehr, damit
der Schwede und die anderen Männer ihr Gesicht
nicht sahen. Sie hörte zu, wie ihr Vater ihrer Mutter
erzählte, was geschehen war.

»Miz Lightbody pfiff, dann schlug sie ihn mit der
Peitsche. Lightbody hörte das Pfeifen und rannte los
wie eine gesengte Katze. Die kleine Frau hat eine
laute Stimme. Hast du den Lärm gehört, den sie
machte?«

»Es klang wie Odel, Odel, Odel, Pa«, sagte Dee.
»Glaubst du, ich könnte es lernen?«

»Ich wette, das kannst du.« MacMillan zog seine
zweitjüngste Tochter auf seinen Schoß. »Warum bit-
test du Miz Lightbody nicht, dir zu zeigen, wie man
das macht?«

Auf Mrs MacMillans Vorschlag hin gingen Bee
und Cee in Begleitung von Dixon zum Creek, um
den Stoff zu Ende zu waschen. Die Mädchen trauten
sich nicht, allein hinzugehen, nachdem Aee kurz zuvor dort angegriffen worden war. Bodkin blieb auf

dem Anwesen und drehte für Mrs MacMillan, die nach der Geburt ihres Kindes noch schwach war, die Kurbel der Getreidemühle. Dadurch wurde Eli auf einmal bewusst, wie bereitwillig die MacMillans die beiden Männer akzeptiert hatten.

Glaubte Bodkin vielleicht, er habe bei Aee eine Chance, wenn er sich gut mit der Mutter stellte? Eli musste bei der Vorstellung, dass die beiden ein Paar sein könnten, grinsen. MacMillans älteste Tochter brauchte eine stärkere Hand als die von Bodkin, und Eli beschloss, dies MacMillan bei der erstbesten Gelegenheit zu sagen. Aee würde sich bei einem Tölpel wie Bodkin miserabel fühlen.

Bei diesem Gedanken fiel ihm ein, dass er ihn insgeheim immer so genannt hatte. Er musste unwillkürlich lachen und warf einen Blick auf Aee. Auch sie sah ihn an. Ihre Augen begegneten sich, sie schob das Kinn vor und blickte ihn herausfordernd an. Zum Teufel noch mal! Was hatte er bloß getan? Jetzt dachte sie auch noch, er lache über sie!

Den Rest des Tages verbrachten sie fast schweigend.

Die Tatsache, dass Aee und Maggie dem Wahnsinnigen nur um ein Haar entkommen waren, hatte jeden auf dem Anwesen mitgenommen, selbst die kleine Eee. Sie weinte, als sie das Gesicht ihrer Schwester sah. Alle fühlten sich bei dem Gedanken erleichtert, dass der verrückte Deutsche tot war.

»Gott war heute mit uns«, erklärte MacMillan, als er und Paul losgingen, um ein Grab für Krüger auszuheben.

Jeder von ihnen packte einen Arm. So zogen sie den Leichnam zu dem Hügel, wo die anderen Männer vom Fluss begraben waren. Sie waren fast fertig, da kamen Viele Flecken und zwei seiner Krieger angeritten, um mit MacMillan zu sprechen.

»Hallo, Mac.«

»Hallo, Viele Flecken.« Die beiden schüttelten sich die Hände.

»Flussabwärts haben wir ein großes Bumgewehr gefunden.«

»Wie groß?«

»So groß.« Viele Flecken beschrieb mit den Händen einen großen Kreis.

»Eine Kanone?«

»Groß«, sagte er noch einmal, zuckte mit den Schultern und sah auf den Toten hinab. »Wer ihn getötet?«

»Scharfes Messer.«

»Keine Haare«, sagte der Indianer mit Abscheu.

»Ich glaube, er hat es nicht verdient, Haare zu haben.«

»Das stimmt. Wohin ist Scharfes Messer gegangen?«

»Er wollte das Kanu suchen, in dem dieser da gekommen ist.«

»Er wird es finden.« Viele Flecken betrachtete Krügers Leiche mit Ekel. »Skalp ohne Haare! Nichts, um es an den Gürtel zu hängen.«

»Es ist eine Schande«, sagte MacMillan trocken. »Hast du irgendeine Spur von den Delaware gesehen?«

»Delaware gehen diesen Weg.« Viele Flecken zeigte über den Fluss hinweg nach Süden.

»Das ist gut.«

»So viele Kanus kommen.« Er hob zwei Finger hoch. »Drei, vier Tage flussaufwärts.«

»Trapper?«

»Bringen Felle und Bärenfett.«

Nachdem er alles gesagt hatte, was er mitteilen wollte, gab Viele Flecken seinen Kriegern ein Zeichen und ritt mit ihnen davon.

Paul sah ihn wegreiten und fragte dann MacMillan:

»Woher weiß er das?«

MacMillan kratzte sich am Kopf. »Das ist mir zu hoch. Vielleicht liegt es an der Art des Kanus, dass er weiß, dass damit Bärenfett transportiert wird. Wenn der Einbaum gemacht wird, lässt man in der Mitte zwei Zwischenwände stehen. Man gießt Bärenfett in die mittlere Kammer und spannt eine Tierhaut darüber. Bärenfett verkauft sich gut unten in St. Louis.«

Paul warf noch ein paar Schaufeln Erde aus dem Grab heraus, während er die Information verdaute. Als er dachte, dass das Grab tief genug sei, kletterte er heraus.

»Nun ja, ich glaube, jetzt wissen wir, was der große Krach war.« MacMillan steckte die Schaufel in den Haufen Erde neben dem Grab.

»Vegas Boot ist in die Luft geflogen.«

»Glauben Sie, dass Krüger das getan hat?«

»Ich bin mir sicher, dass wir das nicht mehr von ihm erfahren werden, Monsieur.«

»Ich frage mich, wo er das Kanu gelassen hat.«

»Light wird es finden. Er hat Caleb und Maggie mitgenommen.«

»Er wird sie jetzt nicht eine Sekunde aus den Augen lassen. Sie hat mehr Mumm als einige Männer, die ich gekannt habe. Sie hätte davonrennen können, aber sie blieb und kämpfte mit dem Scheißkerl. Sie hat meine Tochter gerettet.«

»Sie ist eine ganz besondere Frau, Monsieur. Ich habe noch nie zwei Menschen gesehen, die so gut zusammenpassten wie sie und Light. Mon Dieu, ist dieser Bastard schwer!«

Nicht allzu sanft hoben Paul und Mac den Leichnam hoch und betteten Krüger in seine letzte Ruhestätte. MacMillan schaute hinab. Krügers tote Augen starrten ihn an. Er war ein Mann, der fern der Heimat ohne jemanden, der um ihn trauerte, in ein einsames Grab gelegt worden war. Aber MacMillan hatte kein Mitleid.

»Öffne deine Tore, oh Hölle, dein Sohn kommt heim.«

»Sehr poetisch.« Paul war von den Worten des Siedlers überrascht.

MacMillan grinste verschmitzt. »Ich habe das irgendwo gelesen.«

Das Grab wurde schnell zugeschaufelt. Als sie fertig waren, holte Paul seine Pfeife und seinen Tabak aus der Tasche, stopfte sich die Pfeife und bot den Beutel MacMillan an.

»Eli denkt, Krüger hat sein Kanu vielleicht mit Sachen vom Boot beladen, bevor er das Boot versenkte.«

»Das hätte ich auch getan.«

»Was halten Sie von meinem Freund Eli, Monsieur?«

»Nun ja … er ist ein launischer Kerl. Ich kann nicht sagen, dass ich etwas gegen ihn habe. Aber ich denke, er hat etwas gegen Lightbody. Die beiden reden nicht viel miteinander.«

»Nichts, was sich nicht erklären ließe ... früher oder später.«

»Ist es die Frau?«

»Es beunruhigt ihn, dass Light sie ganz allein in die Wildnis mitnehmen will.«

»Wenn jemand auf sie aufpassen und für sie sorgen kann, dann ist er es. Ich würde es verabscheuen, derjenige zu sein, der versucht, sie davon abzuhalten, mit ihm zu gehen. Außerdem hat niemand das Recht, zwischen einen Mann und seine Frau zu treten.«

»Eli weiß das. Ich kenne ihn, seit er ein einsames, dünnes Bürschchen war, der für einen Penny, den er seiner Ma gab, auf den Anlegestellen arbeitete. Er wuchs zu einem guten Menschen heran. Er ist ehrlich und hat hart gearbeitet. Ich würde ihm mein Leben anvertrauen – und habe das schon oft getan.«

MacMillan nahm die Pfeife aus dem Mund. »Weshalb singen Sie vor mir solche Loblieder auf ihn, Paul?«

»Tue ich das?« Paul lachte erst leise und beantwortete dann seine Frage. »Wahrscheinlich schon. Eli ist wie ein Sohn ... na ja, mehr wie ein Bruder. Ich bin nicht alt genug, dass ich ihn gezeugt haben könnte.«

»Es liegt auf der Hand, Sie wollen, dass ich gut von ihm denke.«

»Ja. Weil ich glaube, dass er ein bisschen in Ihre Tochter verliebt ist.« Paul blickte zur Seite und zog an seiner Pfeife.

»Aee. Er verschwendet nur seine Zeit. Sie mag ihn nicht.«

»Frauen verhalten sich manchmal so«, sagte Paul,

als ob er über große Erfahrungen mit Frauen verfügen würde.

»Sie mögen jemanden nicht, wenn sie es doch tun?«

»Ich habe fünf Schwestern«, log Paul. »Eine Frau hat manchmal Angst, dass ein Mann ihre Zuneigung nicht erwidern könnte. Deshalb benimmt sie sich dann so, als ob sie ihn nicht ausstehen könnte.«

»Hmm.« MacMillan zog an seiner Pfeife. »Wenn eine meiner Töchter einen Mann nimmt, so wird er derjenige sein, den sie wählt.«

»Seien Sie sicher, Monsieur, dass es ein guter Mann ist. Es sind prima Mädchen.«

Paul und MacMillan fuhren flussabwärts, um etwas über das große Bumgewehr in Erfahrung zu bringen, von dem Viele Flecken gesprochen hatte. Es war nicht schwer, den Ort zu finden. Der Geruch von faulendem Fleisch hätte sie hergeführt, selbst wenn sie nicht die kreisenden Aasgeier und das eiserne Kanonenrohr inmitten der Trümmer gesehen hätten. Paul fragte sich, warum Viele Flecken die Leichen nicht erwähnt hatte.

Sie ließen ihr Kanu auf die Sandbank auffahren und wanderten dort zwischen verkohlten Trümmern herum. Ein kleiner Teil der Bäume und Sträucher entlang dem Flussufer war verbrannt. Die Leichenteile außerhalb der Reichweite des Brandes verursachten den Gestank und lockten die Aasgeier an, die an den Körperteilen bereits herumgehackt hatten.

»Du großer Gott!«, murmelte MacMillan, als sie am Teil eines Schädels mit einigen wenigen blonden Haaren vorbeigingen.

Fische oder Krabben hatten am Teil eines Rumpfes, der halb im Wasser lag, herumgenagt. Eine goldene Uhrkette hing im Knopfloch der Weste. Paul wandte sich ab.

»Wir ... sollten sie begraben, Monsieur.«

»Es wäre anständig, das zu tun. Die Sache ist nur die, dass ich mir nicht sicher bin, ob ich so anständig bin.«

»Wenigstens die Frauen ...«

»Falls wir etwas zum Graben finden.«

Am Nachmittag kehrten Light, Maggie und Caleb mit Krügers Kanu zurück. Caleb hatte angenommen, dass der Deutsche vielleicht flussaufwärts gefahren sei, wo das Ufer hoch war und Felsen über das Wasser ragten. Als sie zu einer Stelle kamen, an der das Schilf heruntergebogen war, machte Light Halt. Das Kanu war gut versteckt.

Caleb paddelte das leichte Kanu aus Birkenrinde zum Anwesen zurück. Es war schwer beladen und lag deshalb tief im Wasser. Light dachte, dass es bei rauem Wetter keinen Tag überstanden hätte. Der Deutsche hatte einen Ballen Tabak, ein Fässchen Whisky und Werkzeuge, mit denen man ein Boot bauen konnte, mitgenommen.

Eli freute sich, dass er die Werkzeuge wiederhatte. Es war schwierig gewesen, jene zu bergen, die Krüger über Bord geworfen hatte, bevor er das Boot versenkte.

Als MacMillan und Paul zurückkehrten, schilderte der Siedler seiner Frau und den älteren Töchtern kurz, was mit Vegas Boot passiert war, und gab dann den Männern einen ausführlicheren Bericht. Die beiden Bootsleute hörten schweigend zu. Sie wussten, dass sie dem Tod auf dem Boot nur knapp entgangen waren. Sie waren dem Mann, der sie aufgenommen hatte, mehr als dankbar. Sie hatten bereits beschlossen, hier zu bleiben und MacMillan beim Bau seines Dorfes zu helfen.

Später einigte man sich darauf, dass die Kanone vielleicht geborgen und zum Anwesen gebracht werden könnte. Die Wahrscheinlichkeit, dass jemand mit ihr flüchtete, war gering.

Light beteiligte sich nicht an der Unterhaltung. Er hatte vor, am nächsten Morgen das Lager der Osage zu besuchen. Danach wollte er mit Maggie eine Stelle aussuchen, wo sie den Winter verbringen würden. Mit Häuten und Fellen, die er von den Osage kaufte, konnte er binnen weniger Tage eine enge, sichere Hütte errichten.

Eli dagegen war sehr an dem interessiert, was Paul und MacMillan über die Explosion zu erzählen hatten, bis er erfuhr, dass nichts übrig geblieben war, das groß genug war, um es für die Reparatur seines Boots zu verwenden. Die schnellste Möglichkeit, Bretter zu bekommen, bestand darin, die Bretter vom Kajütendach zu nehmen und sie durch ein Dach aus Segeltuch zu ersetzen. Und was war dann? Von seiner Ladung waren lediglich einige Werkzeuge, das in MacMillans Höhlen verstaute Schießpulver, die Büchsen, ein Fässchen Whisky und ein Ballen Tabak übrig geblieben. Es genügte nicht, um eine Winterunterkunft in den Bluffs zu bezahlen und Felle zu kaufen, die er im Frühjahr den Fluss hinunter mitnehmen wollte.

Aee kam aus dem Haus und ging zum Brunnen.

Eli stand auf. Er merkte, dass die Unterhaltung ins Stocken geriet und die Männer ihn beobachteten. Er ging zu Aee und nahm ihr das Brunnenseil aus der Hand.

»Lass mich dir helfen.«

»Warum? Ich bin keine verhätschelte Städterin.« Aee hatte das Gesicht von ihm abgewandt.

»Das weiß ich.«

»Ich bin auch keine verheiratete Frau.«

Eli zog den Eimer bis zum Brunnenrand hoch und goss das Wasser in den Eimer, der neben ihr stand. Er sagte nichts, bis er den Schöpfeimer hinuntergelassen und das Seil an die Querstange gebunden hatte. Sogar in der Dämmerung konnte er die Schwellung an der Seite ihres Gesichts sehen.

»Warum haust du ständig in diese Kerbe?«

»Weil Sie Ihre Augen nicht von ihr losreißen können. Deshalb.«

»Hast du Maggie nicht gern? Gottverdammich! Sie hat wie eine Wildkatze gekämpft, um dich vor diesem verrückten Narr zu retten.«

»Natürlich habe ich Maggie gern. Das hier hat nichts mit ihr zu tun.«

»Ich mache mir einfach Sorgen, weil sie mit Lightbody in die Wildnis geht.«

»Das ist doch die Höhe! Light ist ihr Ehemann.«

»Ist er nicht. Er ist ... ihr Gefährte.«

»Was meinen Sie damit?«

»Sie sind nicht verheiratet. Zumindest hat kein Priester oder Friedensrichter sie vermählt.«

»Ist es das, worum es Ihnen geht? Das bedeutet doch rein gar nichts. Ma und Pa haben auch nicht vor einem Geistlichen gestanden. Es gab keinen, der einen Weißen mit einer Indianerin vermählt hätte. Aber Pa liebte sie und wusste, dass sie die Richtige für ihn war. Sie vermählten sich in ihren Herzen. Ich denke, Schwede, Sie haben überhaupt keine Ahnung von dem, was im Herzen einer Frau vor sich geht.«

Aee bückte sich, um den Eimer hochzuheben. Elis Hand legte sich auf ihre, und Aee ließ den Henkel los, als ob er glühend heiß wäre.

»Ich trage ihn bis zur Tür.«

Aee traute sich nicht, noch etwas zu sagen, und ging voran.

Die Begegnung am Brunnen war Pauls Aufmerksamkeit nicht entgangen. Er warf einen Blick auf MacMillan und sah, dass er Aee und Eli beobachtete. Seine Saat war aufgegangen.


Das aus kuppelförmigen Zelten bestehende Lager der Osage war in Aufruhr, als Light ankam. Er war heilfroh, dass er Maggie nicht mitgenommen hatte. Ein Krieger hatte seine Frau mit einem Jüngling unter einer Decke erwischt. Er hatte ihr die Nasenspitze abgeschnitten – die klassische Bestrafung der Osage für Ehebruch. Der Ehemann musste den jungen Krieger so lange schlagen, bis dessen Verwandte oder Freunde mit Geschenken von genug Wert kamen, um den wütenden Mann zu besänftigen.

Der Ehemann verwandte große Sorgfalt auf die Auswahl der Waffe. Der Knüppel aus Chokeberry war schwer genug, um damit schreckliche Hiebe auszuteilen, aber nicht so schwer, dass der Krieger bald davon sterben würde.

Nachdem der Krieger nackt ausgezogen, gefesselt und zu Boden geworfen worden war, begannen die

Prügel. Light, der wusste, dass der junge Krieger totgeschlagen werden würde, wenn niemand eine Entschädigung anbot, erkannte, wie weit er sich von seinem Volk entfernt hatte. Er versuchte, das Klatschen des Knüppels und das Stöhnen nicht zu hören. Obwohl er das Leiden des Jungen nicht sehen wollte, sah er zu. Es wäre nicht gut für das Ansehen von Scharfes Messer, wenn er zimperlich erscheinen würde.

Das Schlagen hörte auf, als ein grauhaariger alter Mann näher kam, der ein scheckiges Pferd führte. Der Ehemann betrachtete es mit Abscheu.

»Großvater, wieso bringst du dieses magere Tier her?«

»Weil es der liebste Besitz des Jungen ist. Er würde lieber sterben, als sich von ihm zu trennen. Ich bringe es her, damit er es ein letztes Mal sehen kann.«

»Stirbt er ohne das Pferd?« Ein listiger Ausdruck erschien auf dem Gesicht des Ehemannes.

»So ist es.« Der alte Mann schlug sich dabei mit der Faust auf die Brust.

»Dann soll er sterben.« Der Ehemann warf den blutigen Knüppel weg, riss dem alten Mann das Seil aus den Händen und ging mit dem Pferd fort.

Der weise alte Großvater kniete hin, schnitt die Fesseln des jungen Kriegers durch und half ihm aufzustehen. Er war benommen, und Blut floss ihm aus dem Mund. Ein junges Mädchen trat aus der Menge und half, den jungen Mann wegzuführen. Die Menge murmelte über das seltsame Ende der Bestrafung.

Häuptling Dunkle Wolke trat vor und hob die Hand. Sofort trat Stille ein.

»Es ist erledigt, Großvater. Nimm ihn mit und sage

ihm, er soll das, was er unter seinem Lendenschurz hat, zügeln.«

Er winkte Light zu und ging dann zum Kreis der kuppelförmigen Zelte. Die Menge folgte ihm und blieb stehen, als sie sich einem Wigwam von enormer Größe näherten.

»Scharfes Messer! Scharfes Messer! Scharfes Messer!«, rief die Menge.

Light hob die Hand als Zeichen der Freundschaft und ging gebückt ins Zelt. Der Häuptling ließ sich auf eine Decke sinken und gab Light ein Zeichen, damit er sich hinsetzte. Dann fing er an, sich seine Pfeife zu stopfen. Er war ein kräftiger Mann Anfang fünfzig. Sein langes Haar mit grauen Strähnen trug er offen. Er war sehr groß und sah mit seinem muskulösem Körper und flachen Bauch viel jünger aus. Seine Augen leuchteten stolz.

»Es ist gut, dass du gekommen bist, Scharfes Messer. Vieles ist darüber gesagt worden, dass du Zet gerettet hast.«

»Es war meine Pflicht als Osage.« Light nahm die Pfeife entgegen, machte einen Zug und gab sie zurück.

»Das stimmt.«

»Ich bin gekommen, um dir mitzuteilen, dass ich bis zum Frühjahr hier bleiben werde.«

»Bleibst du bei Mac?«

»Ich bleibe in seiner Nähe, aber in meinem eigenen Wigwam.«

»Du bist hier willkommen, Scharfes Messer.«

»Ich danke dir, Häuptling Dunkle Wolke, aber meine Frau würde die Osagesitten vielleicht nicht verstehen.«

»Würde sie Ehebruch gutheißen?«

»Nein, aber sie würde auch nicht gutheißen, wenn einer Frau die Nase abgeschnitten oder der Krieger geschlagen wird. Ihr weißes Blut ist schuld.«

Der Häuptling zuckte die Schultern. »Es ist ohne Bedeutung, dass Singender Vogel das nicht billigt.«

Light war klug genug, nicht zu widersprechen. »Ich will meine Reise zu den Bergen im Frühjahr fortsetzen. Ich bin gekommen, Häuptling Dunkle Wolke, um Felle zum Bedecken meines Wigwams zu kaufen. Ich habe Münzen des weißen Mannes zum Bezahlen.«

»Wir brauchen keine Münzen des weißen Mannes.«

»Es ist alles, was ich habe.«

»Deinetwegen haben wir Zet. Du bekommst die Felle, die du brauchst, um dein Wigwam zu bauen.«

»Es ist gut, ein Osage zu sein.« Light zog wieder an der Pfeife. »Wenn ich jage, werde ich Fleisch zu deinem Wigwam bringen. Sollten deine Feinde kommen, so werde ich hier sein, um mit dir zusammen zu kämpfen.«

Der Häuptling nickte.

# Kapitel 21

Light wählte für sein Wigwam eine Stelle inmitten eines Kiefernbestandes aus. Sie würde windgeschützt sein und befand sich nahe dem Creek, der zum Missouri floss.

Viele Flecken und seine Krieger kamen nach Lights Besuch im Osagelager angeritten und brachten nicht nur Felle und Häute mit, sondern auch die Weidenstangen, die für das Gerüst des Wigwams gebraucht wurden. Die Stangen wurden senkrecht in den Boden gerammt und dann gebogen, so dass sie oben zusammengebunden werden konnten. Die kleineren Stangen befanden sich am Rand, die längeren mehr in der Mitte. Die vertikalen Stangen wurden dann mit zahlreichen horizontalen Gerten verbunden, und der kuppelförmige Bau nahm Gestalt an. An der Spitze wurde ein Loch freigelassen, damit der Rauch abziehen konnte, und das Gerüst wurde mit Matten und Fellen bedeckt. In die Mitte wurden Steine für eine Feuerstelle gelegt, und auf dem Boden wurden Felle ausgebreitet.

In weniger als zwei Tagen war das Wigwam fertig.

Eli beobachtete mit Interesse, wie Lights Winterbehausung entstand. Er und Paul waren in der Kajüte auf dem Boot geblieben. Sie diente als Unterschlupf, hielt aber kaum die Kälte ab. Eli und Paul hatten darüber gesprochen, ein Kanu zu nehmen und mit den Trappern, die vor einigen Tagen Zwischenstation gemacht hatten, flussabwärts zu fahren.

Die beiden Männer waren zu dem Schluss gelangt, dass sich alles, was sie in der Welt besaßen, hier befand und dass sie solange bleiben würden, bis ihr Flachboot repariert war.

Die Arbeit an dem Flachboot musste ruhen, bis die Planken für das Deck aus den Eichen gehauen werden konnten, die MacMillan vor einem Jahr gefällt hatte. Sie konnten kein grünes Holz für das Deck verwenden, da es beim Trocknen schrumpfen würde. Die zermürbende Arbeit an den Eichenstämmen war für kälteres Wetter besser geeignet als für den jetzigen warmen Herbst.

Bodkin und Dixon hatten beschlossen, ihr Glück bei MacMillan zu suchen und die ersten Einwohner seines Dorfes zu werden. Eli war überzeugt, dass die beiden älteren Töchter des Siedlers eine Menge mit dieser Entscheidung zu tun hatten.

Die Arbeit an einer Hütte für die beiden Männer hatte begonnen. Sie sollte in der Pfahlbauweise errichtet werden. Eli, Caleb und Paul fällten Bäume, entasteten sie und verwendeten die Ochsen, um die Stämme zum Anwesen zu schleppen. Unter MacMillans Anleitung wurden sie auf die richtige Länge geschnitten und senkrecht in einen Graben gesetzt. Es wurde von Sonnenaufgang bis zum Anbruch der Dunkelheit gearbeitet, und die Hütte nahm rasch Gestalt an.

Der Herbst war auch für die Frauen eine arbeitsreiche Jahreszeit. Kürbisse wurden geerntet. Manche wurden getrocknet, andere im Vorratskeller gelagert. Bohnen wurden enthülst und Maiskolben entliescht. Die Maiskörner, aus denen kein Maisbrei gekocht wurde, wurden zu Maismehl gemahlen oder in Säcke gefüllt, die an die Dachbalken gehängt wurden. Ein Teil des Fleisches wurde in den Rauch gehängt, ein anderer eingesalzen. Walnüsse und Pekannüsse wurden von den jüngeren Kindern gesammelt.

Maggie war nicht nur über ihr erstes eigenes Zuhause entzückt, sondern auch darüber, dass sie den Winter über in der Nähe der MacMillans sein würden. Wenn Light seine junge Frau beobachtete, war er den MacMillan-Frauen dankbar für ihre Geduld. Maggie war in Bezug auf das Haltbarmachen von Nahrungsmitteln für den Winter und andere Hausfrauenpflichten unerfahrener als das jüngste Kind der MacMillans. Mrs MacMillan sah das und arbeitete oft mit ihr zusammen oder gab ihr Aufträge, die sie mit den älteren Mädchen zusammen erledigen konnte.

Maggie war eine bereitwillige Helferin, aber gelegentlich rannte sie weg, um nach Light zu schauen. Sobald sie ihn fand, warf sie sich ihm in die Arme und gab ihm einen lauten Schmatz, als ob sie sich nur vergewissern musste, dass er da war und es ihm gut ging.

Mitte November fielen ein paar Schneeflocken. Die erste in der Pfahlbauweise errichtete Hütte war fertig. Der Lehm in den Fugen der aus Steinen errichteten Feuerstelle war inzwischen getrocknet, so dass ein Feuer angezündet werden konnte. Linus fertigte einen Tisch, Bänke und Borde für die neuen Besitzer und erntete viel Lob. Kojen wurden an die Wand gestellt, und eine dünn geschabte Haut wurde über das Fenster gespannt, damit etwas Licht in die Hütte fiel. Obwohl sie klein war, war es in ihr gemütlich.

MacMillan schlug vor, in einiger Entfernung von Bodkins und Dixons Hütte eine weitere zu bauen, und die Arbeit begann. Paul und Eli konnten sie in diesem Winter nutzen, und später, sollten sie nicht bleiben, konnte sie Teil eines Anwesens für einen anderen Siedler werden. Eli hatte nicht zugesagt, sich für immer hier niederzulassen. Er sprach davon, dass er im Frühjahr flussabwärts fahren wollte, um zu versuchen, seinen Verlust wettzumachen. Trotzdem hatte Paul den Eindruck, dass er jetzt zufriedener war als vorher. Er und Aee stritten sich nicht mehr so oft, aber zwischen ihm und Light herrschte noch immer eine frostige Atmosphäre. Sie gingen sich so viel wie möglich aus dem Weg.

Die beiden Bootsleute sowie Paul und Eli aßen noch immer an MacMillans Tisch. Die Arbeit, die sie im Winter leisten würden, wäre, so versicherte MacMillan, mehr wert als das, was sie verzehrten. Die Familie genoss die Abende. Die jüngeren Kinder hatten Paul ins Herz geschlossen, und die kleine Eee kletterte oft auf seinen Schoß. Die Männer saßen vor der Feuerstelle und spannen Garn, während die Frauen nach dem Mahl aufwuschen. Sie alle vermissten Zet. Viele Flecken hatte ihn zu den Osage zurückgebracht.

Aee ignorierte Eli weiterhin und hatte es bislang geschafft, nicht mit ihm allein zu sein. Sie wusste jedes Mal, wenn er sie anschaute, ließ sich aber nicht ein einziges Mal ertappen, wenn sie ihn ansah. Ihre großen braunen Augen glitten über ihn hinweg, als ob er eine Fliege an der Wand wäre.

Bodkin wollte ihr den Hof machen. Alle in der Familie wussten das, und sie wurde deswegen oft gehänselt. Aber obwohl er reinlich und im Vergleich zu Eli angenehm war, war er schwerfällig und langweilig. Wenn Eli sie beobachtete, schenkte sie dem jungen Bodkin manchmal absichtlich ihre Aufmerksamkeit. Dieser lächelte dann glücklich, und Eli verhielt sich kühl. Paul sah das alles.

Eines Abends hatte Aee das Gefühl, dass sie unter Elis aufmerksamen Blicken nicht mehr ruhig sitzen konnte. Sie warf sich ihren Schal um die Schultern, nahm den Wassereimer und ging hinaus zum Brunnen. Die Nacht war klar und kalt, und die Sterne schienen hell. Sie atmete die frostige, nach Kiefern duftende Luft.

Am Brunnen ließ sie den Schöpfeimer hinab und wartete, bis er auf das Wasser aufschlug. Plötzlich nahm ihr jemand über ihre Schulter hinweg das Seil aus der Hand. Aee sprang zurück und stieß einen kleinen Angstschrei aus.

»Ich habe dich erschreckt, nicht wahr?« Es war die Stimme des Schweden.

»Sie sind mir nachgeschlichen!«

»Du bist mir in letzter Zeit aus dem Weg gegangen, als ob ich die Pest hätte. Dies ist der einzige Ort, wo ich dich allein erwische. Und ... ich bin nicht geschlichen.«

»Wie bezeichnen Sie das dann?«, fragte sie. »Sie sind gewiss nicht wie eine Büffelherde hinter mir hergekommen.«

»Ich hätte ein Delaware sein können. Du solltest nicht allein hier herauskommen.«

»Warum nicht?«

»Du weißt, warum. Hast du etwa gehofft, der arme, liebeskranke Bodkin würde dir folgen und du könntest im Dunkeln ein paar Minuten mit ihm allein sein?«

»Linton Bodkin?«

»Er ist der einzige Bodkin hier«, bemerkte Eli trocken.

»Tja ... selbst wenn ich das gehofft habe. Es geht Sie überhaupt nichts an.« Aees Herz schlug so wild, dass sie atemlos war.

»Er ist nichts für dich«, sagte er schroff.

»Ich habe nie ...« Sie kam ins Stottern.

»Bedenke, was ich sage, Aee. Hör auf, ihn an der Nase herumzuführen. Er ist ein anständiger Kerl. Es ist nicht fair, ihn in dem Glauben zu lassen, er hätte bei dir eine Chance.«

»Ihn ... an der Nase ... herumführen? Woher wissen Sie, dass er keine Chance hat?«

»Du stotterst, Aee.« Eli lachte leise und dachte bei sich, dass sie sonst immer eine schlagfertige Antwort parat hatte.

»Ich ... ich könnte Ihnen eine runterhauen!«

»Wenn du das tust, bekommst du eine Ohrfeige zurück. Wenn ich es mir recht überlege, würde ich dich allerdings lieber küssen.« Er goss das Wasser in den Eimer, der neben ihr stand, stellte den Blecheimer mit Schwung beiseite und band das Seil fest. »Komm schon. Dein Pa weiß, dass ich mit dir herausgegangen bin. Ich will nicht, dass er mir gleich mit seinem Gewehr hinterherkommt.« Er nahm den

Eimer. »Komm schon«, sagte er noch einmal, da sie wie angewurzelt dastand. »Oder möchtest du lieber mit mir im Dunkeln allein sein?«

»Ich möchte lieber ... mit einem Stinktier hier im Dunkeln sein.«

Er lachte.

»Lachen Sie nicht über mich, Sie ... Sie dummer Kerl!« Mit feuerrotem Gesicht ging sie zum Haus.

Er lachte wieder. »Bist du noch nie geküsst worden, Aee?«

»Nein!«, fauchte sie.

»Ich werde dich eines Tages küssen ... bald«, sagte er, als sie das Haus erreichten.

Aee stieß die Tür auf, stürzte hinein und zog sich in die äußerste Ecke der Stube zurück. Sie tat geschäftig, indem sie den Schal auf den Haken hängte.

Eli, der ein Grinsen nicht unterdrücken konnte, folgte ihr. Jeder in der Stube beäugte die beiden, als sie eintraten. Eli stellte den Wassereimer auf den Ständer.

»Ich denke, ich werde mich jetzt hinlegen. Danke für das Abendessen, Mrs MacMillan.«

Eli lächelte noch immer, als er hinausging und das Zimmer im Anbau betrat, wo er und Paul schliefen, während sie ihre eigene Hütte bauten.

Light und Maggie bereiteten ihre Mahlzeiten in ihrem Wigwam. Light hängte Wild, Truthahn, Gans und Waschbär in MacMillans Räucherkammer. Es bestand kein Mangel an Fisch, Nüssen und Wurzelgemüse. Die Tage waren zu dieser Jahreszeit kurz. Light und Maggie verbrachten viele Stunden unter ihren warmen Decken, liebten sich und schmiedeten Pläne für die Zukunft.

Es war eine ideale Zeit für Maggie.

»Wird unser Zuhause auf unserem Berg genauso sein?«, fragte sie eines Nachts. Eng an Light geschmiegt, konnte sie kaum seine Gesichtszüge im roten Schein des Feuers in der Mitte ihres Wigwams erkennen.

»Besser, mein Liebling, weil es unser eigenes sein wird. Wir werden ein Haus mit festem Fußboden haben. Wir werden unsere eigene Räucherkammer und einen Korral für unsere Pferde haben. Du wirst einen Vorratskeller und einen Brunnen und ... einen Abort haben.«

»Einen Abort?«

»Einen Abort, mon amour. Meine Frau wird sich nicht im Wald hinhocken müssen. Im Winter werde ich Fallen stellen, und wir werden die Felle zur Handelsniederlassung bringen.«

»Ist denn dort eine, Light?«

»Es wird eine geben. Die Leute ziehen westwärts.«

»Vielleicht werden Eli und Aee mit uns kommen?«

Light schwieg einen Moment. »Warum sagst du das, chérie?«

»Sie hat ihn gern. Sie errötet, wenn er sie ansieht.«

»Sie spricht mit Bodkin.«

»Um Eli zu ärgern. Er verhält sich nicht so, aber er hat sie gern.«

Light rollte sie auf den Rücken und blickte ihr in die Augen. »Ich nehme an, auch das weißt du einfach so.«

»Ja. Ich wünschte, du und Eli würdet euch mögen, Light. Er macht sich Gedanken über dich.«

»Hat er das gesagt, Waldfee?«

»Nein. Aber er sieht dich ... merkwürdig an.«

Light rollte sich mit ihr zusammen auf den Rücken. Die Intuition dieses kleinen, wunderbaren Geschöpfs setzte ihn immer wieder in Erstaunen. Der Schwede richtete selten ein Wort an ihn, hörte aber immer aufmerksam zu, wenn er mit jemandem sprach. Eine Weile hatte es den Anschein gehabt, dass Maggie ihr Streitpunkt war. Light war sich sicher, dass der Schwede sie begehrte. Er interessierte sich auch jetzt noch für sie, aber nun war es ein anderes Interesse. Light wusste das instinktiv, konnte es aber nicht genau erklären.

»Ich habe heute ein Bad im Waschtrog genommen«, flüsterte Maggie, als ob es eine Neuigkeit von kolossaler Wichtigkeit wäre.

»Das habe ich gemerkt. Du riechst nach Seife.«

»Wir stellten den Trog ins Schlafzimmer der Mädchen und begannen mit dem kleinsten.« Maggie kicherte. »Nach Eee und Dee war ich an der Reihe, weil Cee größer ist als ich.« Maggie kicherte noch einmal. »Noah Dixon liebt Bee. Hast du das gewusst, Light?«

»Ich habe es vermutet, Liebling.«

»Wirst du mich heute Nacht noch einmal lieben, Light?« Maggie legte sich auf seine Brust, damit sie sein Gesicht küssen konnte.

»Willst du das denn?«

»Ja.«

Er rollte wieder mit ihr herum, wobei er sie mit Armen und Beinen umklammert hielt.

»Ho! Ho! Ich habe eine kleine Füchsin zur Frau.«

»Ist ... das ... gut?«, murmelte sie zwischen Küssen.

»Es ist sehr, sehr, sehr gut für deinen Mann, mon amour.«

Weil Light sich besser aufs Jagen als aufs Zimmern verstand, wurde er zum Jäger bestimmt. Es war eine Menge Fleisch nötig, um fünfzehn Personen zu ernähren, und er hatte sein Versprechen nicht vergessen, Fleisch zum Osagelager zu bringen. Während die anderen an der Hütte arbeiteten, ging er jeden Tag mit Flinte, Bogen und Köcher in den Wald. In den ersten Wochen nach Fertigstellung seines Wigwams jagte er im Gebiet fünf Meilen östlich der Siedlung und überließ den Norden und Westen den Osage.

Eines Morgens paddelte Light mit einem Kanu den Creek zum Fluss hinab. Der Missouri beschrieb dort den großen Bogen nach Norden und verlief dann über fünfzehnhundert Meilen nordwärts bis zu den fernen Städten der Mandan-Indianer, über die Meriwether Lewis in seinem Tagebuch geschrieben hatte. Hier begann sich auch der Charakter des an den Fluss grenzenden Waldes allmählich zu ändern. Große Flecken unbewaldeter Prärie wurden häufiger, besonders an der Südseite des Flusses.

Als er den Fluss überquerte, fuhr er ganz nahe am südlichen Ufer entlang, wobei er um die Weiden herum paddelte, die vom Ufer über den Fluss ragten. Plötzlich stieß er sein Paddel in den schlammigen Grund, damit das Kanu sich nicht weiter bewegte.

Über ihm stand in einer Entfernung von kaum fünfzehn Metern ein riesiger Büffelbulle am Ufer.

Er rieb seinen Rücken am niedrigen Ast eines Pekanbaumes. Light zog das Paddel aus dem Schlamm und ließ das Kanu zu den Weiden treiben. Er zog es ans Ufer, machte es fest und kletterte zum grasbewachsenen Gebiet darüber hinauf. Er wusste, dass er zwei oder vielleicht drei Fahrten mit dem Kanu würde unternehmen müssen, um das Fleisch über den Fluss zu transportieren, und dass die Aasgeier sich in dem Moment, wo er außer Sicht war, über die zurückgelassene Beute hermachen würden. Trotzdem beschloss er, zu versuchen, den Büffel zu erlegen. Light erreichte die obere Kante des Ufers und lugte durch einen Saum von Stachelbeersträuchern. Ihm stockte der Atem.

Etwa ein halbes Hundert Büffel weidete friedlich im flachen Tal. Es war eine kleine Herde. Die großen Leiber der Tiere, die noch nicht ihr dichtes Winterfell hatten, hoben sich deutlich vom noch grünen Gras der Weide ab. Einige Büffel lagen auf der Erde und käuten zufrieden wieder. Junge Kälber mit rötlichem, weichem, gewelltem Fell versetzten sich gegenseitig spielerisch Stöße mit den Hörnern. Einige ältere Tiere standen ruhig da, während Zecken pickende Vögel auf ihrem Rücken auf und ab liefen. Mehrere Tiere befanden sich in einer Entfernung von weniger als einhundert Metern, also in Reichweite von Lights langem Gewehr.

Er wollte sich schon erheben und ein Tier ins Visier nehmen, als die Vögel plötzlich aufflogen. Die Büffelherde, die mit der Nase zum Wind stand, achtete nicht auf das, was die Vögel beunruhigt hatte. Light war sofort auf der Hut. Er suchte sorgfältig mit den Augen den Waldrand hinter den Tieren ab und entdeckte eine Kette von Delaware, die langsam auf die Herde zukrochen.

Light zählte zwanzig mit Bogen und Jagdspeeren bewaffnete Krieger und beschloss, dass er die Gegend besser verlassen sollte, solange sich ihre Aufmerksamkeit auf die Jagd konzentrierte. Er schlich vorsichtig zurück, bis er das Ufer erreichte. Dann glitt er die Böschung zum Kanu hinab. Viele Flecken hatte berichtet, dass die Delaware nach Süden gezogen waren. Das hatten sie getan, aber genau auf der anderen Seite des Flusses eine Meile von der Siedlung entfernt Halt gemacht.

Als er die ersten Schreie der Indianer und das Stampfen der Hufe der aufgeschreckten Herde vernahm, stieß er das Kanu ab und paddelte wie wild zum gegenüberliegenden Ufer.

Mehrere Tage lang beobachtete Light durch sein Fernrohr das andere Ufer des Flusses. Als er nach Sichtung der Delaware zurückgekehrt war, hatte er Maggie befohlen, bei den MacMillans zu bleiben, wann immer er fort war, und hatte den Männern, die Bäume für die neue Hütte fällten, gesagt, sie sollten, wenn sie in den Wald gingen, gut bewaffnet sein.

Eines Morgens, als sich der dichte Nebel über dem Fluss gelichtet hatte und Maggie zu den MacMillans gegangen war, trottete Light den Pfad zum Fluss hinab und blieb oft stehen, um zu lauschen. Er wandte sein Ohr nach Norden und vernahm den leisen Klang der Äxte, als die Männer Bäume fällten. Er setzte seinen Weg nach Osten fort, bis er zu der Sandbank kam, wo Ramon de la Vegas Boot in die

Luft geflogen war. Die Kanone lag halb versunken im Sand. Die meisten Trümmer waren weggeschwemmt worden, als der Fluss auf Grund von Regenfällen im Norden angestiegen war.

Light, vorsichtig wie immer, kauerte hinter den jetzt flammend roten Sumachbüschen, die diesen Flussabschnitt säumten, und beobachtete aufmerksam die vor ihm liegende Gegend, bevor er die Sandbank betrat. Zuerst blickte er flussaufwärts, um zu sehen, ob ein Boot in Ufernähe den Fluss herabgekommen war. Flussabwärts entdeckte er inmitten des Schilfes, das in Ufernähe wuchs, ein Kanu. Das aus Birkenrinde gefertigte Boot, das am Ufer festgemacht war, tanzte auf dem Wasser auf und ab.

Als Light am Ufer entlangging, fand er eine Stelle, von der aus er in das Kanu hineinsehen konnte. Es war ein Boot der Delaware, und er zählte vier Paddel. Das bedeutete, dass bis zu vier Indianer die Gegend durchstreiften. Die Spuren führten in den Wald. Sie ließen sich leicht verfolgen. Mit erhobenem Kopf und die Gegend links und rechts aufmerksam beobachtend, eilte Light den Pfad entlang. Er wusste, wohin die Indianer unterwegs waren.

Die Arbeit an der Hütte, in der Paul und Eli wohnen wollten, war so weit fortgeschritten, dass längere Balken für das Dach benötigt wurden. Caleb führte sie zu einer Stelle, wo hohe, gerade Kiefern wuchsen. Sie befand sich oberhalb des Anwesens in gut einer Meile Entfernung. Heute wollten sie die Bäume fällen und entasten und morgen die Ochsen herbringen, um die Stämme zum Anwesen zu schleppen.

Es war ein kühler, feuchter Tag, und die Arbeit

ging gut voran. Eli begann den Wald mit seinen natürlichen Reichtümern immer mehr zu schätzen. Er hatte stets gern körperlich gearbeitet, vor allem dann, wenn Paul dabei war, der stark wie ein Bulle war und auch gern mit ihm wetteiferte. Sie forderten sich oft gegenseitig heraus, angefangen vom Armdrücken bis zum Wettspucken.

Bis Mittag waren ein Dutzend Bäume gefällt, und Paul zog Caleb mitleidlos auf, weil er mit dem Entasten nicht hinterherkam. Aee hatte ihnen Fleisch und Brot geschickt. Sie setzten sich auf einen Baumstamm, um zu essen. Nun zogen Paul und Caleb gemeinsam Eli wegen des guten Essens auf, das sie nur ihm verdankten.

»Caleb, ist es nicht gut für uns, dass eine Frau in unseren Freund verliebt ist?«

Nachdem sie gegessen hatten, nahmen sie sich die Zeit, ihre Werkzeuge an einem Wetzstein zu schärfen. Bevor sie wieder zu arbeiten begannen, kontrollierte Paul die Ladungen in den Büchsen, und Eli prüfte die Pistole, die in seinem Gürtel steckte.

Caleb lachte. »Die Delaware werden nicht ruhig dastehen und zulassen, dass Sie sie mit dem kleinen Ding da totschießen, Mista Eli. Sie werden erst merken, dass sie da sind, wenn Sie zu bluten anfangen.«

»Light hat das Ufer mit seinem Fernrohr abgesucht und keine mehr gesehen. Er hat gesagt, dass die Einzigen, die er gesehen hat, auf Büffeljagd waren.« Paul lehnte seine Büchse an den Baumstamm, auf dem sie gesessen hatten, und ergriff seine Axt.

»Einer kann dich genauso schnell töten wie einhundert von ihnen.« Er klopfte auf den Griff seiner Pistole. »Aus diesem Grund habe ich das bei mir.«

Eli und Paul wählten eine hohe, gerade gewachsene Kiefer aus, und das Klingen der Äxte war das Einzige, was zu hören war, bis Caleb anfing, eines seiner Klagelieder zu singen.

»Weiß nicht, wohin ich gehe,
Nach meinem Tod –
Bin eine arme Seele
Im tiefen Grab, wo ich liege.«

»Caleb, kannst du nicht mal von etwas anderem singen als vom Sterben?« Eli richtete sich auf und blickte ihn über die Schulter an.

Sssst. Der Pfeil schien von nirgendwo zu kommen. Er sauste an Elis Wange vorbei und blieb im Stamm des Baumes stecken, den er und Paul gerade gefällt hatten. Eli zog blitzschnell die Pistole und wirbelte herum. Aus einem Gebüsch in nördlicher Richtung wurde der Lauf einer Büchse vorgeschoben. Eli hob die Pistole, zielte und schoss. Der blitzende Lauf bewegte sich ruckartig nach oben und fiel dann nieder.

Eli ließ die Pistole fallen und sprang zu seiner Büchse. Bevor er sie erreichen konnte, durchbohrte Calebs Pfeil die Brust eines Indianers, der hinter einem Baum hervorgetreten war, um zu schießen. Nach dem lauten Schuss aus Pauls Büchse drang ein gellender Schrei aus den Chokeberrybüschen.

Caleb hatte die Lichtung überquert, bevor Eli seine Gedanken zusammennehmen konnte. Ein dumpfes Geräusch war zu hören. Paul und Eli krochen hinter einen Baumstamm und warteten. Waren es mehr als drei? Brauchte Caleb Hilfe?

Es herrschte völlige Stille.

Mehrere bange Minuten vergingen, bevor Caleb zurückkehrte. Er zog einen toten Delaware an den Haaren des blutigen Kopfes hinter sich her. Er ließ den Mann neben der Leiche mit dem Pfeil in der Brust fallen.

»Das sind alle.«

»Es waren drei Teufel. Einen von ihnen habe ich mit der Pistole getroffen. Er liegt dort im Gebüsch.«

»Mon Dieu, das ist schnell gegangen«, rief Paul.

»Sie sind schnell wie eine Schlange, die Delaware.« Caleb stieß den, den er getötet hatte, mit dem Fuß an. Dann bückte er sich und zog mit einem Ruck den Pfeil heraus. »Er ist gut. Es wäre schade, ihn wegzuwerfen.«

»Sei vorsichtig, Paul. Er ist vielleicht noch nicht tot«, rief Eli, als Paul mit vorgehaltener Büchse zu dem Gebüsch ging, wo Eli den Indianer erschossen hatte. Den Blick auf das Gebüsch gerichtet, blieb er stehen und hob die Büchse auf.

»Mon Dieu! Mon Dieu! Eli! Du ... hast ... Light getötet!«

## Kapitel 22

Du hast Light getötet.

Eli konnte nicht glauben, was er gehört hatte. Der Hals war ihm wie zugeschnürt, sein Herz stockte, er stand wie angewurzelt.

Caleb ging an ihm vorbei, und Eli folgte ihm irgendwie. Paul kniete neben der reglosen Gestalt. Blut breitete sich auf Lights wildledernem Hemd aus. Der Kopf hing schlaff herunter. Er sah jung und klein aus, wie etwas, was zu nichts mehr taugte und weggeworfen worden war. Der Lederbeutel, den er immer bei sich trug, lag hinter ihm im Laub.

Das Pochen seines Herzens und das würgende Gefühl im Hals machten es Eli unmöglich zu sprechen. Langsam begann er sich zu erinnern, was vorgefallen war. Er hatte sich aufgerichtet und Caleb eine Sekunde lang angesehen, bevor der Pfeil, der für ihn bestimmt gewesen war, den Baumstamm traf. Er hatte gesehen, wie jemand die Büchse aus dem dornigen Gebüsch vorschob. Er hatte seine Pistole gezogen und geschossen.

Er hatte Baptiste Lightbody getötet. Noch nie in seinem ganzen Leben hatte er eine so tiefe Verzweiflung empfunden. »Er darf nicht tot sein! Er darf nicht tot sein! Ich werde ihm nie sagen können –«

»Er ist nicht tot.«

Es dauerte Sekunden, bis Calebs Worte in Elis Bewusstsein drangen. Er wurde beiseite geschoben, als sich der große Schwarze auf die Knie fallen ließ und Lights Messer aus der Scheide zog. Er schlitzte das wildlederne Hemd des Scouts vom Hals bis zur Taille auf.

»Ich spüre keinen Herzschlag«, sagte Paul, der versuchte, den Puls an Lights Hals zu fühlen.

Caleb legte ein Ohr an Lights Brust. »Er ist nicht tot«, behauptete er. »Dieses Loch würde ihn nicht so schnell töten.« Er zeigte auf die Stelle in Lights Brust, wo die Kugel eingedrungen war. Caleb hob Lights Kopf. Der Hinterkopf war voller Blut.

»Er ist mit dem Kopf auf diesen großen Stein geschlagen. Das könnte ihn das Leben kosten.«

»Er ist nicht tot?«, flüsterte Eli heiser.

»Fast. Er verliert Blut. Er kann bald sterben.«

»Stoppt das Blut!« Eli zog sich das Hemd über den Kopf und schnitt mit seinem Messer ein Loch in den Ärmel. Er riss den Ärmel vom Hemd und gab ihn Caleb. Das übrige Hemd reichte er Paul. »Ich schwöre, ich habe nicht gewusst –« Eli rang die Hände und wiegte sich hin und her. »Allmächtiger Gott! Was habe ich nur getan?«

»Wir müssen ihn zu Madame bringen.« Nachdem Lights Kopf mit dem Ärmel umwickelt war, banden Paul und Caleb das Hemd so fest wie möglich um Lights Brust.

Paul warf einen Blick auf das aschfahle Gesicht seines Freundes. Er hatte ihn noch nie so erschüttert gesehen, nicht einmal, nachdem es ihm beim Einsturz eines Lagerhauses in Evansville nicht gelungen war, drei kleine Kinder zu retten. Er hatte danach monatelang Alpträume gehabt.

»Wir können eine Trage machen.«

»Keine Zeit. Ich werde ihn tragen«, sagte Caleb in bestimmtem Ton.

»Nimm die Büchsen, Eli!« – »Eli!«, wiederholte Paul, als sein Freund weiterhin Lights regloses Gesicht anstarrte. »Nimm die Büchsen.« Eli blickte Paul geistesabwesend an.

»Was wird Maggie sagen?«

»Ich nehme die Werkzeuge. Wenn Caleb Light tragen kann, können wir alles Übrige tragen. Eli!« Paul schüttelte seinen Freund am Arm. »Los, Eli.«

Es war die längste Meile, die Eli je gegangen war. Drei Mal bot er an, Caleb abzulösen, aber jedes Mal schüttelte dieser den Kopf. Nach der dritten Ablehnung war Eli überzeugt, dass Light gestorben war und dass Caleb seine Schuldgefühle nicht noch dadurch steigern wollte, dass er ihn den Leichnam des Mannes, den er getötet hatte, tragen ließ.

Bevor sie das Anwesen erreichten, lief Paul voraus, um mit MacMillan zu sprechen. Die beiden Männer gingen zum Haus. Als Caleb und Eli den Hof erreichten, warteten MacMillan und seine Frau schon an der Tür zur Krankenstube. Sie traten zur Seite, und Caleb trug Light hinein.

»Wo ist Maggie?«, fragte Eli mit versteinertem Gesicht.

»Ich habe sie zusammen mit Bee in den Vorratskeller gehen sehen, aber –«

Eli stellte die Büchsen auf die Bank neben der Tür und ging weg. Maggie und Bee kamen aus dem Keller, ehe er ihn erreichte. Maggie rannte ihm quer über den Hof entgegen.

»Eli! Wo ist Ihr Hemd? Es ist doch nicht mehr Sommer.«

Sie trug ihre Lederhosen und eine alte Wolljacke. Er hatte sie noch nie so schön gesehen. Ihre Augen strahlten, die Wangen waren rosig, und ihr roter Mund lachte.

»Maggie, kommen Sie.«

»Sie werden sich noch den Tod holen. Warum schwitzen Sie, Eli?«

»Maggie, es hat ... einen Unfall gegeben.«

»Haben Sie sich verletzt?« Als er nicht antwortete, packte Maggie Elis Arm. »Wer ist verletzt, Eli?« Sie blickte ihn mit großen, erschrockenen Augen an. »Wer?« Ihr Mund formte das Wort.

»Light.«

»Schwer?«

»Ich ... fürchte ja. Miz Mac –«

»Nein!« Sie schüttelte heftig den Kopf. »Light ist nicht ... verletzt.«

»Auf ihn ... wurde ... geschossen.«

»Light ist nicht verletzt! Sie lügen, Eli. Sie sind ein Lügner! Sie sind ein Lügner!«, schrie sie. »Light geht es gut!« Sie drehte sich um und rannte los. Sie rannte, bis Paul sie an der Tür zur Krankenstube festhielt. »Lassen Sie mich los.« Ihre geballte Faust traf sein Gesicht.

»Hören Sie auf, chérie. Madame wird ihm helfen.« Paul packte ihre Schultern.

Maggie entwand sich ihm und stürmte in die Stube. Aee und ihre Mutter beugten sich gerade über die reglose Gestalt auf dem Bett. Maggie sah das Blut auf der Brust ihres Geliebten und den blutigen Lappen um seinen Kopf. Tief aus ihrem Innern kam ein leiser, gequälter Schmerzensschrei. Es war der herzzerreißendste Laut, den alle Anwesenden je gehört hatten.

Vor der Tür hielt sich Eli die Ohren zu.

»Ich schwöre bei Gott, Paul. Ich wusste nicht, dass er es war.« Eli blickte Paul flehend an, damit er ihm glaubte. »Das Einzige, was ich sah, war der Lauf einer Büchse. Nun weiß ich, dass er auf den Indianer schießen wollte – auf den, den du erschossen hast. Aber zu diesem Zeitpunkt schien es, als ob ... er einer von ihnen war.«

Paul legte eine Hand auf Elis Schulter. »Es war ein Unfall. Niemand wird dir die Schuld geben.«

»Maggie wird es tun.«

»Wir müssen warten, mon ami. Light wird vielleicht nicht sterben. Er ist nicht groß, aber zäh und stark.«

»Du hattest Recht. Ich hätte nicht kommen und ihn suchen sollen. Ich wollte ihn sehen ... um ihn zu hassen. Ich hätte nie gedacht, dass ich ihn mögen würde.«

Maggies leise Klagelaute drangen weiterhin nach draußen. Sie schnitten Eli tief ins Herz. Er ging weg und stand in der kalten, feuchten Luft. Er hatte seinen Blick auf den Wald gerichtet und fühlte sich elend. Nach einer Weile wurde etwas Warmes um seine Schultern gelegt.

»Wollen Sie sich den Tod holen?« Aee stand vor ihm.

»Wie geht es ihm?«

»Ich weiß nicht. Die Kugel ist durch ihn hindurchgegangen, so dass Mama sie nicht in der Wunde suchen musste. Sie hat Stofffetzen herausgeholt. Caleb hat Ma gesagt, es sei ein Pistolenschuss gewesen. Wenn es ein Schuss aus einer Büchse gewesen wäre, hätte er ihn in Stücke gerissen.«

»Ich wollte ihn nicht erschießen.«

»Sie haben es getan?«, fragte Aee stirnrunzelnd. »Caleb hat nichts gesagt. Ich hätte niemals gedacht –«

»Wird er sterben?«

»Ma will sich nicht äußern. Sie sagt, seine Schädelverletzung ist schlimm. Sie macht ihm feuchte Umschläge.«

»Ich wollte ihn nicht erschießen«, wiederholte Eli.

»Jeder weiß das.«

»Paul nicht.«

»Warum sagen Sie das? Es war klar, dass Sie sich nicht mit ihm anfreunden wollten. Dass er Maggie hatte und Sie sie begehrten, bedeutet doch noch lange nicht, dass Sie ihn deshalb erschießen würden.«

»Maggie liebt ihn.«

»Das ist offensichtlich«, sagte Aee mit weniger Mitgefühl in ihrer Stimme. »Sie zerreißt sich da drin bald vor Kummer.«

»Glaubst du, ich habe auf ihn geschossen, damit ich sie ... haben könnte?«

Sie blickte ihm einige Sekunden lang in die Augen, bevor sie antwortete.

»Die meiste Zeit habe ich nicht viel mit Ihnen anfangen können, Schwede. Aber so schlecht würde selbst ich nicht von Ihnen denken.«

Eli starrte ihr in die Augen. Sie schob das Kinn vor und blickte weder weg noch zuckte sie zurück, als er mit einem Finger über ihre Wange strich.

»Du bist wunderbar, Aee.«

»Ich weiß, was ich bin. Ich bin ein Mischling. Ich habe mein ganzes Leben lang in abgelegenen Wäldern gelebt. Ich habe keine blasse Ahnung vom Leben in einer Stadt.« Sie hob das Kinn.

»Du hast mehr Grütze im Kopf als alle Städterinnen, die ich gekannt habe, zusammengenommen.«

Sie hob die Brauen. »Auch mehr als Maggie?«

»Maggie kann nicht in die gleiche Schublade wie andere Frauen gesteckt werden. Sie ist ... anders. Sogar du musst das zugeben.« Als Aee den Mund zu einer spöttischen Grimasse verziehen wollte, fügte er hinzu. »Sie ist eine Art von Frau, und du bist eine andere. Du bist tüchtig, Aee. Tüchtig und eigenständig und einfallsreich. Auf dich kann man sich verlassen. Maggie ist hübsch wie ein ... Schmetterling. Jemand wird immer auf Maggie aufpassen müssen.«

»Sie ist ... hübsch, und ich bin es nicht.«

»Wer hat das gesagt?«

»Niemand hat das gesagt. Ich habe Augen im Kopf. Sie auch. Sie richten sie oft genug auf Maggie.«

»Glaubst du, dass ein Schmetterling schön ist?«

»Natürlich. Maggie ist ein Schmetterling. Sie haben das selbst gesagt. Was bin dann ich? Eine Pferdebremse?« Wütend blitzten ihre Augen.

»Das habe ich nicht gesagt.«

»Aber Sie haben es gemeint.« Aee stand auf und riss ihm die Decke von den Schultern. »Mir ist es gleich, ob Sie sich den Tod oder einen Schnupfen holen!« Sie marschierte hocherhobenen Hauptes zum Haus.

»Allmächtiger Gott!« Als Eli ihrem aufrechten Rücken nachsah, war er davon überzeugt, dass dies der schlimmste Tag seines Lebens war.

Am Nachmittag kam ein kalter Wind vom Nordwesten angebraust und brachte Schneeschauer mit. Felle wurden gebracht, um Light warm zu halten. Das Feuer, das Paul auf der kleinen Feuerstelle entfacht hatte, konnte kaum etwas gegen die Kälte ausrichten, bis Häute aus MacMillans Warenlager an die Wände nach Norden und Westen genagelt waren, um den Wind abzuhalten.

Maggie saß neben dem Bett und hielt Lights Hand. Ihr Gesicht war tränennass, die Augen geschwollen. Manchmal legte sie den Kopf neben Lights auf das Kissen und murmelte ihm etwas ins Ohr. Paul stellte einen Wasserkessel auf den Rost über dem Feuer, dann setzte er sich in die äußerste Ecke. Maggies leise, flehende Stimme war der einzige Laut.

»Stirb nicht, und lass mich nicht allein. Ich kann nicht so viele Jahre allein durchs Leben gehen. Du hast mir versprochen, mich zu unserem Berg mitzunehmen. Wir werden dort Kinder haben und alt werden, wie du gesagt hast. Wenn wir sterben, so werden wir auf unserem Berg zusammen sein. Du bist mein Ein und Alles, Light. Wach auf, sage mir, dass ich dein ... Schatz bin. Ich liebe dich. Du bist immer gekommen, mich zu retten, wenn ich dich gerufen habe. Ich rufe dich jetzt. Bitte, komm zu mir zurück.«

Ihr Geflüster hörte nicht auf. Sie flehte und sagte Light immer wieder, dass sie ihn liebte. Paul traten Tränen in die Augen.

»Wir werden ein Haus und einen Vorratskeller und einen Brunnen haben. Du hast gesagt, im Winter werden wir den ganzen Tag in den Betten bleiben und uns lieben. Wach auf, mein Liebster... wach auf. Deine Maggie ist hier.«

Als Maggie eine Weile zu sprechen aufhörte, dachte Paul, sie sei eingeschlafen. Das einzige Licht in der Stube kam vom Feuer. Er zündete eine Kerze an, die Aee auf dem Tisch neben dem Bett zurückgelassen hatte. Maggie hob den Kopf und sah ihn an. Die grünen Augen blickten trüb.

»Miz Mac hat gesagt, dass auf Light mit einer Pistole geschossen wurde. Indianer verwenden Bogen oder Büchsen. Sie haben keine Pistolen. Eli hat eine. Hat Eli auf Light geschossen?«

»Es war ein Unfall, chérie. Er –«

»Nennen Sie mich bitte nicht so. Light nennt mich chérie.«

»Es tut mir Leid, Maggie. Als die Delaware angriffen, sah Eli eine Büchse, die gerade aus einem Gebüsch vorgeschoben wurde, und er schoss. Er wusste nicht, dass es Light war.«

»Eli mag Light nicht. Er hat gesagt, ich und Light seien nicht miteinander verheiratet.«

»Er hat nicht absichtlich auf ihn geschossen.«

Maggie schüttelte den Kopf. »Woher wissen Sie das?«

»Ich weiß, was für ein Mensch Eli ist.«

Kaum hatte Paul Elis Namen ausgesprochen, da kam Eli herein und brachte Lights Bündel. Maggie stand vom Stuhl auf und prügelte Eli mit den Fäusten.

Paul versuchte sie festzuhalten.

»Lass sie los, Paul.« Die Bündel fielen zu Boden. Eli stand da und steckte jeden Hieb der kleinen Fäuste ein, ohne zu versuchen, sein Gesicht zu schützen.

»Rühren Sie Lights Sachen nicht an!«

»Ich dachte, Sie würden vielleicht ... etwas daraus benötigen.«

»Hinaus! Weg von ihm! Sie haben mit dieser alten Pistole auf ihn geschossen!«

»Ich habe das nicht gewollt. Glauben Sie mir. Ich hatte keine Ahnung, dass er in der Nähe war.«

»Sie sind ... ein Lügner! Ein Nichtsnutz! Ein Warzenschwein! Aee hat gesagt, Sie seien es nicht wert ... erschossen zu werden. Und Sie sind es nicht –«

»Ich würde alles darum geben, es ungeschehen zu machen. Ich schwöre es.«

»Er hat Sie gerettet, als Sie beinahe ertrunken wären, und ... das Wasser aus Ihnen herausgepumpt! Sie wären gestorben, wenn Light nicht da gewesen wäre! Warum haben Sie ihm wehgetan?«

Sie belegte ihn weiterhin mit allen Schimpfnamen, die ihr einfielen, und schlug ihn mit ihren Fäusten. Schließlich war sie erschöpft. Sie warf sich auf den Stuhl neben dem Bett, barg das Gesicht in den Händen und brach in Tränen aus.

Eli fragte Paul: »Wie geht es ihm?«

»Schwer zu sagen.« Paul hob die Schultern und schüttelte den Kopf.

»Ich werde bleiben. Geh essen.«

»Sie mag dich nicht, mon ami. Wenn du hier bist, wird sie das nur noch mehr aufregen.«

»Ich muss sie dazu bringen, dass sie das begreift. Ich wollte ihn nicht erschießen.«

»Sie ist nicht in der Stimmung, das zu begreifen. Vielleicht später.«

»Hat Miz Mac etwas gesagt? Denkt sie, dass er es übersteht?«

»Sie hat gesagt, dass der Schuss unterhalb seines Schlüsselbeins eingedrungen und unterhalb des Schulterblatts wieder ausgetreten ist. Sie hat die Wunde mit Essig gesäubert und ihre indianische Medizin draufgetan. Das ist alles, was sie im Moment für ihn tun kann.«

»Sein Kopf? Ist es schlimm?«

»Sie weiß es nicht, bevor er nicht aufgewacht ist.«

Nachdem Paul gegangen war, legte Eli mehr Holz auf das Feuer und setzte sich. Maggie schien nicht zu merken, dass er da war. Sie streichelte Lights Gesicht mit den Fingern und flüsterte ihm ins Ohr.

»Dein Schatz ist hier, Light. Ich bleibe bei dir. Niemand wird dir etwas antun. Willst du, dass ich dir etwas vorsinge? Du lächelst immer, wenn ich singe.«

Maggie legte eine Wange neben ihm auf das Kissen und begann ganz nahe an seinem Ohr leise zu singen.

»Bald ist mein Lebensmorgen vorbei,
Die Abendglocken werden läuten.
Doch mein Herz wird nicht trauern,
So du mich liebst, wenn ich alt bin.«

»Das ist unser Lied. Du hast gesagt, du wirst mich lieben, bis wir alt sind. Möchtest du, dass ich dir den *Tapferen Wolfe* vorsinge? Ich kenne alle Strophen.« Sie hörte nicht auf, seine Wangen mit den Fingern zu streicheln.

Mit leiser, angenehmer Stimme sang sie Strophe für Strophe die Ballade von James Wolfe, dem Helden des indianisch-französischen Krieges. Sie handelte von seiner Liebe zu seiner englischen Liebsten, die er »sein teures Juwel« nannte.

Sobald sie mit einem Lied fertig war, stimmte sie ein neues an. Ihr stiller Kummer zerriss Eli fast das Herz. Wie hatte er nur jemals denken können, dass sie getrennt werden konnten. Light war ihr Ein und Alles.

Tief in Elis Herzen war eine Leere, die danach verlangte, ausgefüllt zu werden. Er hatte liebevolle Großeltern gehabt, als er sehr jung war. Seine Mutter hatte ihn während seiner ersten zehn Lebensjahre zwar mit Essen versorgt, aber ihm keine Liebe gegeben. Dann kam Paul.

Baptiste Lightbody hatte alles, was zählte.

Würde ihn jemals jemand ebenso lieben?

Aee brachte einen Teller mit Essen. Sie stand in der Tür und hörte Maggie singen. Schließlich kam sie herein und stellte den Teller auf den Tisch neben dem Bett. Flackerndes Kerzenlicht fiel auf Lights regloses Gesicht. Maggie schien nur den Mann auf dem Bett wahrzunehmen.

»Ma hat gesagt, ich soll die Nacht über hier bleiben und aufpassen, dass er nicht wild um sich schlägt und dabei die Wunde aufbricht«, flüsterte Aee und setzte sich neben Eli auf die Bank.

»Maggie würde lieber dich als sonst jemanden hier haben.«

»Es wird sie umbringen, wenn er ... nicht durchkommt.«

»Er hat das Glück, jemanden zu haben, der ihn so liebt.«

»Weiß sie, dass Sie es getan haben?«

»Paul hat es ihr gesagt. Light hat mir das Leben gerettet, ist unter das Boot getaucht, bis er mein Bein freibekam, und hat dann das Wasser aus mir herausgepumpt. Sie wünscht, ich sei tot.«

»Was erwarten Sie denn von ihr? Ein Dankeschön?«

»Gib mir keinen Zunder, Aee. Ich habe für heute die Nase voll.«

»Sie fühlen sich wirklich schlecht, nicht wahr?«

»Ich würde meinen rechten Arm hergeben, wenn ich damit alles ungeschehen machen könnte.«

»Haben Sie irgendwas zu Abend gegessen?«

»Ich habe keinen Hunger. Wird er bald aufwachen?«

»Ich weiß nicht. Im letzten Jahr lag ein Bootsmann, der einen Schlag auf den Kopf bekommen hatte, drei Tage lang hier. Als er aufwachte, konnte er nichts mehr sehen. Er starb zwei Tage später. Wir haben ihn auf dem Hügel begraben.«

»Ist das deine Art, mich aufzumuntern?«

»Ich versuche nicht, Sie aufzumuntern. Sie haben keinen Grund, so ... grimmig zu sein. Sie sitzen hier mit einem Gesicht, als ob Sie derjenige wären, auf den geschossen wurde.«

Eli sah sie eine ganze Weile an und sagte dann: »Vielen Dank, dass du die Dinge wieder ins rechte Licht gerückt hast.«

Aee grinste ihn an. »Ich freue mich, dass ich wenigstens einmal etwas richtig machen konnte.«

Sie saßen ruhig da. In der Stube war es gemütlich und warm. Das Einzige, was zu hören war, war Maggies Singen. Eli war dankbar für Aees Anwesenheit.

Er hätte gern ihre Hand gehalten, aber er fürchtete, dass sie aufspringen und gehen würde, wenn er sie berührte.

»Sie müssen nicht bleiben«, flüsterte Aee. »Es gibt nichts für Sie zu tun.«

»Ich kann mich um das Feuer kümmern.«

Sie saßen gemeinsam schweigend da, und jeder von ihnen war froh, dass der andere da war. Ein schwacher heulender Wind wehte um die Ecken und verfing sich unter dem Dachfirst des Hauses. Die Kerze brannte nieder, und Aee zündete eine neue an.

Als Maggie zu singen aufhörte, dachten beide, dass sie eingeschlafen sei, doch dann hob sie plötzlich den Kopf und hielt das Gesicht nahe an Lights.

»Ich bin hier. Maggie ist hier.«

Aee und Eli standen auf, um Maggie über die Schulter zu sehen. Lights Lippen bewegten sich.

»Mag... gie!«

»Ich bin hier. Wachst du auf, Light?«

»Du hast ge... sungen.«

»Ich werde die ganze Nacht singen, wenn du willst.«

Seine Augenlider zuckten, dann öffnete er die Augen teilweise und schloss sie sofort wieder.

»Schlaf nicht wieder ein«, bat Maggie. »Bleib ein Weilchen wach.«

»Bin ich ... schwer verletzt?«

»Miz Mac hat sich gut um dich gekümmert. Sie versteht sich aufs Heilen.«

»Ich muss wissen —« Lights Augen öffneten sich weiter, und er blickte Eli direkt an, der hinter Maggie stand. »Maggie. Wenn ich ... wenn ich es nicht schaffe ... Bring Maggie ... nach Hause.«

»Machen Sie sich keine Sorgen.« Eli legte einen Arm um Aees Schulter und zog Aee an sich heran. »Aee und ich werden uns um Maggie kümmern.«

Light schloss erschöpft die Augen.

»Ich werde nicht nach Hause zurückkehren, Light. Wir werden zu unserem Berg ziehen, wie du gesagt hast.« Maggie war aufgebracht.

»Chérie, ... mein Schatz. Ich möchte einen Schluck Wasser.«

# Kapitel 23

Light war bei Bewusstsein, hellwach und besorgt um Maggie. Er hatte die ganze Nacht und den größten Teil des Tages geschlafen. Das Erste, was er erblickte, als er aufwachte, war Maggies sorgenvolles kleines Gesicht über ihm.

»Chérie. Du hast nicht geschlafen.«

»Fühlst du dich besser, Light? Miz Mac hat gesagt, du sollst essen, wenn du kannst. Ich werde dich füttern. Du brauchst nur den Mund aufzumachen.«

»Wann hast du zuletzt gegessen, mon amour?«

Tränen traten in Maggies Augen. »Ich weiß nicht. Es geht dir besser, nicht wahr?«

»Ja, es geht mir besser, mein Liebling.« Light führte ihre Hand an seine Lippen.

»Sag mir ... ich bin dein Schatz, Light. Ich möchte es so schrecklich gern hören.« Tränen rollten ihr über die Wangen.

»Weine nicht, ma petite. In meinen Träumen habe ich meinen süßen Schatz singen hören.«

»Ich habe gesungen. Alle Lieder, die du magst.«

»Du hast dich überanstrengt. Du wirst krank werden.«

»Ich werde nicht krank, Light. Ich verspreche es dir. Wirst du jetzt essen?«

»Mein Magen knurrt.« Light drehte den Kopf zur Seite und zuckte zusammen. »Hat mich jemand auf den Kopf geschlagen?«

»Paul sagt, du bist auf einen Stein gefallen, als du hingestürzt bist. Ich möchte dich nicht allein lassen, aber ich muss Aee Bescheid sagen, dass du aufgewacht bist, und dir etwas zum Essen holen.« Sie ging zur Tür und kehrte noch einmal um. »Du wirst nicht wieder einschlafen?« Sie beugte sich über ihn und bedeckte sein Gesicht mit zärtlichen Küssen.

»Nein, mon amour. Mach dir nicht solche Sorgen.«

»Es hat mich so geschmerzt, ich bin fast gestorben. Ich wäre gestorben, wenn ich dich verloren hätte.«

»Ich werde wieder gesund.«

»Und im Frühling reiten wir zu unserem Berg?«

»Im Frühling, mon cœur.«


Eli stellte fest, dass es schwierig war, Aee allein anzutreffen, um mit ihr zu reden. Seit der Nacht, in der er einen Arm um sie gelegt und Light versichert hatte, dass sie sich um Maggie kümmern würden, war sie ihm aus dem Weg gegangen. Jedes Mal, wenn sie ihn kommen sah, ging sie in eine andere Richtung. Sie hielt sich in der Nähe ihrer Mutter auf, als ob sie ihr Schatten wäre.

Die Gefühle, die er für sie empfand, waren immer stärker geworden. Er wollte wissen, ob sie auch etwas für ihn übrig hatte. Mal dachte er, dass das der Fall sei, mal war er überzeugt, dass sie ihn nicht ausstehen konnte.

Es hatte nicht so viel geschneit, dass es die Arbeit an der Hütte, die Paul und Eli bewohnen wollten, behindert hätte. In ein paar Tagen würden sie aus Bodkins Hütte aus- und in ihre eigene Hütte einziehen können. Bodkin begann Eli aufzuregen. Er war von Aee genauso hingerissen wie Dixon von Bee. Bodkin war ein guter Kerl, aber nicht der richtige Mann für Aee. Der Gedanke daran, dass er die Hände nach ihr ausstrecken könnte, steigerte Elis Gereiztheit bis zum Siedepunkt.

Es war Nachmittag, und Eli und Paul waren damit beschäftigt, Kerben in kleine, drei Fuß lange Holzbalken für einen mit einem Lehm-Stroh-Gemisch abgedichteten Schornstein zu hauen.

Eli sah, wie Aee mit Eees Huhn unter dem Arm das Haus verließ und zum Schuppen ging, wo die Eier legenden Hühner gehalten wurden. Eli ließ seine Axt fallen und schlenderte den Pfad am Kuhpferch vorbei zur offenen Schuppentür.

Paul stützte sich auf seine Axt und sah grinsend zu, wie sein Freund sich nach allen Seiten umblickte, um festzustellen, ob ihn jemand beobachtete, und dann in den Schuppen ging.

Dort war es halb dunkel, und es roch nach Heu und Tieren. In einer Ecke versuchte Aee, mit einer Hand die Klappe eines Verschlages zu öffnen, während sie in der anderen das Huhn hielt.

»Verdammt. Mach das nicht, bevor ich dich nicht drin habe. Du hast es bereits im Haus gemacht. Ma wird beinahe wahnsinnig. Eees Gebrüll hat Frank aufgeweckt. Es ist alles deine Schuld, du verfluchter kleiner Nichtsnutz.«

»Aber, aber, Aee. Du sollst nicht fluchen.«

Aee wirbelte herum. Sie war so überrascht, dass sie fast das Huhn fallen ließ. Das Blut schoss ihr ins Gesicht, und ihre Beine begannen zu zittern. Woher wusste der verdammte Schwede, dass sie hier war?

»Was machen Sie hier?«

»Ich bin dir gefolgt.« Eli grinste sie unverfroren an und hakte den Draht auf, der die Klappe zuhielt. »Du steckst das Huhn am besten hinein, bevor es dich voll macht.«

Aee warf das Huhn hinein und ging zur Tür. Eli schloss die Klappe, eilte Aee hinterher und war bei ihr, bevor sie die Tür erreichte.

»Warte einen Augenblick.« Er packte sie am Arm. »Was ist los mit dir? Warum rennst du jedes Mal weg, wenn ich in deine Nähe komme?«

»Rennen? Warum sollte ich vor Ihnen wegrennen, Mister Stadtmensch Nielson? Sie jagen mir doch keine Angst ein.«

»Ich denke, doch. Bist du mir böse, weil ich Light gesagt habe, du und ich würden uns um Maggie kümmern? Oder nimmst du mir übel, dass ich einen Arm um dich gelegt habe?«

»Das hat doch nichts zu bedeuten. Aber Sie haben Light belogen, als Sie sagten ›ich und Aee‹. Sie wären derjenige, der sie mitnehmen würde. Sie würden bestimmt nicht wollen, dass ich hinterherlaufe.«

»Du und ich. Ich habe es gesagt, um ihn zu beruhigen, aber auch, du störrisches kleines Dummerchen, weil ich meinte, was ich sagte.«

»Sind Sie mir nachgegangen, um mir diesen Quatsch zu erzählen?«

»Ja. Paul hat gesehen, dass ich hier reingegangen bin, und zweifelsohne ist es auch deinem Vater nicht entgangen. Ich habe nicht versucht, es zu verheimlichen.«

Aees Herz klopfte, als wollte es zerspringen. Sie wollte Eli nicht ansehen, aber sie konnte nichts dagegen tun. Ihre Augen wanderten zurück zu seinen Lippen, dem Bart, der Nase, den Augen. Ihr war ganz flau im Magen.

»Und nun, wo Sie das gesagt haben, muss ich gehen.« Sie versuchte, an ihm vorbeizuhuschen, aber er packte sie und zog sie in seine Arme.

»Nicht bevor ich dich geküsst habe.«

»Sie können mich nicht –«

»Warum nicht?«

»Weil ... weil –« Ihr Gesicht war seinem so nahe, dass sie nur noch seinen Mund sah.

Mein Gott! Ein Mann würde sie gleich küssen. Nicht irgendeiner, sondern der wunderbare, wunderschöne Mann, von dem sie jede Nacht träumte.

Der Kuss war weit von dem entfernt, was Aee erwartet hatte. Seine Lippen waren weich und suchten sanft ihren Mund. Sein Bart, der ihr Gesicht berührte, war wie eine leise Liebkosung. Er zog sie näher an sich, hob sie hoch, während er sie küsste. Sie atmete den frischen, männlichen Geruch seines Körpers ein. Der Geschmack seines Mundes war in ihrem. Prickelnde Hitze stieg in ihr hoch. Aee spürte das Pochen ihres Blutes an der Kehle und in den Schläfen, als sie den Mund von seinem löste, um Eli betrachten zu können.

Elis Brust entrang sich ein Stöhnen. Er war in diesem Moment unfähig, zu sprechen. Er konnte sie nur ansehen, die glatte, goldfarbene Haut, den schön geschwungenen Mund und die großen, sanften braunen Augen, die ihn verwirrt anblickten.

»Das war süß. Du bist süß«, sagte er mit heiserer Stimme. Als sie nicht antwortete, flüsterte er: »Ich möchte dich noch einmal küssen.« Sie sagte noch immer nichts. Und wieder näherten sich seine Lippen den ihren.

Langsam und behutsam bedeckte sein Mund den ihren. Er küsste sie zunächst sanft, hob ihre Arme und legte sie sich um den Hals, dann umarmte er sie fest. Sein Kuss wurde inniger, als er spürte, dass sie ihn erwiderte. Von unerwartetem Verlangen gepackt, presste sie sich an ihn.

»Gefällt es dir, mich zu küssen?«, fragte er.

»Ich dachte nicht, dass es so sein würde.«

»Wie hast du es dir denn vorgestellt?«

»Nicht so ... schön.«

»Zwei Menschen müssen sich mögen, damit Küsse so schön sind.«

»Dann magst du mich also?«

»Verdammt richtig, ich mag dich.«

»Du verhältst dich aber nicht so ... manchmal.«

Er lachte leise, umarmte sie fest und küsste sie wieder.

»Fang jetzt keinen Streit mit mir an, mein Liebling. Ich möchte es genießen, mit dir hier allein zu sein.«

»Du kannst mich wieder küssen ... wenn du willst.«

»Wenn ich will? Allmächtiger! Ich sehne mich schon seit Tagen danach, dich zu küssen.«

Der leise Laut, der sich ihrer Kehle entrang, war ein Ausdruck reinen Vergnügens, als sich ihre Lippen wieder fanden. Sie lehnte sich an ihn und nahm nichts mehr wahr außer seinen Armen, die sie umfingen, und dem festen Griff der Hände, die auf ihren Hüften lagen. Er drückte sie mit aller Kraft an sich. Ihr Herz schlug wie wild in ihrer Brust.

Es war der wunderbarste, erregendste Moment ihres Lebens.

»Aee! Was zum Teufel machst du da?« MacMillans raue Stimme unterbrach die Stille.

Aee zuckte zusammen, als sie ihren Vater hörte. Sie wäre am liebsten hinausgerannt, aber Eli hielt ihre Hand fest. Sie war völlig durcheinander. Das Blut schoss ihr ins Gesicht. Sie konnte weder ihren Vater noch Eli ansehen. Sie versuchte wieder, ihre Hand loszureißen, aber er ließ sie nicht gehen.

»Pa ... ich –«

»Geh ins Haus.«

»Mac, warten Sie. Ich habe sie gepackt und geküsst. Aee hat nichts getan.«

»Ich bin nicht blind. Ich habe es selbst sehen können. Sie hat sich jedenfalls auch nicht gewehrt, so viel steht fest.«

»Ich wollte mit Ihnen sprechen ... sobald ich wusste, was Aee für mich empfindet. Mit Ihrer Erlaubnis möchte ich ihr den Hof machen. Um sie werben.«

»Sie möchten um sie werben? Warum sind Sie nicht gleich zu mir gekommen, um mich wie ein Mann zu fragen? Sich im Schuppen verstecken und umarmen und küssen, das ist meiner Meinung nach nicht die richtige Art des Umwerbens.«

»Wir haben uns nicht versteckt, Pa.« Aee hatte endlich ihre Sprache wieder gefunden.

»Ich würde es aber so bezeichnen.« MacMillans Augen ruhten eine Weile auf dem roten Gesicht seiner Tochter, dann richtete er sie wieder auf Eli. »Haben Sie die Absicht, meine Tochter zur Frau zu nehmen?«

»Pa!«, schrie Aee auf. »Es ist nichts gesagt worden ... darüber.«

»Dann ist es höchste Zeit. Es wird ein langer Winter. Ich habe anderes zu tun, als darauf aufzupassen, dass du nicht mit ihm im Dunkeln verschwindest und ... äh ... mit einem Kind wiederkommst.«

»Ich verbitte mir das!« Eli war schockiert und wütend. »Ich würde Aee nie entehren.«

»Ich sagte nicht, dass Sie das wollen. Aber es gibt Zeiten, da steigen die Säfte in einem jungen Kerl hoch, besonders bei kaltem Wetter. Ich sollte das wissen. Ich habe jetzt sechs Kinder.« Er lachte leise. »Jedes von ihnen wurde im Winter gezeugt.«

Aee fühlte sich so gedemütigt, dass sie ihren Vater nicht anblicken konnte. Sie wollte am liebsten vor Scham im Boden versinken und ihn oder Eli nie wieder ansehen müssen. Ihr kam der Gedanke, zum Fluss zu rennen, in die Strömung hinauszuwaten und sich zu ertränken. Plötzlich machte ihr Vater etwas Unvermutetes. Er drehte sich um und wollte gehen.

»Ich habe gesagt, was ich auf dem Herzen hatte, Eli. Und Sie haben gesagt, was Sie sagen wollten. Sie können um sie werben, wenn Sie wollen und wenn sie es will. Aber eins sollten sie von vornherein wissen. Sie werden nicht leicht mit ihr fertig werden. Ich habe sie verwöhnt. Ich habe ihr die meiste Zeit ihren Willen gelassen. Sie kann störrisch wie ein Esel sein und gemeiner als eine in die Enge getriebene Wölfin mit zwei Welpen an ihren Zitzen. Aber eines kann ich zu ihren Gunsten sagen – sie ist ein hervorragender Schütze.«

Eli atmete erleichtert auf, als er MacMillan verschmitzt blinzeln sah.

»Das ist gut zu wissen, Mac. Aber ich brauche eine Frau, die eine Ladung Feuerholz schlagen und schleppen, einen Bären häuten und Wildleder weich-kauen kann, um mir bequeme Mokassins zu machen. Kann sie das?«

»Ich bin mir nicht sicher, was den Bären anbelangt.«

»Haltet den Mund. Alle beide. Ich werde sonst wild. Ich habe da auch ein Wörtchen mitzureden –«

»Ich muss gehen. Sag es Eli.« An der Tür drehte sich MacMillan noch einmal um und sprach: »Ich werde gut aufpassen, wann ihr herauskommt.«

Auf dem Weg zum Haus ging MacMillan an Paul vorbei, reckte den Kopf in Richtung Schuppen und zwinkerte ihm zu.

Light, allein in der Krankenstube, hatte sich aufgerichtet und saß an der Längsseite des Bettes. Er durfte den Kopf nicht schnell drehen und nicht tief atmen. Maggie wich selten von seiner Seite. Sie war erbittert, weil Eli auf ihn geschossen hatte, und passte auf, dass er nicht in die Nähe kam. Light hatte keinerlei Zweifel daran, dass es genauso passiert war wie Eli sagte. Er war an der Lichtung, wo die Bäume gefällt wurden, genau in dem Moment angekommen, als die Delaware ihren unerwarteten Angriff durchführten. Es blieb keine Zeit, seine Anwesenheit kund zu tun.

Was Light jetzt beunruhigte, war, wie er MacMillan für seinen und Maggies Aufenthalt bezahlen sollte, solange er nicht wieder jagen konnte. Noch nie in seinem Leben war er jemandem etwas schuldig geblieben. Es war fast genauso erniedrigend wie einen Nachttopf benutzen zu müssen.

Die ersten Male, wo er den Drang verspürte, hatte

er zugelassen, dass Maggie ihm half, seine wunderbare Maggie, die er über alles liebte. Er kannte jede Kurve, jede Vertiefung und jede verborgene Stelle ihres Körpers, und sie kannte seinen. Er hatte sich am Bettrand zur Seite gedreht, und sie hatte ihm den blechernen Nachttopf gehalten. Aber es war etwas anderes, wenn er sich draufsetzen musste. Er bat sie, hinauszugehen. Sie flehte ihn an, bleiben zu dürfen. Schließlich ging sie unter Tränen, aber ein paar Minuten später öffnete Paul die Tür und kam herein.

Wäre ihm nicht schwindlig geworden, so hätte er es allein geschafft, aber nun war er dankbar dafür, dass Paul ihm half, sich wieder ins Bett zu legen.

Später kam Eli herein.

»Paul sagt, Sie fühlen sich besser.«

»Ja. Es geht mir besser.«

Sonst wurde nichts mehr gesagt. Eli nahm den Nachttopf und verließ die Stube. Als er zurückkehrte, schob er ihn unters Bett und blickte Light verlegen an.

»Sie brauchten das nicht zu machen«, sagte Light.

»Ich denke, ich musste es doch tun.«

Die Tür flog auf. Maggie kam hereingeschossen und stellte sich zwischen Eli und Lights Bett.

»Sind Sie gekommen, um ihm wieder etwas anzutun? Verschwinden Sie! Hinaus! Sch! Sch!« Sie machte mit den Händen eine wegscheuchende Geste.

»Chérie!« Light griff nach Maggies Hand. »Reg dich nicht auf.«

»Er hat dich verwundet, Light. Ich will ihn hier nicht sehen.«

366

»Ich habe Ihnen gesagt, dass ich nicht auf ihn schießen wollte«, sagte Eli aufgebracht. »Warum glauben Sie mir nicht?«

»Weil ich es nicht will. Halten Sie sich von ihm fern.«

»Allmächtiger Gott! Glauben Sie, ich bin hier hereingekommen, um einen Mann anzugreifen, der flach auf dem Rücken liegt?«

»Gehen Sie oder Sie bekommen mein Messer zwischen die Rippen. Ich kann es werfen. Nicht so gut wie Light, aber Sie könnte ich treffen, bei Ihrer Größe.«

Eli blickte über Maggies Kopf hinweg und sagte zu Light: »Ich bin gekommen, um Ihnen zu sagen, dass Paul und ich das Glück hatten, heute Morgen zwei Hirsche zu erlegen. MacMillans Räucherkammer wird voll sein. Es wird keinen Mangel an Fleisch geben.«

»Ich danke Ihnen auch dafür.«

»Auch?«, fragte Maggie. »Du dankst ihm doch nicht etwa dafür, dass er auf dich geschossen hat?«

»Nein, Liebling.«

Eli drehte sich rasch um und ging zur Tür hinaus. Verdammt. Er hatte wieder die Gelegenheit verpasst. Das, was er Baptiste Lightbody zu sagen hatte, lastete schwer auf ihm. Er wollte es hinter sich bringen, damit er ungehindert sein Leben mit Aee planen konnte.

Mit Macs Genehmigung hatten sie am Vorabend das Haus verlassen. Eli hatte sie in Lights Wigwam mitgenommen und ein Feuer angezündet. Sie hatten mehrere Stunden lang miteinander gesprochen – die längste Zeit, die er je ununterbrochen mit ihr allein verbracht hatte und das erste Mal, wo sie sich nicht ständig stritten. Er war über ihre Intelligenz und ihre vernünftigen Auffassungen überrascht und erfreut.

Im gemütlichen Wigwam mit seinem süßen Mädchen im Arm war es schwierig gewesen, aber sie hatten es geschafft, es an diesem Abend bei Küssen zu belassen.

Eli hatte bis jetzt keine Ahnung gehabt, was es bedeutete, eine Frau zu lieben und wiedergeliebt zu werden. Das Gefühl war so warm und wunderbar, dass er, als sie das Wigwam verließen, zu schweben glaubte. Die ganzen dreißig Jahre seines Lebens hatte er nicht gewusst, dass eine solche Liebe zwischen Mann und Frau existierte. Seit er sich in Aee verliebt hatte, verstand er besser, wie eng die Beziehung zwischen Maggie und Light war.

»Chérie, du bist unvernünftig.«

»Ich mag ihn nicht mehr.« Sie hatte einen schmollenden Gesichtsausdruck aufgesetzt. »Er hat dir wehgetan, Light.«

»Er hat nicht absichtlich auf mich geschossen. Er hat nicht gewusst, dass ich kein Delaware war.«

»Das ist mir egal«, sagte sie störrisch. »Ich weiß nicht, warum Aee ihn mag. Sie lässt sich von ihm den Hof machen.«

»Das hast du mir gestern Abend erzählt. Stört es dich, dass er ihr den Hof macht?«

»Nein. Aee ist glücklich. Sie lächelt die ganze Zeit. Bee neckt sie, ihr Vater neckt sie. Mr Bodkin ist nicht froh. Er wollte ihr auch den Hof machen. Ich bin froh, dass sie sich für Eli entschieden hat.«

Maggie begann erst zu lächeln und dann zu kichern. Ihre grünen Augen funkelten.

»Ich bin ihm nicht mehr böse, aber ich werde es ihm noch nicht sagen. Er soll sich schlecht fühlen, weil er dir wehgetan hat. Aber ich habe es Aee erzählt. Sie sagte, es sei nicht nett von mir, mich so zu verhalten. Aber sie wird es ihm nicht verraten.«

»Ach, ma chérie! Was soll ich bloß mit dir machen?«

Sie beugte sich über ihn. »Du kannst mich küssen. Ich sehne mich nach mehr.« Sie tauschten zärtliche Küsse aus. »Wann können wir zurück in unser Wigwam?«

»Bald, mein Liebling. Sobald ich dich beschützen kann, falls es nötig sein sollte.«

# Kapitel 24

Als es zwei ungewöhnlich warme Tage gab, begann Light sich darüber zu ärgern, dass er in der Stube bleiben musste. Er zog sich jetzt mit Maggies Hilfe an und kümmerte sich um das Feuer. Mrs MacMillan hatte ihm den Kopfverband abgenommen, und ihren Worten nach heilte auch die andere Wunde. Ihrer Meinung nach war es ein Wunder, dass er kein Fieber bekommen hatte.

Durch den Unfall hatte Light erkannt, wie leicht er sein Leben verlieren konnte. Seine Ängste um Maggie, vor allem der Gedanke an die Qualen, die sie erdulden müsste, wenn sie in der Wildnis allein wäre, bestärkten ihn in dem Vorsatz, mit Caleb zu sprechen. Der Schwarze hatte bereits sein Interesse am Neuland bekundet. Außer Jefferson Merrick oder Will Murdock kannte Light niemanden, dem er Maggies Sicherheit lieber anvertraut hätte als Caleb.

Die Männer auf dem Anwesen nutzten das gute Wetter für die Herstellung von Pottasche. Eli interessierte sich für das Nebenprodukt der für die Erschließung von Ackerland nötigen Brandrodung. MacMillan hatte ihn davon überzeugt, dass sich Pottasche im Osten gut verkaufte.

Eli und Aee hatten die Köpfe zusammengesteckt und versucht, eine Methode zur Herstellung von gut riechender Seife auszutüfteln. Eli war der Meinung, dass sie sich in St. Charles und in St. Louis verkaufen lassen würde. Sie hatten für sie sogar einen Namen: Blume der Wildnis.

Maggie teilte Light die Neuigkeiten mit. Sie schilderte ihm zu seinem Vergnügen in allen Einzelheiten die Kleider, die Mrs Mac aus dem Stoff geschneidert hatte, den Eli ihnen geschenkt hatte.

Sie erzählte ihm, dass Bodkin mit einer Jammermiene herumlaufe, seit Aee angefangen hatte, mit Eli anzubandeln. Vor kurzem habe Bodkin begonnen, sich für Bee zu interessieren. Dies gefalle Dixon überhaupt nicht. Maggie hielt es für einen großen Spaß, zu beobachten, wie die beiden Männer um die Gunst der scheuen Tochter MacMillans wetteiferten. Bee war dabei ertappt worden, dass sie ihr Haar auf neue Art hochsteckte und darauf achtete, bei Mahlzeiten die Schürze mit der sauberen Seite vorn zu tragen.

Light langweilte sich und war der Untätigkeit überdrüssig. Er bat Caleb, Felle von seinem Wigwam zu holen, damit er für Maggie ein neues Paar Mokassins machen konnte. Mrs Mac empfahl ihm jedoch, den Arm und die Schulter noch ein paar Tage zu schonen.

An diesem Nachmittag hatte er einen kleinen Wetzstein aus seinem Bündel geholt und seine Messer geschärft. Er war gerade damit fertig und im Begriff, sie wieder einzupacken, als Eli eintrat. Light erwartete, dass Maggie gleich hinter ihm hereinstürzen würde. Ein Lächeln erschien auf seinem dunklen Gesicht.

Eli las seine Gedanken.

»Aee sorgt dafür, dass Maggie beschäftigt ist, damit ich mit Ihnen sprechen kann. Alle Frauen lieben neue Kleider ... wurde mir gesagt. Sie nähen heute eines für Maggie.«

»Ich nehme Ihnen nicht übel, dass Sie auf mich geschossen haben«, sagte Light abrupt, da er annahm, der einzige Grund für Elis Besuch sei, dass er sich entschuldigen wollte.

»Ich handelte vorschnell.«

»Es blieb keine Zeit, mich bemerkbar zu machen.«

»Ich weiß das, aber Maggie wird mir das nie verzeihen. Es hat ihr fast das Herz zerrissen.«

Light sagte nichts. Er redete nicht, wenn keine Antwort nötig war.

»Ich weiß, es ärgert Sie, dass Sie im Moment nicht in der Lage sind, bei den MacMillans mit anzupacken. Mir würde es genauso gehen. Paul und ich werden Fleisch für das Anwesen heranschaffen, bis Sie wieder auf den Beinen sind.« Eli lächelte ein wenig jungenhaft. »Keiner von uns ist ein so guter Jäger wie Sie, aber wir geben unser Bestes.«

»Ich bin Ihnen sehr verbunden.«

Eli trat von einem Fuß auf den anderen. Jetzt, da er hier war, wusste er nicht, wie er beginnen sollte. Mit dem, was er Light zu sagen hatte, konnte er nicht einfach so herausplatzen.

Light spürte Elis Beklommenheit. Was hatte dieser Mann vorzubringen, was ihm so schwer fiel?

»Lightbody ist ein Name, den ich vorher nie gehört habe«, begann Eli. »Kommen Ihre Verwandten aus Kanada?«

Light schaute ihn verwundert an. Seine dunklen Augen hielten Elis blauen fest und ließen Eli nicht mehr los. Hinter der Frage musste etwas Wichtigeres stecken als bloße Neugier für seinen Namen.

»Mein Vater kam aus Kanada.«

»War er Franzose?«

»Ja. Meine Mutter war eine Osage, wie Sie wissen.«

»Wie sind Sie zu dem Namen Lightbody gekommen? Es ist kein französischer Name.«

»Meine Mutter nannte mich Lightbody, weil ich bei meiner Geburt sehr klein war. Indianische Kinder tragen nicht unbedingt den Namen ihres Vaters.«

»Das habe ich nicht gewusst.« Eli blickte zu Boden, dann auf die Wand. Er wich dem fragenden Blick des Mannes aus, der auf dem Bett saß. »Wie hieß Ihr Vater?« Eli wartete voller Ungeduld auf die Antwort.

»Pierre Baptiste.«

Elis Schultern sackten zusammen. Er war sich nicht bewusst, dass er den Atem angehalten hatte, bis er die Luft ausstieß.

»Ja,« sagte er, und dann noch einmal »ja«.

Light spürte, dass dies ein sehr wichtiger Augenblick für Eli war, und wartete geduldig, wie es seine Art war. Eli schien unfähig zu sprechen.

Schließlich unterbrach Light die Stille. »Warum sind Sie am Namen meines Vaters interessiert?«

»Weil ... weil der Name meines Vaters ebenfalls Pierre Baptiste war.«

Light war völlig überrascht und begriff nicht sofort die Bedeutung dieser Worte.

»Wie kann das sein? Sie sagten, Sie seien Schwede. Baptiste ist ein französischer Name, ein alltäglicher Name. Es gibt wahrscheinlich viele Franzosen, die so heißen.«

»Das mag stimmen, aber keiner von ihnen hat einen Sohn mit dem Namen Baptiste Lightbody. Du bist mein Bruder, Light, ob es dir gefällt oder nicht.«

Light war wie vom Donner gerührt. Er sah den großen Mann an, der vor ihm stand, und plötzlich ging ihm ein Licht auf. Ihm wurde auf einmal klar, warum Eli ihm so vertraut vorgekommen war. Elis Augen und Augenbrauen glichen denen von Lights Vater, und er hielt den Kopf leicht schräg, wie Pierre Baptiste es immer getan hatte. Light suchte nach weiteren Ähnlichkeiten, fand aber keine. Er erinnerte sich, dass sein Vater groß gewesen war, größer als Eli.

»Ich weiß, dass es dir schwer fällt, das alles sofort zu begreifen. Ich habe fünf Jahre gebraucht, um darüber nachzudenken.« Eli zog sein Hemd hoch und legte einen Wildledergürtel ab, den er darunter getragen hatte. Er klappte ihn auf dem Bett auf und entnahm ihm einen Brief. »Vor zehn Jahren schickte mein Vater Sloan Carroll in Carrolltown oben am Ohio diesen Brief. Er kannte ihn schon seit vielen Jahren. Er fragt in dem Brief nach mir. Er hatte das Gefühl, falsch gehandelt zu haben, als er wegging und mich zurückließ. Aber sein Leben mit meiner Mutter war, wie er schrieb, alles andere als angenehm. Vor fünf Jahren fand Sloan heraus, wo ich mich aufhielt, und schickte mir eine Nachricht. Ich sollte ihn besuchen kommen. Bis dahin hatte ich gedacht, ich hätte nirgendwo auf der Welt einen Blutsverwandten.« Eli reichte Light den Brief.

Light nahm das Blatt Papier, entfaltete es aber nicht. Er blickte Eli scharf an.

»Wenn das, was du sagst, stimmt, so ist dein Vater das, was man einen Squawmann nennt. Weiße sehen auf einen Weißen herab, der eine Indianerin heiratet und halbblütige Kinder zeugt. Was ist deine Meinung dazu?«

»Zuerst war ich wütend, dass mich mein Vater bei einer Mutter zurückgelassen hatte, die mich hasste, weil ich sein Sohn war. Ich war voller Groll, weil er sich mit einer Indianerin eingelassen hatte. Aber jetzt ... nun ja ... die Zeit heilt manches. Lies den Brief.«

Light entfaltete das Blatt Papier. Die Tinte war so ausgebleicht, dass es fast unmöglich war, alle Wörter zu entziffern. Er las jedoch den Namen seiner Mutter, Weidenwind, und einen Hinweis auf »meinen Sohn Baptiste Lightbody«. Das Blatt war dort, wo es zusammengefaltet war, zerrissen, aber die schwungvolle Unterschrift seines Vaters Pierre Baptiste war unverkennbar. Light faltete das Blatt sorgsam wieder zusammen und gab es Eli zurück.

»Der Brief befindet sich in einem schlechten Zustand. Konntest du die Worte erkennen? Ich habe versucht, ihn so lange aufzubewahren, bis du ihn lesen kannst.«

Eli packte den Brief zurück in den Wildledergürtel und band ihn sich wieder um. Er sank auf den Stuhl. Er war erleichtert, dass die Worte nun heraus waren, aber er war sich nicht sicher, was Light über das, was er gerade erfahren hatte, denken würde.

»Der Brief war in einem besseren Zustand, als ich ihn erhielt, aber ich habe ihn hundertmal entfaltet und hundertmal Wort für Wort gelesen. Offensichtlich liebte Pierre Baptiste deine Mutter und bedauerte meine. Er wollte wissen, ob ich noch lebte und, wenn ja, wo ich mich aufhielt.« Eli machte eine Pause und fuhr dann fort. »Mein Eindruck war, dass er ein guter Mensch war, der wahrscheinlich gezwungen war zu heiraten. Er war einfach nicht in der Lage, so zu leben, wie es meine Mutter wollte.«

Light nickte und sagte dann: »Er war ein guter Vater. Er liebte meine Mutter und schämte sich seiner halbblütigen Kinder nicht.«

»Meine Mutter war Schwedin. Als sie ein junges Mädchen war, kam sie mit ihren Eltern nach Louisville, einer Stadt oben am Ohio. Sie war das einzige Kind ihrer Eltern, und sie liebten sie abgöttisch. Meine Großeltern buken Brot und Kuchen und verkauften sie. Wir lebten alle in den Hinterräumen ihres Geschäfts. Ich weiß nicht, was mein Vater in dieser Zeit gearbeitet hat, aber er war meiner Meinung nach nicht in der Bäckerei tätig. Er ging fort, als ich so jung war, dass ich mich überhaupt nicht an ihn erinnern kann.«

Eli schwieg eine Weile, bis er fortfuhr.

»Mutter bekam Anfälle. Sie schrie, schlug und weinte. Sie bekam Wutanfälle, die tagelang anhielten. Ich war fünf oder sechs Jahre alt, als meine Großeltern starben. Ich erinnere mich an sie und daran, dass sie alles für meine Mutter und mich taten. Die einzige Liebe, die mir zuteil wurde, als ich ein Kind war, war die meiner Großmutter. Die Bäckerei wurde zugemacht, nachdem meine Granny und mein Grandpa tot waren. Wir lebten eine Weile von dem Geld, das sie uns hinterlassen hatten. Meine Mutter redete andauernd davon, dass mein Vater abgehauen und was für ein Halunke er war. Sie sagte, ich sei ein Bastard, was, wie ich jetzt weiß, nicht stimmte. Ich sollte seinen Namen weder benutzen noch erwähnen. Ich sollte nie vergessen, dass ich ein Nielson war. Sie bestand darauf, dass ich jeden Tag zu den Anlegestellen ging, um mir Arbeit zu suchen. Sie wollte, dass ich nicht so faul sei wie er. Als ich älter wurde, begriff ich dann allmählich, dass Pierre Baptiste vielleicht einen guten Grund hatte, uns zu verlassen. Sloan Carroll erzählte mir, dass er mit dem Segen meiner Großeltern fortgegangen war und dass sie ihm versichert hatten, sie würden für meine Mutter und mich sorgen. Sie taten das auch bis zu ihrem Tod fünf Jahre später.«

Light saß ruhig da, aber in Wirklichkeit war er innerlich alles andere als ruhig. Es fiel ihm schwer, diesen Mann als Sohn seines Vaters zu akzeptieren. Er wusste von Männern, die mit mehreren Frauen Kinder in die Welt gesetzt hatten, dann gegangen waren und sie allein gelassen hatten. Das war etwas, was sein Vater, wie er wusste, nicht getan hätte.

»Meine Mutter starb, als ich elf war«, erzählte Eli weiter. »Ich kam heim in die armselige Hütte, in der wir wohnten, und fand sie. Sie hatte sich erhängt, oder einer ihrer ... Freunde hatte sie aufgehängt. Ich habe mich all die Jahre gefragt, ob etwas vor der Begegnung mit meinem Vater passiert war, was bewirkte, dass sie ... nicht ganz richtig im Kopf war, oder ob sie seit ihrer Geburt so war. Ich denke nicht schlecht über sie. Sie war meine Mutter. Sie konnte nichts dafür, dass sie so war, wie sie war.«

»Was hast du gemacht, als sie tot war?«

»Ich traf Paul. Er führte ein genauso ungebundenes Leben wie ich. Er war etwa sechzehn Jahre alt und war dem schlechten Leben in Kanada entflohen. Er sprach kein Wort Englisch. Ich sprach kein

Wort Französisch, aber wir verstanden uns. Er war wie ein Vater zu mir, obwohl wir beinahe gleichaltrig sind.«

»Dachtest du nicht daran, deinen Vater ausfindig zu machen?«

»Niemals. Ich hatte eine Heidenangst davor, dass er mich finden könnte. Seit ich mich erinnern kann, war mir eingehämmert worden, er sei der Teufel persönlich.«

»Was hat deine Haltung geändert?«

»Meine Haltung zur Suche nach ihm änderte sich nicht. Sloans Nachricht hatte, nachdem sie in Louisville eingetroffen war, mehrere Jahre lang dort gelegen, während ich weiter oben am Ohio Frachten beförderte. Zufällig kehrte ich dorthin zurück, um Tauschartikel zu erstehen. Auf einer Fahrt flussabwärts machten Paul und ich Zwischenstation in Carrolltown. Sloan gab mir den Brief. Ich war schockiert, als ich erfuhr, dass mein Vater sogar an mich gedacht hatte. Seit unserem ersten Besuch in Carrolltown sind Paul und ich mit Sloan befreundet. Wir haben ihn in seinem Haus viele Male besucht.«

»Du weißt davon seit fünf Jahren?«

»Sloan erzählte mir bei jenem ersten Besuch auch, er habe von Jefferson Merrick erfahren, dass mein Vater getötet wurde. So wusste ich, dass ich Merrick fragen musste, wenn ich dich ausfindig machen wollte.«

Light schwieg. Er dachte an die damalige Zeit zurück. Ein Trupp von Sauk-Indianern hatte seinem Vater aufgelauert, als er seine Fallen kontrollierte, und ihn getötet. Seine Mutter war verzweifelt. Manchmal konnte er in Gedanken fast ihr lautes

Wehklagen hören, in das sie ausbrach, als sie die Nachricht erhielt.

»Anfangs war ich nicht sehr daran interessiert, dich zu finden. Ich dachte jedoch viel darüber nach. Je mehr Paul mir sagte, ich solle es vergessen, umso neugieriger wurde ich. Um dir die Wahrheit zu sagen, ich hasste dich fast, weil du meinen Vater in den Jahren hattest, in denen du aufwuchst, während ich stattdessen nur eine Mutter hatte, der es egal war, ob ich lebte oder starb. Ich wollte dich sehen. Ich wollte mich vergewissern, dass ich ein besserer Mensch war als du. Ich wollte auch wissen, was für ein Mensch mein Vater gewesen war, und du warst der Einzige, der mir das sagen konnte. Zu wissen, dass ein anderer Mensch auf der Welt existierte, in dessen Adern das gleiche Blut floss, war ein Gedanke, der mich fünf Jahre lang quälte. Ich wollte wissen, wie er war.«

»Du hast erwartet, einen Wilden mit Kriegsbemalung auf dem Gesicht zu sehen.« Light sagte das mit ausdrucksloser Stimme.

Eli grinste einfältig.

»Ich hatte nicht erwartet, dass du so zivilisiert sein oder eine Frau wie Maggie haben würdest.«

»Du denkst, ich bin zivilisiert?«

»Manchmal ja, manchmal nein«, antwortete Eli so wahrheitsgemäß wie möglich. »Ich fragte mich, ob du zivilisiert seist, nachdem du die drei Bootsleute getötet hattest, und ich war mir sicher, dass du es bist, als du den kleinen Mann auf dem Rücken nach Hause getragen hast.«

Diese Worte erforderten keine Antwort, und Light schwieg.

Paul trat ein. Er blickte erst den einen und dann den anderen an.

»Ich sehe, dass ihr beide am Leben seid. Mon Dieu!« seufzte Paul erleichtert auf. »Ich bin froh, dass es vorbei ist.«

Light sagte wie gewöhnlich nichts.

Eli war etwas unbehaglich zumute. Was dachte Light? War er enttäuscht, weil er erfahren hatte, dass sein Vater einen Sohn gezeugt und dann verlassen hatte? Es war normal, dass ein Weißer seine halbblütigen Söhne verließ, aber nicht andersherum.

Lights unbewegtes Gesicht verriet nichts. Eli stand auf und streckte ihm eine Hand entgegen.

»Ich freue mich, dich kennen gelernt zu haben, Light. Wenn ich dir jemals irgendwie helfen kann, so brauchst du es mich nur wissen lassen.«

Light zögerte, dann legte er seine Hand in die seines neu gefundenen Bruders.

Als er allein war, legte sich Light aufs Bett und starrte zur Decke. Die Neuigkeiten, die Eli ihm mitgeteilt hatte, hatten ihn überrascht, aber nicht so schockiert, wie Eli angenommen hatte. Seit dem Tod seines Vaters hatte Light im Gedächtnis nach diesen oder jenen Informationen über das Leben gekramt, das sein Vater führte, bevor er in das Land westlich vom großen Fluss kam. Er konnte sich nicht erinnern, dass sein Vater eine Familie, Freunde oder auch nur Orte, die er östlich des Flusses besuchte, erwähnt hatte. Pierre Baptistes früheres Leben musste so schmerzlich gewesen sein, dass er die Erinnerungen daran völlig ausgelöscht hatte.

Er hatte einen Bruder. Light dachte, dass das keinen großen Unterschied in seinem Leben machen würde. Er und Maggie würden zu ihrem Berg reiten. Elis Leben würde hier oder auf dem Fluss weitergehen. Aber es war trotzdem gut zu wissen, dass das Blut seines Vaters künftig in der Welt des weißen Mannes, aus der er gekommen war, weitergegeben werden würde. Genauso wie das Blut der Verwandten seiner Mutter von seinen und Maggies Nachkommen weitergetragen würde.

Die Tür flog auf, und Maggie kam herein.

»Schau nur, Light. Sieh dir mein neues Kleid an. Ich und Aee haben es genäht.« Sie machte eine Pause, hielt den Kopf schräg und blickte ihn an. »Warum lächelst du, Light? Du hast hier ganz allein vor dich hin gelächelt.«

# Kapitel 25

Der Strom neben dem Anwesen erwachte allmählich zum Leben.

Der Frühling kam wie die Sonne, die durch eine Regenwolke bricht. Eines Tages verschwand die dünne Schneedecke, und neues Gras sprießte auf den Hängen der Hügel. Große Scharen von Gänsen, die mit lang gestreckten Hälsen in einer V-Formation am Himmel flogen, folgten ihren Leitgänsen auf der langen Reise nordwärts. Nicht enden wollende Schwärme von Enten und Kranichen kamen vom Süden, um sich am Fluss niederzulassen. Lärmende Scharen von Möwen machten Zwischenstation, um sich auf den Sandbänken auszuruhen.

Der Winter war kurz und angenehm gewesen. Das Wetter war nicht so schlecht gewesen, dass die Arbeiten im Pottascheschuppen und an Elis Flachboot nicht hätten weitergehen können.

An einem kalten Wintertag nach Weihnachten hatten Aee und Eli vor allen Einwohnern von MacMillansville gestanden und ihre Gelöbnisse abgelegt. Sie hatten versprochen, sich gegenseitig zu lieben und zu achten, bis dass der Tod sie scheiden würde. In seinem Glück vergaß Eli ganz, wie er eine solche Zeremonie, die auch Maggie und Light außerhalb von Kirche oder Gesetz miteinander verband, noch vor kurzer Zeit verachtet hatte. Aee in ihrem rein weißen Kleid strahlte vor Glück. Das Paar sollte nun in der neuen Hütte wohnen, und Paul zog zu Bodkin und Dixon.

Im Laufe des Winters lernten Eli und Light sich als Brüder näher kennen. Light war noch immer reserviert und ruhig, aber Eli verstand, dass das seine Art war. Da Light wusste, dass Eli gern etwas über ihren Vater erfahren wollte, erzählte er ihm aus seinen Erinnerungen, dass er ein gebildeter Mann gewesen war, der ihn lesen und schreiben gelehrt hatte. Pierre hatte mit seinem Sohn über die Welt um sie herum und über ihnen gesprochen. Er kannte die Sternbilder, woraus Light jetzt schloss, dass er vielleicht irgendwann einmal Seemann gewesen war. Er war, so erzählte Light, ein Mann, der mit sich zufrieden war und der seinen Sohn jagen und fischen und vor allem die Natur respektieren lehrte.

Eli nahm jedes Wort aufmerksam in sich auf. Sein Groll auf den Vater, der ihn verlassen hatte, war längst verschwunden.

Als Light Maggie erzählt hatte, dass er und Eli denselben Vater hatten, freute sie sich über die Neuigkeit.

»Er ist dein Bruder! Jetzt weiß ich, warum ich wollte, dass ihr euch mögt. Ich wusste, dass da etwas war.«

Als sich der Winter seinem Ende näherte, begannen Light und Caleb die Arbeit an dem Kanu, mit dem sie den Missouri hinauffahren wollten, um dann in den Osage einzubiegen. Sie planten, auf diesem Fluss bis zu seinem Anfang hinaufzupaddeln und dort das Kanu und andere Waren gegen Pferde einzutauschen, mit denen sie den restlichen Weg zu den Bergen zurücklegen wollten.

Am Tag vor ihrer Abreise kam Eli zur Anlegestelle,

wo Light und Caleb gerade den mittleren Teil ihres Kanus, in dem sie solche Dinge wie Schießpulver und Lebensmittel aufbewahren wollten, mit einer Mischung aus Büffeltalg und Asche wasserdicht machten. Eli brachte ihnen ein Dutzend Messer, die gut geölt und in eine Tierhaut eingewickelt waren, zwei Büchsen, ein Fässchen Schießpulver, mehrere kleine glänzende Bleche, die als Spiegel dienen konnten, sowie zehn Meter Kleiderstoffe. Er hatte Caleb bereits ohne Lights Wissen einen Lederbeutel voll Schießpulver und zwei Extrabüchsen gegeben.

»Ich weiß, was du sagen willst«, sprach Eli, als Light den Kopf schüttelte. »Diese Waren sind für Maggie.« Auf seinem Gesicht lag das Grinsen, das Light früher so irritiert hatte, von dem er jetzt jedoch wusste, dass es nur ein Zeichen von Unsicherheit war. »Ich möchte nicht, dass sie den ganzen Weg zu eurem Berg zu Fuß geht. Verwende diese Dinge zum Tauschen. Aee und ich bestehen darauf. Das ist das Letzte, was wir für meinen Bruder tun können.«

»Du hast mir bereits Werkzeuge gegeben.«

»Die Werkzeuge waren ein Geschenk für … Maggie, als Hilfe für den Bau ihres neuen Heims.« Eli lachte selbst über diese absurde Entschuldigung.

»Ich habe nichts, was ich dir geben könnte.«

»Du hast mir das Leben gerettet, und du hast mir deine Freundschaft geschenkt. Das ist viel mehr wert.« Bei diesen Worten legte Eli eine große Hand auf Lights Schulter.

»Ich werde meinen ersten Winterfang an Nerzfellen herschicken, damit daraus ein Mantel für die Frau meines Bruders gemacht wird.«

Eli hatte einen Kloß im Hals. Es war das erste Mal,

dass Light ihn als Bruder angesprochen hatte. Er scherzte, um seine Gefühle zu verbergen.

»Wenn es dort Nerze in solcher Fülle gibt, komme ich vielleicht mit.«

»Du bist willkommen.«

»Ich wäre nicht abgeneigt, wenn nicht mein erster Sohn beschlossen hätte, im Herbst zur Welt zu kommen.«

Ein Lächeln erhellte Lights ernstes Gesicht.

»Mac ist sechsmal zum Brunnen gegangen, bevor er einen Sohn bekam. Woher willst du wissen, dass du schon beim ersten Mal einen bekommen wirst? Hä?«

Eli kratzte sich am Bart. »Daran habe ich nicht gedacht. Aber jetzt, wo du das sagst, denke ich, dass es nicht so schlecht wäre, eine Tochter zu haben. Der Gang zum Brunnen ist höchst vergnüglich.«

Ihre Blicke trafen sich in brüderlichem Einvernehmen. Eli bedauerte, dass sie sich nur so kurze Zeit als Brüder und Freunde gekannt hatten.

»Ich werde unterwegs Nachrichten hinterlassen für den Fall, dass du und Aee euch entschließt, zu uns zu kommen. Paul würde ebenfalls willkommen sein, wie du weißt.«

»Gib jedem, der in diese Richtung kommt, eine Nachricht mit. MacMillan ist am Fluss bekannt, und ich rechne damit, dass wir in ein paar Jahren ein Dorf hier haben werden.«

»Und du, Eli?«

»Ich habe mein Leben auf dem Fluss oder an ihm verbracht.«

Maggie kam auf dem Pfad zu ihnen heruntergerannt.

»Bewegt sie sich denn nie langsam?«, fragte Eli mit einem breiten Lächeln.

»Nicht, wenn sie rennen kann«, erwiderte Light.

»Light! Aee und Eli haben mir dies hier geschenkt. Wir sollen Kleidung für unser erstes Kind daraus machen.« Maggie hielt einen Ballen Stoff in den Armen.

»Dann, ma petite, sollten wir vielleicht besser bald zum Brunnen gehen, um eins zu bekommen.«

Maggie schaute verdutzt drein, dann lachte sie. »Ein Baby aus dem Brunnen? Light, du hast einen Scherz gemacht.«

Light blickte über ihren Kopf hinweg und zwinkerte seinem Bruder zu.


Der Abschied war sowohl glücklich als auch traurig.

Maggie umarmte jedes der jüngeren Kinder der MacMillans. »Pass auf Huhn auf, Eee. Und Dee, üb fleißig mit der Peitsche, die Caleb dir gemacht hat. Du wirst eine bessere Jodlerin sein als ich, Cee, wenn du so weitermachst.« Sie drückte Bee an sich und flüsterte: »Entscheide dich bald, ob du Bodkin oder Dixon nimmst, sonst bringen sie sich noch gegenseitig um.« Bee kicherte und brach dann in Tränen aus.

»Miz Mac, auf Wiedersehen«, flüsterte sie. »Ich werde immer an Sie und den kleinen Frank denken.« Sie weinte ein bisschen, als sie sich von Aee verabschiedete. »Du hast mir eine Menge beigebracht, Aee. Ich wünschte, du würdest mitkommen, aber ich weiß, dass du nicht kannst. Sei gut zu Eli, aber lass dir nichts von ihm gefallen.«

Maggie umarmte Eli lange, dann trat sie zurück und sah ihn an.

»Wenn ich Light nicht gefunden hätte, so hätte ich dich vielleicht zum Mann genommen, Eli. Aber ich freue mich, dass Aee dich abbekommen hat.«

Unter Tränen schüttelte sie den anderen die Hände und rannte dann zum Kanu. Sie ließ Light und Caleb zurück, damit sie sich verabschiedeten.

Light und Caleb, mit Maggie in der Mitte, ergriffen die Paddel, und die Reise begann. Maggie blickte zu der kleinen Gruppe zurück, die am Ufer stand. Aee weinte. Eli hatte einen Arm um sie gelegt. Alle winkten.

Maggie winkte, dann drehte sie das Gesicht nach Westen und begann zu jodeln wie noch nie zuvor.

»Ju-dal-udel-al-di-hi. Ju-dal-udel-al-di-hi. Ju-dal-udel-al-di-hi –«

Der Ruf klang wild, schwermütig, irgendwie überirdisch. Er schallte über das Wasser. Er hallte flussaufwärts und flussabwärts und drang bis zu den Anhöhen jenseits des Flusses. Er drang immer weiter, bis er in der Ferne verhallte.


An einem sonnigen Nachmittag achtundvierzig Tage später erreichten die drei zu Pferde die Ausläufer der Rocky Mountains.

Sie waren kurz vor dem Ende ihrer Reise mit dem Kanu einem Trupp von Osage-Indianern begegnet und hatten die Büchsen, einen kleinen Sack Schießpulver und drei Messer gegen vier halb wilde Pferde eingetauscht, die Maggie innerhalb eines Tages zähmte.

Light konnte sich mit den Osage unterhalten, obwohl sie einen anderen Dialekt sprachen. Trotzdem sie so weit weg lebten, hatten sie von Scharfes Messer und der Rettung Zees, des Medizinmannes eines östlich von ihnen lebenden Osagestammes, erfahren und Light mit großem Respekt behandelt. Er hatte eine Nachricht an Dunkle Wolke geschickt, die den MacMillans übermittelt werden sollte. Sie besagte, dass sie das Ende ihrer Reise auf dem Wasser erreicht hatten und wohlauf waren.

Eine Gruppe von Kiowa-Indianern überholte die Reisenden, kurz nachdem sie den Fluss verlassen hatten, und hätte sie getötet, wenn Caleb nicht gewesen wäre. Die Kiowa hatten bisher weder einen Schwarzen gesehen noch jemanden, der so stark war, dass er einen riesigen Stamm über den Kopf heben konnte. Zu Calebs Vergnügen hielten sie ihn für einen Gott und lagerten fast zwei Tage lang in der Nähe, während Caleb Kraftakte vollführte. Die Indianer boten ihm viele Pferde und ein Mädchen seiner Wahl als Ehefrau an, wenn er mit ihnen zöge. Als er dies ablehnte, wurden sie ärgerlich. Etwas besser gelaunt ritten sie fort, nachdem Light ihnen zwei glänzende Bleche, ein Messer und etwas von Maggies Meterware gegeben hatte. Mehrere Tage lang vergaßen Light und Caleb nicht, den hinter ihnen liegenden Pfad im Auge zu behalten.

In der Prärie hatten sie zwei Tage lang warten müssen, bis eine riesige Büffelherde vorübergezogen war, und später hatten sie in einer Höhle Zuflucht gesucht, als ein Wirbelsturm tobte.

Nachdem sie die Ausläufer des Gebirges erreicht hatten, ritten sie eine weitere Woche, tief beeindruckt von den majestätischen, schneebedeckten Bergen, dem dichten Wald, den klaren Bergflüsschen und dem Überangebot an Wild. Light bemerkte, dass er sich so immer den Garten Eden vorgestellt habe.

Eines Morgens brachen sie ihr Lager ab, ohne zu wissen, dass dies der Tag sein würde, von dem an sie eine lebenslange Freundschaft mit den Cheyenne-Indianern verbinden würde. Die Sonne drang bereits durch die über dem Tal liegenden Nebelschleier hindurch, als sie auf eine kleine Schar von Indianern stießen, die sich auf einem Felsvorsprung über einer tiefen, engen Schlucht befand. Zwei von ihnen lagen auf dem Bauch und blickten hinab.

Eine Squaw mit einem Baby in einer Wiege saß getrennt von den anderen. Sie schaukelte vor Kummer laut wehklagend vor und zurück. Light redete die Indianer auf Osage an, aber sie schüttelten die Köpfe, da sie ihn nicht verstanden. Zwei Krieger mit gespannten Bogen flankierten die seltsame Dreiergruppe, wobei sie Caleb ängstlich beobachteten.

Maggie wurde auf das Schreien eines Kindes aufmerksam. Sie glitt vom Pferd und ging, die Indianer ignorierend, zum Rand der Schlucht und schaute hinab. Light folgte ihr rasch und hielt sie am Gürtel fest, damit sie nicht über den Rand hinwegrutschte.

Fünf Meter unter ihnen befand sich ein kleines Kind. Es klammerte sich an einen langen, dünnen Baum, der aus der Felswand herauswuchs. Es wimmerte vor Angst und hatte Arme und Beine um den Stamm des jungen Baumes geschlungen. Fast vierzig Meter darunter glänzte ein kleiner Fluss im Sonnenlicht.

»Oh! Es hat große Angst, Light. Was können wir tun?«

»Caleb, hol mir das Seil und lass mich hinab.«

»Nein!«, sagte Maggie rasch. »Der Baum wird unter deinem Gewicht brechen. Ich bin leichter. Lass mich hinunter.«

»Ich kann es nicht riskieren, chérie.«

»Wenn der Baum bricht, wird das Kind sterben, Light.«

»Mississ hat Recht«, sagte Caleb. »Der Baum wird Missis halten, aber nicht dich.«

Die Indianer blickten von einem zum anderen, ohne zu verstehen, was sie sagten. Sie sahen aber, dass die seltsamen Leute versuchten, ihnen zu helfen. Als Caleb das Seil brachte, gab ihnen ein junger Mann mit wundervoll geschnittenen Gesichtszügen und dunklem Gesicht sorgenvoll ein Zeichen, damit sie es ihm umbanden. Light redete mit ihm und gebrauchte seine Hände, um ihm klarzumachen, dass der Baum unter seinem Gewicht brechen würde.

Maggie warf ihren Hut zu Boden. Light schlang ihr das Seil um die Hüfte. Mehrmals prüfte er den Knoten, dann zog er sie in seine Arme.

»Mon amour, wenn du den Jungen erreicht hast, bring ihn dazu, seine Arme und Beine um dich zu schlingen, und gehe dann vorsichtig rückwärts. Wir lassen dich nicht fallen.«

»Das weiß ich, mein Liebster. Ich habe keine Angst.«

Caleb und zwei Indianer hielten das Seil fest, obwohl Caleb das mit Leichtigkeit allein hätte machen können. Light, der versuchte, nicht zum Grund der Felsschlucht zu sehen, lag bäuchlings an ihrem Rand und ließ das Seil durch die Hände gleiten, während seine Liebste zu dem Baum hinabgelassen wurde. Er verständigte Caleb durch einen Zuruf, als Maggies Füße den Baumstamm berührten, um auszuprobieren, ob er ihr Gewicht tragen würde.

Das Herz schlug ihm bis zum Hals, während er zusah, wie sie vorsichtig auf den Baum kletterte, der fast waagrecht aus dem Felsen herauswuchs. Die Augen auf den Jungen gerichtet, sprach sie ruhig mit ihm, wie sie es immer tat, wenn sie ein aufgeregtes Tier besänftigte. Das Kind konnte die Worte nicht verstehen, aber der Ton beruhigte es, und es hörte auf zu weinen.

»Hab keine Angst, kleiner Junge, ich hole dich. Halte dich fest, bis ich bei dir bin. Du wirst bald bei deiner Ma sein. Ich heiße Maggie. Ich werde hier in den Bergen leben. Ich bin fast bei dir. Leg jetzt deine Arme um meinen Hals. So ist es richtig. Umklammer mich auch mit deinen Beinen. Halt dich fest, und du wirst nicht hinunterfallen. Light und Caleb werden uns hinaufziehen. Zuerst müssen wir weg von diesem Baumstamm. Er beginnt zu schwanken. Light hat gesagt, ich soll vorsichtig sein, und ich mache, was Light sagt.«

Während sie rückwärts ging, holte Light das Seil ein. Als sie die Felswand erreichte, zogen die Männer sie und das Kind vorsichtig hinauf. Sobald sie nah genug waren, packten Light und die Indianer sie unter den Armen und zogen sie mit dem Kind nach oben und vom Rand weg.

Mit einem Freudenschrei streckte der Vater die Arme nach seinem Kind aus.

In einer Lichtung abseits vom Pfad saßen die Indianer, Light und Caleb am Feuer und rauchten, während Maggie mit dem Indianerbaby und dem Jungen spielte. Light konnte verstehen, dass der Vater des Jungen der Sohn des Häuptlings Weißes Pferd war und dass sie zu ihrem Sommerlager unterwegs waren. Sie hatten bisher nur wenige Weiße und noch nie einen Schwarzen gesehen.

Als sie aufbrechen wollten, umarmte Maggie den kleinen Jungen, den sie gerettet hatte, und sagte ihm, wie tapfer er gewesen war. Er sah sie mit großen ernsten Augen an und drückte Maggie an sich. Der Vater des Jungen nahm seinen Halsschmuck aus blauen Federn ab und legte ihn um Maggies Hals. Sie lächelte, weil sie den Schmuck schön fand, war sich aber über die Bedeutung des Geschenks nicht im Klaren; sie wusste nicht, dass sie und ihr Mann von diesem Tag an unter dem Schutz der Cheyenne-Indianer stehen würden.

Sie wollte ihren neuen Freunden vor dem Abschied noch etwas geben. Sie ging zum Rand des Felsens, hob den Kopf und begann zu singen.

»Fleisch von meinem Fleisch,
Herz von meinem Herzen,
ziehen wir ewig Hand in Hand
durch die Wälder weit ...«

Sie sang mit hoher Stimme, süß und wild. Die Stimme trug so weit wie der Klang einer Glocke. Das Echo drang in jede Spalte des Berges und hallte im Tal wider. Und zu guter Letzt jodelte sie.

»Ju-dola-di-ju-la-di – Ju-dola-di-la-li –«

Die Cheyenne standen in ehrfürchtigem Schweigen,

In der Ferne blieb ein Jagdtrupp auf einem Berghang stehen, hob den Kopf und lauschte.

Ein Reh, das gerade den Kopf hinabgebeugt hatte, um aus einem Bach zu trinken, hielt inne, stand still und zitterte. Und der Puma, der sich gerade auf das Reh stürzen wollte, öffnete den Rachen und brüllte, woraufhin das Reh davonjagte.

Maggie hatte ihre Anwesenheit in den Bergen kundgetan.

Zwei Tage später ritten sie am Fuß zahlreicher Berge entlang, durchquerten ein enges Tal und folgten einer Tierfährte bis hinauf zu den Kiefern. Light hielt an, und Maggie brachte ihr Pferd neben ihm zum Stehen. Das Gras auf der Lichtung war grün und kniehoch. Ein Gebirgsbach mit klarem Wasser floss im Zickzack zur Wiese hinunter. Vögel flatterten von einem Strauch zum anderen, und wilde Blumen wuchsen in Hülle und Fülle.

Dies war der Ort, den Light in seinen Träumen gesehen hatte. Er und Maggie blickten sich an. Er begann zu lächeln, und Maggie lachte.

»Wir sind angekommen, Light. Dies ist dein Berg.«

»Ja, mon amour. Wir sind zu Hause.«

Maggie glitt vom Pferd und rannte zur höchsten Stelle hinauf. Sie breitete die Arme aus und begann zu tanzen.

»Wir sind zu Hause«, schrie sie. »Ju-dal-la-di-hu –! Wir sind zu Hause, zu Hause, zu Hause. Ju-dal-la-di-di!«

Auf der gegenüberliegenden Seite des Tales hielt der Cheyenne mit seinem kleinen Sohn, der vor ihm ritt, an und hob eine Hand zum Willkommensgruß für seine neuen Freunde.

# Epilog

Light und Maggie wohnten den Rest ihres Lebens in dem Haus, das sie in jenem Jahr auf dem Berg bauten, der als Lights Berg bekannt wurde. Die Cheyenne wurden ihre Freunde und Beschützer. Sie nannten Light Scharfes Messer und Maggie Singenden Vogel. Es waren die Namen, welche die Osage ihnen gegeben hatten.

Calebs schwarze Hautfarbe und seine Stärke waren ein Gewinn für ihn. Er wurde in den Stamm aufgenommen und nahm sich ein indianisches Mädchen zur Frau. Sie hatten viele Kinder, die oft kamen, um Light und Maggie zu besuchen, als Caleb und seine Frau schon gestorben waren.

Zwei von Maggies Kindern waren Totgeburten, aber zwei lebten. Sie erhielten die Namen Eli und Paul. Paul verließ die Berge, um die Welt dahinter zu erkunden. Eli erbte die Liebe seines Vaters zu den Bergen und Wäldern. Er streifte in den Rocky Mountains umher, kehrte aber immer wieder nach Hause zurück.

Als sich Lights Gesundheit im hohen Alter zu verschlechtern begann und er keine langen Jagdausflüge mehr unternehmen konnte, wusste er, dass die Zeit näher rückte, zu der er seine geliebte Waldfee verlassen musste. Sein Leben war schön gewesen. Vor vierzig Jahren hatte er seinen Berg gefunden. Er und Maggie hatten eine seltene und wunderbare

Liebe erlebt. Light machte sich Sorgen, weil er Maggie allein lassen musste, obwohl er wusste, dass sich der junge Eli um sie kümmern würde. Er verheimlichte ihr seinen Schmerz und hoffte, ihr den Kummer so lange wie möglich ersparen zu können.

An einem Sommertag gingen sie Hand in Hand den gleichen gewundenen Pfad hinab, der sie vor Jahren zu ihrem Zuhause auf dem Berg geführt hatte. Sie erinnerten sich an Jefferson Merrick und Annie Lash, an Will Murdock und Callie. Sie sprachen über den Tag, an dem sie St. Charles verlassen hatten, und über ihre Schwüre auf dem Felsvorsprung über dem Fluss. Sie riefen sich die erste Begegnung mit Eli, Paul und dem verrückten Deutschen ins Gedächtnis. Light erinnerte sich an den Schock, den er empfand, als er erfuhr, dass Eli sein Bruder war. Sie fragten sich, ob MacMillans Dorf zu einer Stadt geworden war, ob Aees und Elis erstes Kind ein Junge war und ob Bee Bodkin oder Dixon geheiratet hatte.

Sie sprachen über Adlernase. Als er ein kleiner Junge war, hatte sich Maggie an der Felswand hinabgelassen, um ihn zu retten. Jetzt war er ein mächtiger Häuptling der Cheyenne und besuchte sie jedes Jahr, wenn er mit seinem Stamm vom Winterlager im Süden zurückkehrte. Er brachte oft seinen Vater Weißes Pferd mit, und wenn sie schließlich aufbrechen wollten, bat Adlernase Maggie jedes Mal zu jodeln.

Maggie war immer noch schlank und temperamentvoll, obwohl ihre dunklen Locken von grauen Strähnen durchzogen waren und sie inzwischen eher ging, als dass sie rannte. Heute ging sie vor

Light den Pfad hinab, um einen Blick in das Nest eines Rotkehlchens zu werfen, das sie schon längere Zeit beobachtet hatte.

»Sie sind noch nicht geschlüpft, Light«, rief sie und sagte dann zu dem alten Wolfshund, der hinter ihr hertrottete. »Komm nicht zu nahe, Moses. Die Rotkehlchenmama hat Angst, dass du ihre Jungen fressen willst. Natürlich weiß ich, dass du das nicht tun würdest« Sie streichelte ihm den Kopf. »Geh und such deine Freundin. Du bist in letzter Zeit so unruhig.«

Der Hund, der ihr mit Leichtigkeit die Hand, die er leckte, mit seinen scharfen, weißen Zähnen hätte abbeißen können, winselte, als ob er verstand, was sie sagte.

Light beobachtete sie und den Hund. In all den Jahren, die sie zusammen verbracht hatten, hatte er kein Tier gekannt, das sie nicht zähmen konnte. Sie war für ihn noch immer das schöne, wilde und scheue Geschöpf des Waldes, das er vor langer Zeit zu seinem Berg gebracht hatte. Ein leises Lächeln erhellte sein sonst so ernstes Gesicht.

Mon Dieu! Wie er es hasste, sie zu verlassen.

Über ihren Köpfen zogen Gewitterwolken auf, und in der Ferne konnte man ein leises Donnergrollen hören.

»Wir sollten zurückgehen, chérie. Ein Gewitter kommt.«

Maggie ging zu ihm, wie sie es immer tat, wenn er rief.

»Es ist bereits hier.«

Es regnete, als sie die hohe Kiefer erreichten, und sie suchten unter ihren weit ausladenden Ästen

Schutz. Sie standen ganz dicht beieinander. Maggie legte die Arme um seine Taille und bot ihm ihren Mund zum Kuss. Light küsste sie liebevoll und hob dann den Kopf, um sie anzusehen. Sie war seine Liebe, sein Leben, der andere Teil seines Ichs. Er blickte ihr lächelnd in die smaragdgrünen Augen und zog sie noch fester an sich.

»Ich sehe dich gern lächeln, Light. Du weißt, dass ich dich mehr liebe als alles in der Welt.«

»Ich weiß, mein süßer Schatz. Und ich liebe dich –«

Er hatte die Worte kaum gesprochen, als ein greller Blitz aus dem dunklen Himmel zuckte. Ihm folgte sofort ein Donnerschlag.

Als die Dämmerung hereinbrach und sie immer noch nicht zum Haus zurückgekehrt waren, machte sich Eli Sorgen um seine Eltern. Dem Heulen von Maggies Wolfshund folgend, fand er Vater und Mutter tot unter dem Baum. Light hielt Maggie in den Armen. Sie sahen aus, als ob sie sich gerade hingelegt hätten, um eine Weile zu schlafen. Er begrub sie beide zusammen auf dem grasbewachsenen Hügel, wo bereits ihre beiden Kinder ruhten und auf dem Maggie an dem Tag, an dem sie vor langer, langer Zeit zu Lights Berg gekommen waren, getanzt und gesungen hatte.

Die Liebesgeschichte von Light, dem Scout, und Maggie, der schönen Waldfee, wurde zu einer Legende. Ihre Geschichte wurde am Missouri, in der weiten Prärie und im ganzen Gebiet der Rocky Mountains erzählt. Sie wurde sowohl unter den Indianern als auch den Pionieren, die Baptiste und Maggie Lightbody folgten, um das Land jenseits des großen Flusses zu besiedeln, von Generation zu Generation weitergegeben.

Man sagt, dass man, wenn man in den Bergen ist und aufmerksam lauscht, Maggie hören kann, die ihrem Liebsten ein Lied singt.

»Ist mein Haar einst silberglänzend
und mein Augenlicht schon schwach,
stütz ich mich, mein Liebster, auf dich
in der Abenddämmerung meiner Tage.
Nur um eins will ich dich bitten,
was mir teurer ist als Gold,
um das eine nur, mein Darling:
Hab mich lieb, auch wenn ich alt bin.«

Die Legende lebt weiter ...

# Feuer der Leidenschaft
## Große Liebesromane

Karen A. Bale
**Sinnliche Versprechen**
400 Seiten
Als die schöne Cassidy nach Hause zurückkehrt, sinnt sie auf Rache – doch sie findet die Liebe.

Christina Dodd
**Geheime Sünden**
440 Seiten
Nie sah er eine Frau, die stärker seiner Küsse bedurfte – doch nie gab es eine, die sich stärker dagegen wehrte.

Dorothy Garlock
**Schöner, wilder Mann**
408 Seiten
Sie reitet und schießt besser als jeder Mann – doch keine Waffe schützt sie vor dem Schicksal der Liebe.

Dorothy Garlock
**Geheime Passionen**
424 Seiten
Er ist da, als die selbstbewußte Addie dringend Hilfe braucht. Auf der Flucht verlieren sie alles – doch entdecken ihre Liebe füreinander.

Sandra Marton
**Nur mit deiner Liebe**
448 Seiten
Eine Liebe, die Zeit und Raum überwindet.

Constance O'Banyon
**Die Flammen der Liebe**
416 Seiten
Die blutjunge Schauspielerin »La Flamme« wird von allen umschwärmt. Doch ein dunkles Geheimnis umgibt sie, das Vergeltung fordert – an dem Mann, den sie liebt.

Econ | **ULLSTEIN** | List

N2